# HANTISES

# John Saul

# HANTISES

*Roman*

FRANCE LOISIRS
123, boulevard de Grenelle, Paris

Titre original : *The Unloved*

Traduit par Thierry Arson

Édition du Club France Loisirs, Paris,
avec l'autorisation des Presses de la Cité.

© 1988 by John Saul
Édition originale Bantam Books, Inc.
© Presses de la Cité 1990 pour la traduction française
ISBN 2-7242-6295-6

*Pour Michael, Jane et Linda.*
*Que la décennie à venir soit aussi*
*merveilleuse que la précédente.*

# 1

Quelque part, dans les ténèbres, elle avançait lentement vers lui. Comme toujours il ne pourrait la voir qu'au dernier moment, mais il discernait déjà son approche. Il pouvait presque la sentir, bien qu'il reconnût l'étrange odeur musquée emplissant ses narines comme celle de sa propre peur et non de son parfum à elle.

Il aurait voulu lui échapper, mais il savait la chose impossible. Il avait déjà essayé auparavant, toujours en pure perte. Pourtant, alors que la présence se rapprochait de lui, il tenta de se rappeler pourquoi il était aussi totalement désarmé.

Rien ne lui vint à l'esprit; aucun souvenir, aucune image. Seule la terrible certitude qu'il avait déjà voulu la fuir sans jamais y parvenir.

Mais peut-être que cette fois...

Il se força à réfléchir au lieu où il se trouvait. De nouveau, il eut le sentiment d'être perdu, étouffé par les ténèbres. Il aurait souhaité se recroqueviller sur lui-même jusqu'à disparaître.

Soudain un rai de lumière déchira la nuit. Il leva une main devant ses yeux pour se protéger de l'aveuglante clarté. Alors, dans l'éblouissement, il vit le visage de la femme, déformé par la haine, qui se penchait sur lui.

La porte s'ouvrit en grand et la lumière le submergea, balayant les ténèbres qui n'avaient pu le dissimuler. La femme se tenait immobile devant lui. Sans qu'elle eût à le lui dire, il baissa les mains et leva les yeux vers elle.

– Que fais-tu ici? l'entendit-il demander. Tu sais que je ne veux pas de toi ici!

Où se trouvait-il donc? Il jeta un coup d'œil furtif sur la chambre avec l'espoir futile que la femme ne remarquerait pas ce mouvement rapide des yeux.

La pièce lui sembla étrange, comme inachevée. La charpente

de bois brut apparaissait sous le papier mural en lambeaux. Il était déjà venu dans ce lieu, il en était maintenant certain. Mais il ne parvenait toujours pas à le situer.

Il n'était sûr que d'une chose : la femme brûlait de haine envers lui. Du tréfonds de son esprit monta la connaissance de ce qu'elle allait faire.

Elle s'apprêtait à le tuer.

Il voulut hurler au secours, mais aucun son ne sortit de sa gorge contractée par la terreur. Il comprit alors qu'il mourrait de panique s'il ne réussissait pas à l'endiguer.

La femme avança d'un pas vers lui et il recula contre le mur. Une sueur glacée inondait son dos, et il la sentait couler sous ses bras. Un frisson le parcourut, et de ses lèvres monta une faible plainte inarticulée.

Sa sœur.

Sa sœur allait peut-être entrer dans la pièce et le sauver.

Mais non. Elle avait disparu. Quelque chose de terrible lui était arrivé, et il restait seul.

Seul face à sa mère.

Il leva vers elle un regard terrifié. Elle semblait l'écraser de toute sa hauteur et retenait son ample jupe comme pour éviter de la souiller au contact de son fils. Ses mains étaient cachées dans les plis du vêtement, mais il savait ce qu'elles tenaient.

Le hache. Avec laquelle elle allait le tuer.

C'est alors qu'il vit l'arme. La courbe de son tranchant métallique brilla dans la lumière, et les mains de sa mère se crispèrent sur le long manche en bois. Sans un mot, elle le fixait d'un regard sombre. Mais elle n'avait pas besoin de parler : il savait ce qu'elle voulait, ce qu'elle avait toujours voulu.

– Aime-moi, murmura-t-il d'une voix si faible qu'il sentit le silence happer les mots dès qu'ils eurent franchi ses lèvres. Je t'en prie, aime-moi...

Mais sa mère n'entendait pas. Elle n'avait jamais entendu ses innombrables suppliques, les excuses qu'il avait présentées si souvent pour ce qu'il avait fait. Il se serait excusé pour n'importe quoi. Si elle daignait seulement l'écouter, il lui dirait ce qu'elle désirait. Il essaya encore, certain pourtant qu'elle refuserait de l'écouter.

Elle n'était là que pour une chose : se débarrasser de lui.

Avec une affreuse lenteur, la hache s'éleva dans la lumière. L'arme tremblait légèrement, et on eût dit que l'acier lui-même, impatient de faire éclater sous son poids les os du crâne, vibrait d'une excitation meurtrière. Il vit le couperet de métal descendre vers lui, et le temps parut se figer.

Il devait faire quelque chose – s'écarter, éviter le coup. Il tenta de lever les bras, mais l'air s'était transformé en une substance épaisse et presque solide qui freinait ses mouvements.

La hache s'enfonça dans son crâne, et tout s'inversa.

C'était maintenant sa mère qui se recroquevillait sur le sol en levant vers lui un regard terrorisé tandis qu'il abattait la hache. Il sentit la légère résistance des os cédant sous l'acier. La tête éclata comme un melon. Une brume rouge monta vers lui, et il sentit distinctement les fragments de cervelle qui retombaient en pluie sur son visage.

Il ouvrit la bouche et, enfin, hurla.

Il était assis dans son lit, les draps entortillés autour de son corps trempé d'une sueur glacée comme celle qui l'avait inondé dans son rêve. Devant ses yeux l'image du crâne défoncé de sa mère flotta encore un instant dans les ténèbres, puis un flot de lumière envahit la pièce et chassa la vision.

– Kevin? Que se passe-t-il? Ça va?

Kevin Devereaux reconnut la voix d'Anne. Son épouse toucha son bras d'une main affectueuse. Il chassa les derniers vestiges du cauchemar et sortit du lit. Malgré la chaleur de cette nuit de mi-juillet, il s'aperçut qu'il frissonnait et s'enveloppa dans une robe de chambre avant de répondre, d'une voix rauque :

– J'ai fait un cauchemar. Ma mère essayait de me tuer, mais à la fin c'est moi qui l'assassinais. (Il se retourna vers Anne.) Je la tuais. Ma propre mère.

– Allons, ce n'était qu'un mauvais rêve, fit-elle d'une voix apaisante.

Elle secoua son oreiller écrasé pour lui redonner du volume et défroissa les draps.

– Reviens donc te coucher et oublie tout ça. Tout le monde fait des rêves bizarres qui ne signifient rien. Et puis, connaissant tes sentiments à l'égard de ta mère, je m'étonne presque que tu n'aies pas ce genre de cauchemar toutes les nuits.

Kevin se força à sourire, mais le cœur n'y était pas.

– En fait, c'est ce qui m'arrivait quand j'étais gosse. Je me réveillais souvent en pleine nuit à cause de ce même cauchemar. Au pensionnat, ils ont fini par m'isoler pour dormir. Le camarade qui partageait ma chambre auparavant se plaignait d'être réveillé toutes les nuits par les cris que je poussais dans mon sommeil. Mais je n'avais plus fait ce rêve depuis l'âge de seize ou dix-sept ans... Je pensais que c'était fini.

Anne tapota la place de son mari dans le lit.

– Allons, cette fois c'est bien fini, et tu dois te reposer un peu.

Mais Kevin répondit en secouant la tête et en nouant la ceinture du peignoir d'un geste nerveux.

– Non. Cette fois c'était différent. Quand j'étais petit je

rêvais toujours que Mère essayait de me tuer, et je me réveillais avant qu'elle le fasse. Mais cette nuit tout a basculé : c'est moi qui la tuais, et le rêve ne s'est terminé qu'après sa mort.

Anne rencontra le regard de son mari et le demi-sourire rassurant qu'elle affichait disparut de ses lèvres.

— Tu es sérieux, n'est-ce pas? Tu penses vraiment que ce cauchemar a une signification?

Kevin écarta les mains dans un geste de désarroi.

— Je n'en sais rien. Mais j'ai le sentiment qu'il lui est peut-être arrivé quelque chose.

Il jeta un coup d'œil au réveil. L'idée de téléphoner à sa sœur l'avait effleuré, mais à trois heures et demie du matin il ne parviendrait qu'à l'affoler inutilement.

Pourtant il se sentait incapable de retrouver le sommeil. Pas maintenant.

Il devait d'abord réfléchir à ce rêve et à sa signification probable, comprendre pourquoi, après toutes ces années, il était revenu cette nuit. Il se pencha sur le lit, effleura les lèvres d'Anne.

— Rendors-toi, ma chérie. Je vais descendre vider le frigo.

Elle le contempla un moment d'un air soucieux.

— Si tu avais l'intention d'aller t'asseoir dans la cuisine pour broyer du noir, tu me le dirais, n'est-ce pas?

Malgré lui, Kevin eut un petit rire. Il se baissa de nouveau et l'embrassa.

— Bon; en admettant que j'aie envie d'aller broyer un peu de noir, hein? A quarante ans, j'en ai le droit, non? Allez, rendors-toi et ne t'inquiète donc pas. Tout va bien.

Il éteignit la lampe de chevet, se glissa hors de la chambre, passa devant celles des enfants et descendit l'escalier. Mais il ne se rendit pas dans la cuisine. Il entra dans le salon et s'installa à sa place favorite, dans un vieux fauteuil en cuir semblable à celui qui trônait au milieu de la bibliothèque, dans son enfance.

Celui sur lequel sa mère n'avait jamais permis qu'il s'assît.

A présent il avait quarante ans, sa mère presque quatre-vingts, et il aurait dû oublier cette histoire de fauteuil interdit, ainsi que tout le reste, depuis bien longtemps.

C'est ce qu'il avait cru, jusqu'à cette nuit.

Maintenant il se rendait compte qu'il n'avait rien oublié du tout, et que ce rêve possédait une signification très précise.

Kevin Devereaux haïssait toujours autant sa mère. Et il continuait à souhaiter sa mort.


Lucinda Willoughby s'éveilla en sursaut et consulta la grosse montre d'homme à son poignet. Trois heures trente. Elle avait sommeillé deux heures. Ce qui n'avait pas grande importance. En face d'elle, dans le lit, la vieille femme dormait habituellement toute la nuit sans problème, et Lucinda ne se culpabilisait certes pas de son assoupissement. C'était son droit le plus strict, surtout si l'on considérait la façon dont Helena Devereaux la traitait : plus comme une employée que comme l'infirmière qu'elle était.

La conscience plus tranquille, Lucinda ouvrait le livre qui était tombé sur ses genoux quand le son qui l'avait éveillé se reproduisit. C'était la voix aigre d'Helena.

— Vous m'avez entendue, ma petite ? Je ne vous paie pas pour que vous dormiez toute la nuit. Est-ce clair ?

Lucinda referma son livre et se leva lourdement de son siège.

— Je ne dormais pas, madame...

Elle se tut en voyant la colère illuminer les yeux de la vieille femme.

— Ne me racontez pas d'histoire ! Je ne suis pas encore morte, et certainement pas aveugle !

Helena Devereaux s'était assise dans son lit, son corps maigre raidi par l'irritation. Elle avança une main décharnée vers la table de nuit pour y prendre le verre d'eau. Malgré sa corpulence, l'infirmière fut plus rapide et saisit le verre avant que les doigts de la vieille femme ne l'atteignent.

— Comment osez-vous ? siffla Helena Devereaux. Donnez-le-moi immédiatement, vous m'entendez ?

Silencieusement, Lucinda compta jusqu'à dix en inspirant à fond, puis elle tendit le verre.

Helena Devereaux projeta l'eau au visage de l'infirmière avant de lancer le verre contre le mur où il s'écrasa.

— Où est-il ? Où est Kevin ?

Avec un hoquet de surprise, Lucinda fixa sur la vieille femme un regard stupéfait. Elle savait qui était Kevin. Nul ne l'ignorait sur la petite île Devereaux. Mais il n'y était pas revenu depuis des années, et Lucinda Willoughby n'avait aucune idée de l'endroit où il pouvait se trouver cette nuit.

— Je veux le voir ! dit Helena Devereaux d'une voix tremblante. Je vais mourir et je veux voir mon fils avant qu'il ne soit trop tard !

Soudain Lucinda vit le danger et s'approcha pour saisir la main flétrie.

— Allons, miss Helena. Il faut vous calmer, dit-elle de son ton le plus professionnel. Vous n'allez pas mourir, pas tant que je prendrai soin de vous. Je n'ai jamais perdu de patient, et je n'ai pas l'intention de commencer avec vous.

Tout en parlant elle prenait le pouls de la vieille femme. Il était un peu irrégulier, mais Lucinda jugea que c'était là le résultat de la colère et non les prémices d'une attaque.

— Je ne veux pas me calmer! s'écria Helena en retirant sa main d'un geste brusque. Je vais mourir et vous le savez! Et j'exige de voir Kevin avant ma mort!

Elle avait prononcé ces derniers mots d'une voix suraiguë, et son regard avait balayé la table de nuit à la recherche de quelque chose à casser.

— Vous allez me le chercher tout de suite, vous m'entendez? C'est votre devoir! Vous n'êtes qu'une fainéante, une bonne à rien, une...

— Mère! Mère, que se passe-t-il?

Le regard brûlant d'Helena quitta l'infirmière pour se poser sur sa fille. Marguerite Devereaux s'était arrêtée sur le seuil de la chambre, une main tenant fermé un peignoir enfilé à la hâte.

— Kevin! Je veux qu'il vienne. Je veux le voir et lui parler!

Interloquée, Marguerite lança un regard interrogateur à l'infirmière. Celle-ci ne put que hausser les épaules en signe d'impuissance. Cet échange muet n'échappa pas à la vieille femme et décupla sa colère.

— Vous ne comprenez donc pas ce que je dis? Je veux voir mon fils avant de mourir!

Elle retomba contre les oreillers empilés à la tête du lit. Cet accès de rage avait épuisé son énergie vacillante. Sa respiration sifflante soulevait spasmodiquement sa poitrine maigre. Lucinda Willoughby prit son poignet pour vérifier le pouls. Il était précipité.

— Un verre d'eau, miss Marguerite, fit-elle d'une voix sans réplique. Vite!

Tout ressentiment oublié, elle souleva doucement la vieille femme, réarrangea les oreillers et l'installa dans une position à moitié assise. Quand Marguerite ressortit de la salle de bains, Lucinda avait déjà préparé le médicament de sa malade. Elle glissa adroitement les pilules entre les lèvres exsangues d'Helena puis approcha le verre. La vieille femme but une gorgée d'eau. Bientôt sa respiration se calma et son pouls reprit un rythme plus normal. Lorsqu'elle eut l'assurance que tout danger immédiat était écarté, Lucinda désigna d'un regard le couloir à Marguerite.

— Que s'est-il passé? demanda celle-ci dès que l'infirmière eut refermé la porte de la chambre.

— Je ne sais pas. Je me suis assoupie et quand j'ai rouvert les yeux elle criait.

— Mais pourquoi? insista Marguerite.

Elle se souvint des paroles de sa mère et agrippa le bras de Lucinda.

— Est-ce vrai? dit-elle d'une voix rauque. Elle va mourir?

L'infirmière eut un moment d'hésitation avant d'acquiescer.

— Elle aurait pu mourir à l'instant... C'est à cause de son

caractère, miss Marguerite. Si elle voulait bien rester tranquille, elle pourrait vivre encore des années. Mais elle en est incapable. Il faut toujours qu'elle s'emporte après quelqu'un, et à chaque fois elle se détruit un peu plus. Elle ne changera pas, vous le savez comme moi. Alors autant se faire une raison : elle va mourir, oui.

Marguerite garda une immobilité parfaite un long moment pour laisser le temps à son esprit d'accepter ces propos. Depuis des années, elle savait que c'était la vérité. Sa mère ne pouvait vivre encore très longtemps, bien qu'elle eût toujours montré une force qui semblait presque éternelle. Marguerite ne pouvait imaginer la maison qu'elle n'avait jamais quittée sans la présence de sa mère. Pourtant, à peine quelques minutes plus tôt, la mort s'était peinte sur le visage flétri d'Helena.

Et sa mère avait demandé à voir Kevin.

Pour la première fois depuis plus de vingt ans, Helena Devereaux avait prononcé le prénom de son fils.

Marguerite se détourna de l'infirmière et s'éloigna lentement dans l'immense couloir du deuxième étage vers sa propre chambre. Dans un geste presque inconscient, elle pressa sa main contre sa hanche, les doigts crispés sur la douleur. Aussi aigu qu'une lame à blanc plongée jusqu'à l'os, l'élancement faisait partie de sa vie depuis tant d'années qu'elle l'oubliait la plupart du temps. Mais cette nuit la souffrance lui paraissait pire que d'habitude, et elle la sentait qui gagnait toute la jambe jusqu'à la cheville.

Par un effort de volonté elle chassa la douleur de son esprit et sa démarche perdit son début de claudication. Arrivée à la porte de sa chambre elle sentit qu'on lui touchait l'épaule et se retourna. Ruby, la domestique de la maison depuis avant même la naissance de Marguerite, fixait sur elle ses grands yeux sombres emplis d'inquiétude.

— Que se passe-t-il, miss Marguerite? demanda-t-elle doucement. C'est miss Helena?

Marguerite hocha la tête et réussit à ébaucher un sourire de sympathie.

— J'en ai bien peur, Ruby. Je crois... que je devrai appeler Kevin demain matin pour lui demander de venir.

Ruby réprima un petit cri de surprise.

— Elle l'a demandé? Elle a prononcé son prénom?

— Oui. Mais je ne sais pas s'il viendra, murmura Marguerite, plus pour elle-même qu'en réponse à la domestique.

Ruby serra les lèvres et ses yeux s'étrécirent.

— Il viendra, assura-t-elle. Et vous n'aurez même pas besoin de lui téléphoner, miss Marguerite. Il sait qu'elle va mal.

Marguerite examina le visage sombre de la domestique à la lueur des appliques en argent terni qui ponctuaient le couloir. De quoi parlait-elle?

— Mais comment pourrait-il être au courant? Allons, Ruby, aucun de nous n'a eu de contact avec Kevin depuis des années.

— Pas d'importance, ça, répliqua la servante, imperturbable. Il sait ce qui arrive à sa mère. C'est un Devereaux, voilà pourquoi. Vous verrez si je n'ai pas raison, miss Marguerite. Il viendra tout seul. Demain matin.

Sans attendre de commentaire, Ruby tourna les talons et s'éloigna vers l'escalier qui menait à sa chambre, près de la cuisine.

Après son départ Marguerite se réfugia dans sa chambre dont elle ferma la porte. Elle ôta son peignoir et se glissa dans le lit, ne couvrant son corps que d'un simple drap. Dans l'air moite de cette nuit d'été, même le fin coton lui paraissait pesant. Pourtant elle ne le repoussa pas, car il lui procurait un doux sentiment de sécurité. Dehors, le concert monotone des insectes et des rainettes gommait presque le murmure de la mer, à quelques centaines de mètres seulement. Le parfum douceâtre du chèvrefeuille planait autour d'elle.

Ses pensées s'envolèrent vers Kevin. Elle était impatiente de le revoir, de rencontrer sa famille. Il avait été absent beaucoup trop longtemps, et bien qu'elle n'en ait jamais parlé à leur mère, il lui manquait terriblement.

Mais pourquoi était-ce la mort imminente d'Helena qui devait le ramener ici? Quelle étrange injustice de retrouver son frère parce qu'elle allait perdre sa mère.

Elle devait affronter cette réalité : sa mère agonisait, et la venue de Kevin n'y changerait rien.

Mais Marguerite avait toujours affronté les réalités de la vie sans faiblir, et cette fois encore elle subirait l'épreuve avec courage.

Quoi qu'il arrive, elle accepterait le destin sans une plainte.

Bercée par les effluves de chèvrefeuille et les bruits assourdis de la nuit, elle glissa dans le sommeil.


Dans sa propre chambre, Helena Devereaux ne dormait pas. Immobile dans son lit, elle commandait à son cœur de battre à un rythme paisible, tout comme elle avait commandé aux choses et aux gens sa vie entière pour satisfaire sa volonté. Jusqu'à ces derniers mois, elle avait toujours obtenu ce qu'elle désirait. Mais elle approchait de la fin, elle le savait. Elle sentait ses forces la quitter, et son emprise sur Marguerite et Ruby faiblir. A présent, allongée dans les ténèbres de sa chambre, elle se demandait ce qu'elle haïssait le plus : la mort qui la guettait ou le fait de perdre son pouvoir sur sa vie. Non que cela eût une quelconque importance, bien sûr : en fin de compte, la mort était l'ultime perte de pouvoir.

Des images lui revinrent à l'esprit.

Sa première rencontre avec Rafe Devereaux, alors qu'elle n'avait que seize ans. Rafe en avait dix de plus. Il l'avait séduite par sa beauté sombre et sa personnalité pleine de panache. Il lui avait promis monts et merveilles. Mais il n'avait pu lui offrir que les vestiges d'une plantation désormais stérile et un lignage qui ne signifiait rien pour elle. Que lui étaient les ancêtres huguenots de Rafe et leur gloire enfuie? Pendant les premiers mois de leur mariage, elle avait cru qu'il l'emmènerait à New York et qu'il userait de son influence pour l'aider dans sa carrière. Mais il apparut vite qu'il n'avait aucun pouvoir au-delà de Charleston, où d'ailleurs les Devereaux n'étaient pas si bien vus. Puis il y avait eu la naissance de Marguerite, et celle de Kevin huit ans plus tard. Les rêves d'Helena s'étaient peu à peu évanouis et il n'en était plus resté que ces leçons de danse qu'elle avait données à sa fille.

Kevin avait sept ans lorsque Rafe, écœuré par la vie, s'était donné la mort. Bien sûr, elle avait masqué son suicide. Sans l'aide de personne, elle avait dépendu le corps des chevrons de la grange avant de le jeter du grenier à foin. Comme elle s'en doutait, le docteur avait conclu à un accident et n'avait pas remarqué la brûlure de la corde sur le cou brisé.

Une semaine plus tard, elle apprenait que le décès de son mari la laissait aussi pauvre qu'auparavant. Tous les avoirs de Rafe Devereaux devaient être administrés et transmis à la succession intacts. Elle pouvait les gérer jusqu'à sa propre mort, mais ne pouvait en disposer selon son bon vouloir.

Elle avait banni son fils en l'envoyant dans un pensionnat et avait consacré son énergie à Marguerite.

Sa fille, elle aussi, l'avait trahie. A présent, Helena Devereaux sentait la mort venir et n'avait plus rien. Rien qu'un corps de jour en jour plus faible qui lui imposait le lit presque toute la journée. Même son esprit n'était plus aussi dominateur. Elle le lisait dans leurs yeux. Elles ne la craignaient plus, du moins plus autant. Elles se contentaient de lui obéir dans ses derniers instants, rien de plus.

Mais elle n'était pas encore morte!

Elle ne pourrait peut-être pas contrôler Marguerite encore très longtemps, mais il restait Kevin.

Elle eut un ricanement silencieux. Elle venait de comprendre que son mari, mort depuis si longtemps, allait finalement lui être utile. Dans son propre testament, Rafe lui avait fourni l'arme qui lui permettrait de maintenir son emprise, même après que ce vieux corps usé eut été dévasté par la dernière attaque.

L'esprit réjoui par cette pensée, Helena Devereaux laissa le sommeil l'engloutir.

Les premières lueurs de l'aube teintaient d'un gris argenté le ciel à l'est lorsque Kevin entendit le plancher du vestibule craquer sous un pas léger. Un instant plus tard sa fille entra dans la pièce en se frottant les yeux. Kevin l'observa un moment, émerveillé par sa ressemblance avec sa propre sœur.

A quinze ans, les yeux marron clair de Julie étaient ceux de Marguerite. Sa chevelure brune, à peine ondulée, encadrait son visage en forme de cœur, en rehaussant la beauté comme chez sa tante, et les innombrables heures passées en exercices à la barre avaient modelé son corps souple et musclé sur le même modèle que celui de Marguerite à cet âge. Mais la sœur de Kevin avait pratiqué la danse avec une passion que Julie n'avait jamais ressentie et que ni Anne ni Kevin n'avaient tenté de lui insuffler. En son for intérieur, Kevin considérait sa fille comme meilleure danseuse que sa sœur ne l'avait jamais été.

Il lui sourit chaleureusement dans la lumière croissante.

– Devrais-je entourer la date d'aujourd'hui sur le calendrier? « Le jour où Julie s'est levée sans que personne ait besoin de venir la secouer? »

Gênée, sa fille fit une petite grimace et se laissa tomber lourdement sur le canapé.

– J'ai fait un cauchemar, confessa-t-elle en rougissant un peu. Je sais que c'est idiot, mais j'avais peur de me rendormir.

– Eh bien, tu n'es pas la seule! remarqua son père. Depuis quatre heures du matin je suis assis ici pour la même raison, et j'étais en train de me demander si je retournerais me coucher. (Il adressa un clin d'œil complice à Julie.) Évidemment, il y a une autre solution: nous pourrions préparer tous les deux un petit déjeuner colossal, histoire d'étonner ton frère et ta mère.

L'adolescente acquiesça d'un sourire et suivit son père dans la cuisine. Elle se percha sur un tabouret pendant qu'il préparait des œufs Benedict d'une main experte.

– Pourquoi n'as-tu jamais ouvert un restaurant? Tu cuisines mieux que n'importe qui!

Kevin eut un haussement d'épaules.

– Pour des raisons d'argent. La restauration est à ce jour la manière la plus rapide inventée par l'homme pour se retrouver sur la paille. Et puis, j'ai toujours pensé qu'il valait mieux que je vous nourrisse, toi et ton frère, en gagnant une paie régulière plutôt que de me ruiner à remplir la panse d'inconnus. Bien sûr, quand vous serez grands et que nous vous jetterons dehors, ta mère et moi, je reconsidérerai peut-être cette éventualité.

Julie prit le fouet que lui tendait son père et commença à battre la sauce hollandaise.

– Mais tu seras trop vieux, non? dit-elle avec une ingénuité soigneusement étudiée.

Kevin se renfrogna et fit de son mieux pour paraître offensé.

– Pardon? Je te signale que dans dix ans j'aurai cinquante ans. Au cas où tu ne le saurais pas, c'est maintenant considéré comme la force de l'âge, et...

– Et la vieillesse ne commence pas avant quatre-vingts ans, déclama Julie en roulant des yeux. (Puis son ton redevint sérieux :) Mais tu n'es pas fatigué de travailler pour quelqu'un d'autre?

De nouveau, Kevin haussa les épaules.

– Le *Shannon* est un bon hôtel, et je crois que je le dirige plutôt bien.

– Mais tu préférerais qu'il soit à toi, enchaîna Julie d'un ton péremptoire en le regardant bien en face. Avec Jeff, on vous a déjà entendus en parler, toi et Maman, tu sais.

– Les enfants sont des êtres beaucoup trop curieux qui ne devraient pas écouter ce qu'ils ne sont pas censés entendre, répondit Kevin doucement. Si l'occasion se présentait, j'ouvrirais un restaurant – ou mieux, une auberge – sans hésiter. Pour l'instant, l'occasion ne s'est pas présentée, voilà tout.

Julie eut un sourire malicieux.

– Peut-être que Grand-Mère mourra et te laissera une fortune!

Ses yeux s'agrandirent en voyant le sang refluer du visage de son père. La mâchoire contractée, il se tourna vers elle.

– C'est horrible, ce que tu dis là, fit-il sèchement.

– Je... je suis désolée, bégaya Julie. Je ne le pensais pas vraiment. C'était juste une blague, Papa.

– Eh bien, elle n'est pas amusante du tout, lâcha-t-il avec une pointe de colère dans la voix. Tu ne devrais pas plaisanter sur ce sujet.

Soudain Julie sentit l'énervement la gagner.

– Et pourquoi pas? Tu ne l'aimes même pas, Grand-Mère! Et tu n'arrêtes pas de dire qu'elle est méchante et qu'elle oblige tante Marguerite à rester auprès d'elle. Alors quelle importance si je plaisante à son sujet?

Elle glissa du tabouret et sortit de la cuisine en courant.

Pendant de longues secondes, Kevin resta immobile. Il aurait dû rejoindre sa fille et s'excuser, car elle n'avait dit que la vérité, après tout. Sans ce cauchemar, il n'aurait pas réagi aussi vivement à ses paroles.

Il jeta un coup d'œil à la pendule. Six heures et demie. Ruby devait préparer le petit déjeuner pour Marguerite et leur mère. S'il était arrivé quelque chose, la domestique le saurait.

Il se décida et alla téléphoner.

Dix minutes plus tard il monta lentement à l'étage et réveilla sa femme. Dès qu'elle vit l'expression peinte sur son visage, elle comprit que quelque chose n'allait pas du tout.

– Il faut que nous descendions en Caroline du Sud, expliqua-t-il d'une voix blanche. Je viens d'avoir Marguerite au bout du fil. Elle dit que Mère se meurt et me réclame. Je ne peux plus remettre ça à plus tard. Il faut que je retourne là-bas.

Anne dévisagea son mari sans un mot, puis elle repoussa les couvertures et sortit du lit.

Ainsi, le moment était enfin venu.

Pour la première fois en dix-huit ans de mariage, elle allait rencontrer la famille de son mari.

# 2

– On est bientôt arrivés, M'man? demanda Jeff Devereaux du siège arrière du break Dodge.

Autour de la voiture se déroulait une plaine monotone et apparemment infinie, ponctuée de pins moussus. Depuis deux heures, il ne trouvait même plus de plaisir à contempler la plage qui bordait la route sur leur gauche.

– Tu viens de le demander il y a cinq minutes, répondit sa sœur Julie. On t'a dit dans un quart d'heure. Alors, combien de temps reste-t-il, maintenant?

– D'abord, je ne te parle pas, je parle à M'man!

– Ça n'a aucune importance; il reste dix minutes, voilà! Pourquoi ne restes-tu pas tranquille? Fais comme nous, regarde le paysage!

Jeff fusilla sa sœur aînée du regard. Pour la millième fois, il regretta de ne pouvoir, du haut de ses huit ans, boxer une fille de quinze ans. Mais toutes ses tentatives précédentes s'étaient terminées de la même façon : Julie le repoussait en riant, ce qui le rendait encore plus furieux. S'il ne pouvait lui flanquer une raclée, du moins il n'avait pas à supporter ses ordres!

– Je n'ai pas à t'obéir, grommela-t-il. Tu ne sais pas tout, d'abord!

– Et toi, tu ne sais rien du tout! rétorqua Julie avant de comprendre que c'était sans doute la réponse qu'attendait son frère.

Avant qu'elle ait pu ajouter un mot, Anne se retourna sur le siège avant et leur lança un regard d'avertissement.

– Encore dix minutes, dit-elle. Et elles peuvent se passer sans chamailleries. D'accord?

– J'ai rien fait! geignit aussitôt son fils. J'ai juste posé une question. Comment je pourrai apprendre des choses si je ne peux même pas poser de question? P'pa dit toujours que...

Malgré elle, Anne ne put s'empêcher de rire.

– Ça va! Ça va! Peu m'importe qui a commencé; je veux juste que vous arrêtiez. Maintenant, si tu as des questions à poser, vas-y.

La réaction de Jeff fut instantanée :

– Pourquoi on est jamais venus ici avant?

De nouveau, Julie répondit avant que leur mère ait eu le temps d'ouvrir la bouche.

– Parce que Papa n'aime pas Grand-Mère.

– Mais pourquoi? insista son frère. Qu'est-ce qu'elle a?

Du coin de l'œil, Anne vit la mâchoire de son mari se contracter et ses phalanges blanchir sur le volant.

– Elle n'a rien, dit-elle rapidement en espérant dévier l'intérêt de Jeff. Simplement, elle habite très loin du Connecticut et nous n'avons jamais eu vraiment le temps de venir la voir.

– On va bien en vacances tous les ans! répliqua Jeff. On aurait pu venir ici. Et la plage est mieux que celle de Cape Cod.

– Je croyais que tu aimais False Harbor? lança sa mère, heureuse de changer de sujet.

– Mouais, c'est bien, reconnut sans grand enthousiasme le gamin, avant de désigner une pancarte sur le bord de la route : Eh! « DEVEREAUX – 15 km » Waouh! Il y a vraiment tout une ville qui porte le nom de P'pa?

Pour la première fois depuis plus d'une heure, Kevin parla :

– Elle ne porte pas mon nom, dit-il d'une voix tendue, mais celui de ma famille. Ça fait bien deux cents ans qu'elle s'appelle comme ça, et on ne peut pas dire que ce soit une ville.

Le ton un peu sec qu'il avait employé alerta les enfants qui s'entre-regardèrent, mal à l'aise.

– Alors, c'est quoi? dit Jeff.

– Tu verras dans quelques minutes, répondit son père.

Et il retomba dans le mutisme obstiné qu'il avait observé toute la matinée. Pendant les quinze kilomètres suivants, personne ne parla.

Soudain il ralentit pour garer le break sur le bas-côté de la route.

– Nous y sommes, annonça-t-il. Devereaux. C'est là que j'ai passé mon enfance.

Jeff ouvrit la porte arrière et bondit au-dehors. Il courut escalader la dune basse qui séparait la route de la plage et regarda au loin. A environ un kilomètre de là se dressait un groupe d'habitations fort mal entretenues, dont certaines disparaissaient presque sous les plantes grimpantes. Il aperçut un clocher d'église, un panneau *Exxon* et ce qui ressemblait à un alignement de magasins défraîchis, entouré par des maisons assez dispersées dont la plupart étaient en mauvais état, et certaines visiblement abandonnées. Il leva vers son père qui venait de le rejoindre un visage où se lisait une franche déception.

– C'est tout ce qu'il y a?

– Ça continue sur environ un kilomètre, lui répondit Kevin, mais tout est de cet ordre. Je présume qu'il reste encore quelques maisons bien entretenues, mais tout se dégrade petit à petit. (Il eut un sourire forcé.) Alors, tu veux toujours venir en vacances ici?

– Mais que s'est-il passé? interrogea Anne. Ça semble avoir été une jolie petite ville naguère.

– C'était vrai il y a longtemps. Avant ma naissance, et peut-être même celle de mon père. Il y avait des plantations de coton... Et puis la terre est devenue aride.

– Où est votre maison? demanda Julie. Où vivent tante Marguerite et Grand-Mère?

– Celle-là, dit doucement Kevin.

Il s'était détourné de l'agglomération et désignait une île basse distante de la plage de quelque deux cents mètres et reliée au continent par une étroite digue qui s'élevait des eaux peu profondes.

– C'est Sea Oaks, là où j'ai vécu toute mon enfance.

Les yeux agrandis, Julie observa la bâtisse blanche qui dominait le nord de l'île. D'où ils se trouvaient, seuls les cheminées et quelques pignons étaient visibles, car d'immenses chênes cachaient de leurs branches festonnées de mousse la majeure partie de la construction. Entre ces arbres séculaires croissaient tant bien que mal quelques pins et des magnolias éclatants de blancheur. Mais c'étaient les branches énormes des chênes qui captivaient le regard de l'adolescente; elles semblaient protéger la maison d'un danger indéfini.

– Mais... c'est un manoir! souffla-t-elle.

– C'est une grosse construction assez inutile, répliqua Kevin. A l'époque, sa taille avait une raison. A présent ce n'est plus qu'une bâtisse trop grande et, à moins que les choses aient changé depuis ma dernière visite, elle doit être dans le même état de décrépitude que la ville.

Julie pencha la tête de côté et considéra son père avec curiosité.

– Mais si Grand-Mère vit là, elle doit être riche, non?

Un sourire aussi désabusé qu'amer tordit la bouche de Kevin.

– Depuis trois générations, aucun Devereaux n'est plus riche. Mon grand-père et mon père se sont accrochés à cette île en cédant le reste des terres morceau par morceau. Il y a cent ans, ma famille possédait presque tout le comté, et plus encore avant la guerre de Sécession. Maintenant il ne doit plus nous rester que cette île.

– Toute l'île appartient à Grand-Mère? demanda Jeff, très impressionné. En entier?

Pour la première fois de la journée, le visage de Kevin afficha un vrai sourire. Brusquement il se rappela comment, à l'âge de son fils, il passait des journées entières à explorer les soixante-quinze hectares de l'île. Il avait découvert les ruines des quartiers des esclaves, perdues dans la végétation sauvage qui avait depuis longtemps envahi les terres naguère cultivées. Il avait sillonné la plage après chaque tempête dans l'espoir de trouver quelque fragment d'un trésor rejeté par la mer. Il avait parcouru les marais et les bois à la recherche de lapins, d'écureuils, et à l'occasion d'un cerf. Pour la première fois depuis son enfance, il voyait l'île avec les yeux d'un jeune garçon. D'une main affectueuse, il ébouriffa les cheveux blonds de son fils.

– Oui, chaque mètre carré, dit-il enfin. Et si tu ne trouves pas à t'occuper ici, cela signifiera que tu es parti pour t'ennuyer toute ta vie.

L'esprit soudain plus léger, il lança un clin d'œil à sa femme.

– Allons voir les ravages que le temps a fait subir à ce bastion du vieux Sud décadent.

Ils regagnèrent le break qui prit un moment plus tard la direction de Devereaux. Dès que le véhicule eut dépassé les premières maisons de la petite ville, Kevin sut que rien n'avait changé. La rue principale était telle qu'il se la rappelait, lentement gagnée par une décrépitude qu'accentuaient la chaleur et l'humidité. L'endroit semblait baigner dans une étrange somnolence ; les gens eux-mêmes paraissaient se mouvoir au ralenti. Un chien était couché au milieu de la rue, et des mouches virevoltaient au-dessus de sa tête sans qu'il bougeât. Kevin klaxonna, mais l'animal refusa de se lever, et le véhicule dut manœuvrer pour le contourner.

Ce n'est qu'après l'avoir laissé derrière eux que Kevin eut une pensée désagréable : peut-être le chien était-il mort.

*Comme la ville*, songea-t-il. *Tout le coin est mort, mais personne ne s'en est rendu compte.*

Dans la salle de bal, au deuxième étage de Sea Oaks, les dernières mesures du *Lac des cygnes* s'élevèrent en crachotant de l'antique phonographe posé dans un coin, et Marguerite Devereaux lança un coup d'œil rapide à l'horloge. Fait sans précédent, l'heure de la leçon de danse lui paraissait interminable, et elle était impatiente de renvoyer ses élèves chez elles. Elle avait déjà dû les abandonner deux fois depuis le début du cours, afin d'aller expliquer à sa mère, au premier étage, qu'elles ne pouvaient espérer la venue de Kevin avant onze heures. L'excitation qu'elle éprouvait à l'idée de l'arrivée de son frère la déconcertait totalement.

Ses élèves – cinq jeunes filles en tout et pour tout – représentaient le centre de sa vie. Elle n'oubliait la douleur dans sa hanche que lorsqu'elle se retrouvait en leur compagnie, pour essayer de leur inculquer la technique qu'elle-même avait apprise dans sa jeunesse. Parfois même, en plein cours, il lui arrivait de danser avec la fluidité qu'elle avait avant l'accident. Bien sûr, elle ne possédait pas la grâce à jamais enfuie de ses jeunes années. Ses mouvements n'étaient plus aussi coulés, mais les filles l'observaient avec attention. Elles devinaient ce que voulait leur montrer leur professeur, plutôt qu'elles ne le voyaient.

Souvent, après la classe, les élèves restaient un moment à Sea Oaks, et Marguerite leur expliquait tout ce que pouvait leur offrir une carrière de danseuse.

– Ce peut être la clef du monde, avait-elle l'habitude de leur dire. La danse peut vous mener où vous le désirez. Elle vous fera entrer dans un univers d'harmonie, de beauté et d'art que les autres ne soupçonnent même pas.

Et elle le croyait, malgré sa propre carrière ruinée avant d'avoir véritablement débuté. Car même ici, dans le décor suranné de cette pièce qui n'avait vu aucun bal depuis plus de trente ans, Marguerite pouvait s'évader de son quotidien et s'imaginer dans les plus célèbres théâtres du monde.

Elle se voyait alors au Ballet royal de Copenhague, silhouette virevoltante sur la scène de ce joyau architectural, au cœur d'une ville qu'elle n'avait jamais visitée mais qu'elle connaissait si bien dans sa tête. Et c'étaient ces rêves tout autant que son savoir qu'elle transmettait à ses élèves. Elles ne seraient pas obligées de rester à Devereaux, à hypothéquer leurs talents dans la torpeur de cette ville agonisante.

Trois déjà avaient réussi. De ce second étage de Sea Oaks, elles étaient parties pour étudier à New York, Paris et Londres. L'une était devenue danseuse étoile et, caché au fond du dernier tiroir de son bureau, dans sa chambre, Marguerite conservait pieusement un album de coupures de journaux à son sujet.

Parfois, lorsqu'une de ses élèves présentait des aptitudes particulières, elle sortait cet album et partageait avec elle le bonheur de ces précieux articles.

– Tu peux parvenir au même résultat, murmurait-elle alors. C'est uniquement une question de travail, ma chérie, et tous les espoirs te seront permis.

Marguerite se montrait d'une patience sans limite avec ses élèves. Elle était toujours disposée à leur consacrer tout le temps nécessaire, et elle ne se lassait jamais de les faire répéter, jusqu'à ce que chaque mouvement atteigne la perfection désirée.

Sauf aujourd'hui.

Car aujourd'hui Kevin revenait. Malgré tous ses effort pour dissimuler son impatience, elle se rendait bien compte que les jeunes filles sentaient sa concentration habituelle perturbée. Aussi, dès la dernière note du *Lac des cygnes*, elle frappa dans ses mains pour attirer leur attention, comme à l'accoutumée.

– Je pense que ce sera tout pour aujourd'hui, dit-elle en souriant. Et je veux vous présenter des excuses; je sais que je n'ai pas été aussi attentive que je l'aurais dû, et c'est un manque de correction envers vous. Mais mon frère arrive aujourd'hui, et je ne l'ai pas vu depuis presque vingt ans. J'ai bien peur d'être un peu surexcitée et...

Le sifflement agressif de l'interphone placé au-dessus de la porte couvrit la fin de sa phrase. Grâce à cette installation, sa mère pouvait l'appeler à tout moment. Marguerite eut un nouveau sourire d'excuse.

– Je crois que je parle trop! Eh bien, merci à vous toutes d'être venues, et je vous promets d'être plus concentrée la semaine prochaine.

Elle se dirigea vers la porte, faisant halte pour répondre à chaque jeune fille qui la saluait avant de partir. Jenny Mayhew – secrètement son élève favorite – traîna un peu et adapta automatiquement son pas à celui, plus lent, du professeur comme elles descendaient ensemble les escaliers.

– Votre frère a-t-il des enfants? demanda-t-elle après un moment.

– Oui. Une fille de ton âge et un garçon de huit ans. (Marguerite réprima un sourire malicieux.) Je suppose que tu aurais préféré que ce soit le garçon qui ait ton âge, n'est-ce pas?

Jenny rougit violemment et Marguerite eut un petit rire amusé.

– Inutile d'essayer de me mentir, Jenny. J'ai été adolescente, il n'y a pas si longtemps en fait, et je peux te dire que j'aurais de beaucoup préféré qu'un nouveau garçon arrive en ville plutôt qu'une nouvelle camarade. Il m'a toujours semblé que nous étions trop nombreuses et que les garçons étaient trop rares, dans la région!

L'embarras de la jeune fille céda la place à un franc sourire.

– Je suis sûre que vous pouviez avoir tous les garçons que vous vouliez, miss Marguerite.

– Eh bien, je ne dirai pas que c'est inexact. Bien sûr, après mon accident, les garçons se sont éloignés. C'est curieux comme le simple fait de boiter peut vous rendre impopulaire.

Jenny étouffa une exclamation gênée, mais Marguerite se contenta de rire.

– Allons! Ce n'était pas la fin du monde, même si à l'époque c'est ainsi que je l'ai ressenti. Et si je n'avais pas eu cet accident, je ne vous enseignerais pas la danse, n'est-ce pas? Et je n'aurais donc jamais eu la joie de vous connaître toutes.

— Mais vous auriez pu faire carrière, protesta Jenny.

— Ce n'est pas grave. Je n'ai pas eu une existence si terrible que cela, et ce que j'aurais pu faire n'aurait jamais été aussi amusant que de vous avoir en cours!

Elles avaient atteint le premier étage. Une voix aigrelette et hargneuse s'éleva, derrière la porte à l'autre bout du couloir.

— Marguerite? Où es-tu? J'ai besoin de toi!

— Doux Jésus! murmura Marguerite. Je crois que des ennuis s'annoncent, n'est-ce pas? Allez, sauve-toi, Jenny! Et à jeudi!

Elle serra affectueusement la main de la jeune fille et la regarda descendre au rez-de-chaussée. Puis elle se hâta dans le couloir. Une fois de plus, elle allait devoir calmer sa mère.

Quand elle entra dans la chambre, elle découvrit Helena, assise dans son lit, qui fixait sur Lucinda Willoughby un regard brûlant. Le visage de l'infirmière trahissait les efforts qu'elle fournissait pour contrôler son indignation. A ses pieds, le sol était jonché des débris du petit déjeuner que la vieille femme avait refusé de manger.

— Elle est renvoyée! grinça Helena dès qu'elle vit sa fille. Je ne la supporterai pas une minute de plus dans cette maison.

— Allons, Mère... commença Marguerite.

— Pas de tirades mielleuses avec moi! la coupa aussitôt la vieille femme. Je suis ici chez moi, et il en sera comme j'en ai décidé!

Marguerite ouvrit la bouche pour argumenter, mais aucun mot n'en sortit. Après un moment, elle se tourna vers Lucinda.

— Que s'est-il passé? demanda-t-elle, bien qu'elle se doutât de la réponse.

— Je suis entrée pour lui demander si le petit déjeuner lui avait plu, et elle l'a jeté par terre.

Les yeux brillants de colère, Helena se redressa dans le lit.

— Je lui ai dit qu'il était froid, et elle s'est permis de me répondre que je n'avais qu'à le manger quand il était chaud! Je ne supporterai pas qu'on...

— Très bien, Mère, l'interrompit Marguerite en maîtrisant avec peine son propre énervement. Je vais dire à Ruby de venir nettoyer, et nous chercherons une autre infirmière dès cet après-midi.

D'un regard, elle signifia à Lucinda de sortir dans le couloir où elle la rejoignit un moment plus tard, non sans avoir dû écouter sa mère lui expliquer quel genre de personne elle voulait pour remplacer cette « racaille incompétente » qu'elle avait engagée.

— Je suis désolée, Lucinda, dit-elle tandis qu'elles descendaient au rez-de-chaussée. Je sais que vous n'avez rien à vous reprocher. Hélas, je ne vois pas ce que je pourrais faire pour...

— Ne vous en faites pas, miss Marguerite, dit l'infirmière. Si elle ne m'avait pas renvoyée, c'est moi-même qui serais partie. (Elle remarqua l'expression compréhensive de Marguerite et ajouta :) Mais pas pour les raisons que vous avez en tête. J'ai eu affaire à bien des patients difficiles, et on m'a déjà traitée de tous les noms. Cela ne me gêne pas. Les malades réagissent souvent ainsi, et je ne leur en veux pas. Dans mon métier, il faut savoir faire la part des choses, la maladie use autant l'esprit que le corps. Mais pour elle, ma présence n'est d'aucune aide.

L'infirmière soupira en secouant la tête avec tristesse.

— Elle devient plus aigrie chaque jour, et c'est mauvais pour sa santé. Chez certains malades, leur mauvaise humeur peut être positive, leur donner une certaine résistance. Mais pas avec elle. Son cœur risque de lâcher à tout moment. Je vais y réfléchir et essayer de vous trouver quelqu'un qui pourrait lui convenir.

Elles étaient arrivées à la grande véranda qui occupait toute la façade de la maison, et Lucinda se mit à descendre les marches extérieures. Marguerite la regarda monter dans sa voiture et lui fit un signe d'adieu comme le véhicule s'éloignait. Elle s'apprêtait à rentrer quand elle vit un break Dodge remonter la route de la digue. Immédiatement, elle comprit qui approchait.

Elle descendit en hâte les marches. Elle ne voulait pas attendre une seconde de plus pour accueillir son frère.

— Eh bien, j'espère que vous êtes fière de vous, miss Helena, lâcha Ruby en ramassant les derniers vestiges du petit déjeuner éparpillé sur le tapis élimé de la chambre. Maintenant que vous vous êtes débarrassée de Lucinda, miss Marguerite et moi aurons encore plus à faire qu'avant.

— Ça ne fera toujours pas grand-chose! rétorqua la vieille femme en se laissant aller contre les oreillers. Et Lucinda n'est pas la seule personne que je puisse renvoyer.

Ruby se remit lentement debout et lança un regard chargé de mépris à cette femme qu'elle avait servie pendant plus de cinquante ans.

— Je ne vois pas trop comment vous pourriez renvoyer miss Marguerite, et il n'y a personne d'autre à part elle.

— Il y a vous, Ruby! lança Helena d'un ton venimeux. Et je vous saurai gré d'être plus polie quand vous m'adressez la parole!

— Et moi, je vous saurai gré de faire la même chose, répliqua Ruby, bien que je sache qu'il vaut mieux ne pas l'espérer! La seule raison pour laquelle je ne m'en vais pas, c'est qu'il n'y a pas d'autre place dans le voisinage. Et je ne vois pas comment je pourrais laisser miss Marguerite seule avec quelqu'un comme vous!

Une veine saillit sur le front d'Helena Devereaux, et elle se redressa de nouveau dans son lit.

– Comment osez-vous me parler sur ce ton? s'écria-t-elle. N'oubliez pas votre place dans cette maison!

– Et vous, n'oubliez pas la vôtre, rétorqua la vieille domestique, les yeux brillant d'une juste colère. Vous ne pouvez pas me renvoyer, et vous le savez. Et puisque je n'ai pas l'intention de partir, la seule chose que vous pouvez faire est de vous détendre et de profiter du peu de vie qui vous reste!

Elle se rapprocha du lit, et Helena eut un mouvement de recul.

– Et maintenant, je veux continuer mon travail, c'est-à-dire m'occuper de vous et de miss Marguerite comme je l'ai toujours fait, mais je n'accepterai pas que vous jetiez la nourriture à terre ni que vous fassiez fuir d'autres infirmières! Si vous vous prenez pour une grande aristocrate toute-puissante, je pense que vous feriez bien de vous conduire comme telle!

La domestique allait poursuivre sur sa lancée quand un klaxon retentit à l'extérieur, et un brouhaha de voix leur parvint par la fenêtre ouverte. Ruby eut un petit sourire en regardant sa maîtresse droit dans les yeux.

– On dirait que Mr. Kevin a enfin décidé de rentrer à la maison.

Ces mots parurent galvaniser Helena Devereaux. Elle repoussa les couvertures et roula sur elle-même jusqu'à laisser pendre ses jambes au bord du lit, mais ses pieds touchaient à peine le sol.

– Aidez-moi, ordonna-t-elle. Aidez-moi à m'habiller.

Ruby écarquilla les yeux.

– Vous habiller? Miss Helena, vous ne vous êtes pas habillée une seule fois en cinq ans! Qu'avez-vous en tête?

Une lueur fiévreuse embrasait à présent le regard de la vieille femme.

– *C'est mon fils!* Je ne veux pas l'accueillir vêtue de ces haillons et assise dans ce lit! Alors aidez-moi!

Elle voulut se mettre sur ses pieds mais ses jambes flageolèrent et elle se serait écroulée si Ruby ne l'avait pas soutenue. Avec précaution, la domestique guida sa maîtresse à travers la pièce et l'installa sur la chaise en face de sa coiffeuse. Ouvrant immédiatement un tiroir, Helena en sortit un peigne, une brosse et le nécessaire de maquillage qu'elle n'avait pas utilisé depuis des années. Un instant plus tard elle se mit à brosser la chevelure clairsemée qui cachait à peine son crâne rose.

– La robe noire en soie, avec les chaussures assorties. Et les perles noires. Je les porterai avec la broche en grenats.

Dans le miroir de la coiffeuse, elle vit Ruby, immobile derrière elle.

– Faites ce que je vous dis! lança-t-elle d'une voix aiguë. Satanée limace!

Tandis que sa maîtresse commençait à se maquiller, Ruby se dirigea vers la penderie.

Un quart d'heure plus tard, Helena Devereaux observait son reflet dans le miroir de la coiffeuse.

– Je n'ai pas changé, n'est-ce pas? dit-elle d'une voix si douce que Ruby crut qu'elle soliloquait. Et la maison non plus. Ce sera comme s'il n'était jamais parti. Tout va reprendre, comme s'il ne s'était jamais absenté.

– Mais il n'est ici que pour une visite de quelques jours, remarqua la vieille domestique. Il ne va pas rester.

Helena cligna des yeux puis regarda Ruby dans la glace.

– Oh, si! Il restera, murmura-t-elle sombrement. C'est un Devereaux, et aucun Devereaux n'a jamais abandonné Sea Oaks.

– Lui l'a déjà fait, rappela la domestique. Et vous pouvez vous attendre à ce qu'il recommence.

– Certainement pas! appuya Helena. Je veux qu'il reste ici, et j'y veillerai!

Elle se tourna et tenta de se lever.

– Comment suis-je?

Indécise, Ruby considéra un moment sa maîtresse. La chevelure d'Helena, naguère opulente, tombait à présent en mèches fines et ternes sur les épaules, entourant un visage qui n'était plus que la caricature trop maquillée d'une beauté enfuie. Les joues étaient barbouillées de rouge, et la ligne aiguë des lèvres rehaussée d'un carmin criard. En voulant résorber les ravages du temps, elle avait détruit le peu d'harmonie épargné par les ans.

– Bien, souffla enfin Ruby, consciente que sa maîtresse ne voyait pas la même chose qu'elle dans le miroir.

Helena la gratifia d'un sourire.

– Alors je suis prête à descendre au rez-de-chaussée, n'est-ce pas?

De surprise, Ruby ouvrit la bouche.

– Descendre? répéta-t-elle, abasourdie. Mais, miss Helena...

– Il n'y a pas de mais! Je veux descendre pour accueillir mon fils, et je le ferai! Votre bras!

A contrecœur, Ruby lui présenta son bras, que la vieille femme agrippa. Puis elle la guida doucement hors de la chambre et le long du couloir jusqu'à l'escalier. Sans cesser de maintenir sa maîtresse, la domestique l'installa dans l'antique chaise-ascenseur et en ajusta la ceinture autour du corps frêle. Puis elle attendit qu'Helena eût fini d'arranger les plis de sa robe. A son signal, elle appuya enfin sur le bouton de cuivre commandant la machinerie.

Instantanément le mécanisme se mit en branle avec un bourdonnement sourd et le siège entama sa lente descente. Pour la première fois en quelque dix ans, Helena Devereaux quittait le premier étage de Sea Oaks.

Au pied de l'escalier, Kevin, Anne et leurs deux enfants regardaient approcher l'étrange apparition.

*Nous n'aurions jamais dû venir ici.*

La pensée traversa subitement l'esprit d'Anne, et elle fit un pas en arrière sans même s'en rendre compte. Se reprenant, elle se força à sourire et avança de nouveau pour accueillir cette belle-mère qu'elle n'avait jamais vue. Elle sentit la main de son fils étreindre la sienne. Une seconde plus tard, Julie imitait son frère. Bien qu'aucun des deux enfants ne desserrât les lèvres, Anne savait qu'ils ressentaient la même chose qu'elle.

La peur.

Malgré cette réaction à la simple vue de sa belle-mère, Anne la trouva très petite. La vieille femme disparaissait presque dans les amples replis d'une robe de soie ternie par le temps. Dissimulé sous un épais maquillage, son visage était d'une fixité singulière. Mais ses yeux, pareils à des charbons ardents, paraissaient chercher à atteindre Anne pour l'attirer et la subjuguer. La jeune femme atteignit le bas des escaliers au moment où le siège finissait sa descente. Elle attendit sans parler. A l'évidence, c'était Helena Devereaux et elle seule qui déciderait de leur conversation.

Le silence s'étira douloureusement.

– Ainsi vous êtes celle qu'a épousée mon fils, grinça enfin Helena, les yeux étrécis et les narines palpitantes. Eh bien! Je suppose qu'on ne peut plus rien y faire, n'est-ce pas?

Les prunelles de feu de la vieille femme quittèrent Anne pour se poser sur un enfant, puis l'autre. Elle eut un hochement de tête à peine perceptible.

– La fille est une Devereaux, oui. Quant au garçon, je ne...

– Il s'appelle Jeff, intervint Anne d'une voix quelque peu étranglée pour empêcher son fils d'entendre ce qu'allait dire sa grand-mère. Et il est tout autant un Devereaux que Julie.

A présent aussi froid que celui d'un serpent, le regard d'Helena revint se fixer sur sa belle-fille. De nouveau, celle-ci ressentit l'étrange pouvoir de la vieille femme. Les cauchemars de Kevin, son refus obstiné de venir ici n'avaient rien d'étonnant, se dit-elle.

Une nouvelle fois, une pensée s'imposa à son esprit.

*Elle n'a pas l'intention de nous laisser repartir. Jamais.*

Les yeux d'Helena délaissèrent soudain Anne pour détailler son fils.

– Kevin, dit-elle d'un ton caressant.

Sans qu'elle eût besoin de rien ajouter, Kevin s'approcha de sa mère et lui offrit son bras. Le saisissant, elle se dressa non sans difficulté sur ses pieds. Marguerite vint la soutenir de l'autre côté et ils se dirigèrent à travers le hall d'entrée vers le salon aux portes grandes ouvertes.

*Elle ne possède pas uniquement cette île*, songeait Anne en les suivant dans la grande pièce froide. *Elle possède Marguerite, et elle vient de reconquérir Kevin. Et elle veut posséder également mes propres enfants.*

Un moment plus tard, Anne s'assit sur un canapé. De façon très inhabituelle, ses enfants vinrent se blottir contre elle et surveillèrent craintivement leur grand-mère. Elle se demanda si elle – ou qui que ce soit, d'ailleurs – serait capable de contrecarrer les décisions de cette vieille femme.

Une heure s'écoula avant qu'Helena Devereaux ne décide de regagner sa chambre. Anne se sentait épuisée. Elle attribuait cette fatigue à la simple présence de sa belle-mère, à ses regards perçants dont la puissance contredisait la faiblesse de ce corps affaibli. Alors seulement Anne comprit la véritable raison du maquillage outrancier dont Helena Devereaux avait couvert son visage ravagé.

Certes, c'était un effet théâtral, destiné à dissimuler la vérité et à montrer une façade soigneusement élaborée. Et cette façade était réellement terrifiante. Mais Anne était maintenant persuadée que ce masque terrible et la femme qui se cachait derrière n'étaient qu'une seule et même personne.

## 3

Il était presque deux heures quand Jeff et Julie échappèrent enfin à l'atmosphère renfermée de la maison de leur grand-mère. Dès qu'ils sortirent de la bâtisse, la chaleur étouffante de cet après-midi d'été les enveloppa dans sa moiteur. Ils se réfugièrent à l'ombre des chênes pendant un moment. Ils s'assirent et s'absorbèrent dans la contemplation de l'île qui miroitait dans l'air surchauffé.

– C'est bizarre, hein? lança Jeff. Tante Marguerie n'a presque pas parlé, et on dirait que Grand-Mère est déjà morte!

Malgré elle, Julie eut un haussement d'épaules. Elle revit l'étrange vieille femme au visage blafard, assise dans son fauteuil près de la cheminée. Apparemment inconsciente du papier mural en lambeaux et du plâtre qui s'écaillait au plafond, elle avait discouru sans fin sur le privilège évident que devaient ressentir les enfants à séjourner à Sea Oaks.

— C'est comme si elle ne se rendait pas compte que tout tombe en ruine, dit enfin Julie. Et elle n'a pratiquement pas adressé la parole à Maman.

Jeff essaya de se composer une expression de mépris souverain pour oublier la peur indéfinissable qui l'avait envahi en présence de sa grand-mère.

— Et tu l'as entendu quand elle a dit que je ressemblais à M'man? Tout le monde sait que je ressemble à P'pa!

Julie étouffa un petit rire nerveux.

— Je parie qu'elle a dit à tante Marguerite que Maman n'était qu'une pique-assiette et qu'elles n'avaient qu'à l'ignorer.

— C'est quoi, une pique-assiette?

Sans répondre à cette question, Julie se leva et se mit à descendre vers les communs délabrés qui se trouvaient à une centaine de mètres de la maison.

— Allons jeter un coup d'œil là-bas, suggéra-t-elle.

Son frère la dépassa en courant et fonça devant elle. Il disparut par la porte entrouverte d'une grange couverte de vigne vierge dont le toit manquait singulièrement de bardeaux. Un moment plus tard elle y pénétrait à son tour. En son temps, l'endroit avait dû abriter une écurie, comme le prouvaient les stalles aux parois effondrées. Le soleil filtrait à travers la charpente du toit et les feuillages entrelacés, baignant l'intérieur d'une lumière verdâtre. Perché au bord du grenier, son frère l'attendait, un sourire ravi aux lèvres.

— Eh! C'est pas super-classe? Dommage qu'il n'y ait pas de foin, je pourrais sauter dedans!

— Sois prudent, recommanda Julie. Tout semble prêt à s'écrouler.

Le sourire de son frère s'agrandit.

— Pour l'escalier, c'est déjà fait! Il n'y aurait pas une échelle quelque part?

Julie fouilla toute la grange. Dans la sellerie, au fond du bâtiment, elle finit par trouver une vieille échelle de bois. Elle l'appuya contre le bord du grenier et Jeff descendit prestement.

— Qu'aurais-tu fait si je n'avais pas été là? ironisa Julie.

— J'aurais sauté! répliqua le garçon avec toute l'assurance de ses huit ans. J'ai déjà sauté du toit de la maison, et c'est drôlement plus haut!

— Si Maman t'avait vu le faire, elle t'aurait privé de télé pendant une semaine!

— Ouais, mais elle ne m'a pas vu! rappela fièrement Jeff.

Ils sortirent de la grange et continuèrent à descendre la pente jusqu'aux baraquements effondrés qui avaient naguère servi d'habitation aux esclaves. Jeff se fraya un chemin dans la végétation folle et pénétra dans une pièce exiguë pourvue d'une seule porte et d'une seule fenêtre. Une étagère branlante ornait encore un mur, ainsi que deux patères. Le sol était en grande partie occupé par quatre sommiers de fer rouillé, dépouillés depuis longtemps de leur matelas. Leur vision fit frissonner le garçon, et il leva vers sa sœur un regard troublé.

– Est-ce que des gens vivaient vraiment ici? demanda-t-il dans un murmure.

Julie haussa les épaules.

– Je crois, oui; parfois des familles entières devaient habiter dans ce genre d'endroit.

Soudain grave, Jeff fronça les sourcils.

– Pourquoi P'pa ne nous en a jamais parlé?

– Sans doute parce qu'il en a un peu honte, supposa la jeune fille. Je veux dire, je n'aimerais pas qu'on sache que mes ancêtres ont fait vivre des gens dans ces taudis.

– Peut-être que personne n'habitait ici... C'était peut-être des entrepôts ou quelque chose comme ça ..

– Et peut-être que je suis la reine du Royaume Enchanté! rétorqua Julie. Allez, sortons d'ici. Cet endroit me flanque la chair de poule...

Ils s'enfoncèrent dans les broussailles, passèrent devant un garage contenant une carcasse de Buick et un capot impossible à identifier, et traversèrent ce qui avait été des champs cultivés. Alors qu'ils abordaient une zone marécageuse, une silhouette jaillit brusquement des buissons bordant le sentier qu'ils suivaient et leur bloqua le passage.

C'était un garçon du même âge que Jeff, à la chevelure brune indisciplinée et aux yeux marron, vêtu de jeans élimés et d'un tee-shirt grisâtre qui avait dû être blanc à l'origine. Solidement campé en travers du chemin, il les dévisageait avec curiosité.

– Qui vous êtes? demanda-t-il en défiant Jeff d'un regard hautain.

Jeff prit une attitude semblable avant de répondre :

– Jeff Devereaux. Et toi?

L'autre gamin fit un pas hésitant en arrière.

– Toby Martin. Comment ça se fait que je ne vous ai jamais vus?

– On vient d'arriver, rétorqua Jeff. Et comment ça se fait que tu sois là? Personne d'autre que ma grand-mère et ma tante n'a le droit d'être ici.

Toby lança un regard en coin vers la maison.

– Je viens de temps en temps pour explorer, comme ça... Mais je ne fais rien de mal! Vous ne lui direz pas, hein? La vieille dame ne veut pas qu'on vienne ici.

Jeff interrogea sa sœur du regard. Julie observait attentivement Toby, qui n'en menait pas large. Après quelques secondes elle lui adressa un sourire de connivence.

— Nous ne dirons à personne que tu étais là si tu nous montres les environs. D'accord ?

L'appréhension disparut des yeux du gamin et un sourire plein de malice révéla qu'il lui manquait une dent de devant.

— Je vous montrerai tout, promit-il. Vous verrez, c'est génial ! Les marais, les étangs, et la plage... Mais il faudra faire attention : il y a plein de serpents et de bestioles...

— Des... serpents ? répéta Julie d'une voix qui chevrotait un peu. Venimeux ?

Toby acquiesça avec gravité.

— Ouais. Des mocassins d'eau, des crotales et plein d'autres encore... Mais si vous êtes prudents, ils ne vous mordront pas.

— Peut-être... peut-être qu'il serait plus sage de rentrer, dit Julie nerveusement.

— Tu as peur ? se moqua aussitôt Jeff.

Julie foudroya son frère du regard.

— Et pourquoi pas ? Si tu avais un peu plus de jugeote, tu aurais peur, toi aussi !

— Toby vient ici tout le temps, contra le garçon en se retournant vers son nouvel ami. Et il ne t'est jamais rien arrivé ?

Toby secoua vigoureusement la tête.

— Suffit de faire attention ! Mon père dit que les serpents ont beaucoup plus peur de nous que nous d'eux.

La question lui paraissant réglée, il fit demi-tour et s'engagea dans le sentier. Jeff lui emboîta le pas sans hésiter. Après quelques secondes, Julie décida qu'il valait mieux surveiller son frère et suivit les deux garçons.

Ils progressèrent lentement vers la partie la plus éloignée de l'île. Ils longèrent des étendues marécageuses et durent contourner un étang où dormait un alligator, ses narines et ses yeux affleurant l'eau boueuse.

— Il y en a beaucoup sur l'île ? s'enquit Julie sans parvenir à maîtriser le tremblement de sa voix.

— Quelques-uns, répondit Toby. Faut pas les embêter, c'est tout. Ils ne sont pas dangereux... sauf s'ils ont faim.

Il lança une œillade complice à Jeff en voyant une pâleur soudaine envahir le visage de l'adolescente. Puis il ajouta :

— Allez ! On va à la plage ?

Après une centaine de mètres, l'épaisse végétation céda la place à une vaste étendue d'un sable blanc très fin où des vagues paresseuses venaient mourir doucement.

Julie découvrit ce spectacle avec un plaisir fasciné. Elle se laissa tomber à l'abri d'un petit bosquet de pins. C'était sans conteste la plus belle plage qu'elle ait jamais vue.

Une plage totalement déserte.

34

– Mais... Où sont les gens? Ça devrait grouiller de monde!

– C'est la faute de la vieille dame, expliqua Toby en se renfrognant. Elle est tellement méchante qu'elle interdit qu'on profite de sa plage. C'est pourtant la plus belle de tout le coin, mais on est forcé de se baigner dans le chenal, à cause de la vieille dame. Tout le monde la déteste!

Soudain embarrassé en se rendant compte qu'il parlait de leur grand-mère, le garçon voulut s'excuser.

– Tu peux dire ce que tu veux de Grand-Mère, le rassura aussitôt Jeff. Nous aussi, on la trouve drôlement bizarre. Et Papa ne l'aime pas non plus!

– Jeff!

La voix de Marguerite Devereaux cingla l'air chaud de la plage, et les trois enfants sursautèrent en la voyant émerger d'un rideau d'arbres et s'avancer vers eux.

– Même si c'était vrai, dit-elle sèchement, et j'espère que ça ne l'est pas, c'est très vilain de parler ainsi! Garde en mémoire que tu es un gentleman du Sud, même si tu as grandi dans le Connecticut!

Jeff ouvrit de grands yeux et déglutit nerveusement. Sa tante se tourna vers Toby Martin, le visage sévère.

– Quant à vous, jeune homme, pouvez-vous m'expliquer ce que vous faites ici?

Julie s'attendait à ce que Toby montrât tous les signes d'une crise de larmes imminente, au lieu de quoi elle le vit sourire à Marguerite, les yeux pétillant de joie.

– J'avais l'intention de piquer une tête, miss Marguerite. Vous ne le direz pas, n'est-ce pas?

La dureté quitta le visage de Marguerite et sa main vint caresser la tignasse du gamin.

– Si je te créais autant de problèmes avec ta mère que tu m'en crées avec la mienne, je suis certaine que tu refuserais de me parler!

Toby s'ébroua, aussi heureux qu'un jeune chien.

– Allons! Tu t'en tires bien... pour cette fois. Elle fait une sieste, et elle ne t'a pas vu. Alors file chez toi! Et la prochaine fois, viens sonner à la porte. Si Jeff t'invite, elle ne pourra pas m'ordonner de te chasser, n'est-ce pas?

Toby se tourna vivement vers Jeff.

– Tu le feras? Tu m'inviteras, je veux dire?

– Ouais, fit celui-ci. Mais tu m'inviteras chez toi aussi, alors.

La joie s'éteignit dans les yeux du garçon et il regarda Marguerite avec embarras.

– Nous verrons, lui promit-elle. Mais tant que Jeff sera ici, tu pourras venir le voir quand tu voudras.

Quand Toby eut disparu en trottinant dans la direction de la digue, Marguerite accompagna son neveu et sa nièce jusqu'à la vieille demeure. Ils marchèrent en silence un moment, puis Julie se décida à prendre la parole :

– Tante Marguerite, pourquoi Grand-Mère interdit-elle la plage à tout le monde ? Cet endroit est si beau... Chacun devrait pouvoir en profiter !

Marguerite ne répondit pas immédiatement. Elle passa un bras autour des épaules de la jeune fille.

– Mère est ainsi, dit-elle enfin. En fait, il n'y a aucune raison précise. C'est simplement notre plage, et Mère se soucie toujours de ce qui est à nous. (Elle laissa passer quelques secondes avant d'ajouter :) Mais les choses ne seront pas toujours ainsi.

Jeff lui décocha un regard curieux.

– Pourquoi ?

Marguerite sourit avec tristesse.

– Parce qu'elle se meurt, Jeff. Et quand elle sera morte, les choses changeront.

Pendant plusieurs minutes, ils marchèrent sans échanger un mot, puis Julie ne put y tenir plus longtemps :

– Tante Marguerite, ça ne vous fait rien que Grand-Mère meure ? Je veux dire... c'est votre mère...

Marguerite s'arrêta et contempla la bâtisse rongée par le temps, enserrée par le feuillage protecteur des chênes. Puis ses yeux glissèrent vers la mer avant de se poser enfin sur l'adolescente.

– Oh si, Julie ! Je m'en fais beaucoup, au contraire. Beaucoup.

Elle prit la jeune fille par la main et repartit vers la maison.


Ce soir-là, cinq personnes avaient pris place autour de l'immense table qui trônait dans la salle à manger de Sea Oaks. Kevin s'était assis à une extrémité, Anne et Marguerite à sa droite. En face de leur mère et de leur tante s'étaient installés Julie et Jeff. A l'autre bout de la table, vide et quelque peu en retrait, bien que dominant le groupe, se trouvait le siège qu'aurait occupé Helena Devereaux si son état de santé lui avait permis de descendre. Dès après sa sieste, la vieille femme avait appelé Marguerite et lui avait signifié qu'elle prendrait son repas dans sa chambre, comme à l'accoutumée.

Ruby venait de servir la soupe quand l'interphone bourdonna et interrompit la conversation. Sans un mot, Marguerite plia sa serviette de lin et sortit de la salle à manger. Les autres l'entendirent monter l'escalier en claudiquant.

Quelques minutes plus tard, elle était de retour. Elle se glissa sur sa chaise et termina sa soupe comme si rien n'était arrivé.

L'interphone se fit entendre de nouveau alors que Ruby

apportait le plat principal, puis au moment du dessert. Comme Marguerite pliait une troisième fois sa serviette, Anne lui sourit timidement et dit :

– Pourquoi ne pas manger votre glace avant qu'elle ne fonde? Je suis sûre que, cette fois, votre mère peut attendre quelques minutes...

Mais Marguerite secoua la tête avec une certaine gêne.

– Elle déteste attendre. Et puis, ça ne me dérange pas du tout, vraiment. Je le fais depuis si longtemps que je ne sais comment je réagirais s'il se passait un repas sans qu'elle m'appelle.

Elle posa sa serviette sur la table et se hâta une fois de plus hors de la salle à manger pour gravir avec peine l'escalier.

Lorsqu'elle eut l'assurance que Marguerite était trop loin pour l'entendre, Anne se pencha vers son mari. Elle ne cherchait plus à dissimuler la colère qui illuminait ses yeux et faisait trembler sa voix.

– Pourquoi n'as-tu rien dit? Ta mère la traite comme une esclave! Elle ne peut même pas finir son repas tranquille!

– Tu l'as entendue, répondit Kevin avec calme. Je crois qu'elle est habituée à ce traitement et qu'elle ne le remarque même plus.

– Et sa jambe? explosa son épouse. Il est visible qu'elle souffre. Et cette affreuse vieille femme qui lui fait monter et descendre ces escaliers tout le temps... Franchement, je ne comprends pas comment elle peut le supporter! A sa place, je l'aurais déjà envoyée en maison de repos depuis longtemps!

Pourtant, Anne se demandait si ces propos tranchés représentaient la vérité. A en juger par la puissance de caractère qui émanait d'Helena, n'était-il pas plus probable qu'elle aurait, elle aussi, cédé aux exigences de la vieille femme plutôt que de l'affronter? Elle en avait bien peur.

Kevin haussa les épaules.

– Je ne te donne pas tort. En fait, je pense que tu es dans le vrai... je n'en endurerais pas le quart, comme n'importe qui d'ailleurs. C'est pour cette raison que je suis parti d'ici. Sinon, j'aurais sans doute éclaté! Mais Marguerite n'est pas comme moi; elle s'adapte à tout, sans se plaindre. Je ne l'ai jamais entendue regretter ce qui est arrivé à sa jambe.

Julie posa sa cuillère et regarda son père.

– Que lui est-il arrivé?

– Un accident. Je n'étais qu'un gamin, et elle une adolescente. Je ne me souviens pas de grand-chose sinon qu'elle est tombée dans l'escalier et s'est brisé la hanche. Elle est restée quelque temps à l'hôpital, puis elle a dû porter un plâtre durant de longs mois. Mais l'os ne s'est pas ressoudé correctement; depuis, elle boite... (Ses lèvres eurent un pli amer.) Elle se destinait à une carrière de danseuse, et je crois bien qu'elle aurait été excellente, mais je ne l'ai jamais entendue regretter cela non plus. (Il sourit.) Sur beaucoup de points, votre tante est une femme remarquable, et tu lui ressembles beaucoup, Julie. Physiquement d'abord ; ensuite tu danses comme elle; et parfois, quand je t'écoute parler, je jurerais entendre ta tante au même âge.

La surprise arqua les sourcils de l'adolescente.

— Euh... Moi, j'aime beaucoup Maman, mais si elle se permettait de me traiter comme Grand-Mère traite tante Marguerite, je ne resterais pas longtemps dans les parages!

— D'accord, tu ne lui ressembles pas tant que ça! corrigea Kevin en riant. Et ça me convient très bien. Je t'aime comme tu es. (Puis, d'un ton redevenu sérieux :) Quant à craindre que ta mère se comporte avec toi comme ma mère avec Marguerite, tu ne risques rien. Si ta mère était comme la mienne, jamais je ne l'aurais épousée.

Anne se redressa aussitôt, faussement indignée.

— Kevin, c'est bien le compliment le plus pauvre que tu m'aies jamais fait! De ce que j'ai pu voir aujourd'hui, personne au monde ne peut être comparé à...

Elle ne put finir. Du premier étage leur parvint un cri perçant, suivi d'un choc sourd. Kevin et Anne se précipitèrent vers l'escalier, leurs enfants derrière eux. Ruby, que sa corpulence freinait, fut rapidement distancée.

Lorsqu'il ouvrit la porte de la chambre, Kevin découvrit la vieille femme assise dans son lit, fixant sur sa fille un regard brûlant de colère. Le visage crispé par la douleur, Marguerite était tombée sur le sol, sa jambe blessée tordue sous elle.

Kevin n'accorda qu'un bref regard à sa mère, puis il s'agenouilla auprès de sa sœur.

— Que s'est-il passé?

Marguerite le regarda avec tristesse.

— Elle a dit que j'avais trop tardé à lui monter son repas, et qu'il était froid.

Kevin ne cacha pas son étonnement en voyant la nourriture restée intacte sur le plateau.

— Mais... Pour l'amour de Dieu! Tu le lui as monté il y a une heure. Pourquoi ne l'a-t-elle pas mangé?

Marguerite secoua vivement la tête, en signe d'ignorance, mais ne dit rien. Kevin se releva et lança un regard furieux à sa mère. Celle-ci tenait toujours dans sa main sa lourde canne. Soudain il comprit.

— Ainsi vous l'avez frappée, Mère? Vous êtes restée assise en attendant que le repas refroidisse, et vous l'avez appelée pour la frapper avec votre canne!

Les yeux d'Helena s'étrécirent dangereusement, et lorsqu'elle parla ce fut d'un ton venimeux :

– Surveille ta langue, Kevin! siffla-t-elle. Tu ne connais pas ta sœur comme je la connais. Tu ne vis pas ici! Tu es parti et tu nous as abandonnées! Alors comment oses-tu critiquer mes...

– Oh, par pitié, Mère! coupa sèchement Kevin. Cessez donc de vous conduire comme une enfant! Ruby peut faire réchauffer votre repas, ou bien je m'en chargerai. Quant à toi, Marguerite, tu vas redescendre avec nous et terminer ton dîner.

Joignant le geste à la parole, il aida sa sœur à se relever. Mais avant qu'elle soit sur pied, la voix d'Helena claqua comme un fouet :

– *Non!* J'exige qu'elle le fasse, Kevin! Si elle veut passer sa vie à se comporter comme une servante, de quel droit l'en empêcherais-tu?

Ébahi, Kevin regarda sa sœur.

Les yeux embués de larmes, Marguerite tituba jusqu'au plateau, qu'elle prit.

Bien après minuit, Kevin se glissa hors de son lit avec mille précautions pour ne pas réveiller sa femme. Anne respirait lourdement, abandonnée à un sommeil paisible depuis déjà plusieurs heures. Kevin était resté étendu à son côté. Il sentait la maison autour de lui, et ses narines s'emplissaient des odeurs familières de son enfance. Il écoutait les stridulations des insectes dans la nuit étouffante. C'était comme un souvenir très ancien et pourtant familier.

Mais une image l'obsédait : Marguerite, prostrée sur le sol, qui cachait si parfaitement sa douleur et son humiliation pour supporter en silence la fureur de leur mère. Depuis combien de temps durait cet enfer? se demandait-il. Et pourquoi sa sœur ne l'avait-elle jamais appelé? Pourquoi ne lui avait-elle jamais expliqué ce qu'était devenue sa vie?

Se rendait-elle seulement compte que son existence n'avait pas à être liée à une vieille femme aigrie qui vivait dans le passé?

Comprenant qu'il ne trouverait pas le sommeil, Kevin enfila un peignoir léger, sortit dans le couloir et referma la porte derrière lui. Il n'avait nul besoin de lumière. Chaque centimètre carré de Sea Oaks lui était familier, et tandis qu'il se dirigeait vers l'escalier principal il se souvint de chaque pièce de l'étage.

Déjà, dans son enfance, les nombreuses chambres d'amis avaient commencé à se délabrer. Le large cercle d'invités fortunés que ses grands-parents recevaient naguère s'était progressivement réduit à zéro, ainsi que la domesticité nécessaire à l'entretien d'une telle demeure. Sans même ouvrir les portes, il était certain que les chambres avaient gardé l'apparence qu'il leur connaissait dans son enfance, bien qu'en plus décrépite sans doute, la chambre bleue, la chambre émeraude, la chambre rose, avec leur papier mural gaufré, leur tapis coordonné et leur cheminée de marbre.

Il descendit l'escalier, passa par la petite salle de réception et entra dans le grand salon. Instinctivement, il évita le petit banc du piano à queue et alluma la lampe de cristal sur la table près du canapé Louis XVI. Une douce lumière envahit la pièce, sans pour autant chasser toutes les ombres. Il traversa le salon et poussa la double porte qui ouvrait sur le petit solarium. Sans y entrer, il resta quelques secondes immobile devant le portrait de sa mère accroché au-dessus de la cheminée du salon.

Exécutée en France par un peintre qui était à l'époque la coqueluche des touristes américains, la toile représentait sa mère en tenue de danseuse, les cheveux tirés en arrière. Elle levait gracieusement un bras, et sa jambe gauche était curieusement pliée. Kevin chercha en vain dans ce visage adolescent, aux pommettes hautes, les prémices de la harpie qu'était devenu le modèle du peintre.

Il pénétra dans le solarium, puis traversa la salle à manger et l'office pour entrer dans l'immense cuisine à l'ancienne. L'antique fourneau était toujours adossé au mur, en face de l'énorme réfrigérateur encastré. Une collection de poêles et de casseroles aux dimensions impressionnantes et au cuivre soigneusement astiqué était pendue au-dessus de la longue table de travail. Kevin devina que ces ustensiles ne servaient plus depuis longtemps en voyant, sur l'égouttoir de l'évier, ceux avec lesquels Ruby avait préparé le repas du soir : de petites poêles faites pour cuisiner une demi-douzaine de portions et non une vingtaine.

Kevin prit le restant de rôti dans le réfrigérateur, trouva un peu de pain et se confectionna un sandwich. Puis il s'assit à la table près de la fenêtre et resta un long moment à l'écoute de la vieille demeure.

Une légère brise s'était levée, et des branches crissaient contre la façade. Un peu partout, le bois craquait sous l'effet de la température plus basse de la nuit.

Lentement, il sentit une étrange sensation l'envahir et un picotement désagréable assaillir sa nuque.

Une planche craqua et il se tourna d'un bloc, sans trop savoir à quoi il devait s'attendre.

Ruby se tenait à la porte de sa chambre, ses yeux fatigués fixés sur lui, le visage singulièrement dépourvu d'expression. Elle eut une ombre de sourire et s'avança vers lui.

– Vous ne pouvez pas dormir, n'est-ce pas, Mr. Kevin? dit-elle d'une voix douce. Tout comme quand vous étiez gamin. Eh bien, je crois qu'il faudra vous attendre à de nombreuses nuits comme celle-là, maintenant que vous êtes rentré chez vous.

Kevin fronça les sourcils.

– Pas si nombreuses, Ruby. Je ne suis pas rentré chez moi; mon foyer est dans le Connecticut, et je ne suis ici que pour deux semaines de vacances.

Ruby se laissa tomber sur une chaise en face de Kevin en poussant un petit grognement.

– Pas deux semaines, dit-elle. Vous êtes revenu et vous resterez. Aucun Devereaux n'a jamais quitté Sea Oaks.

Kevin secoua la tête.

– Je l'ai fait, pourtant. Je suis resté absent longtemps, Ruby. Et je ne reviens pas pour m'installer ici.

– Ce n'est pas ce que dit miss Helena, rétorqua la domestique. Elle dit que vous êtes revenu et que vous allez rester ici. Et si vous me demandez mon avis, comme elle le dit elle le pense : vous allez rester.

– Je ne vous ai pas demandé votre avis, Ruby, fit Kevin d'un ton plus sec. Mais puisque vous me l'avez donné, je vais vous répondre. Je me moque de ce que pense ma mère depuis que j'ai eu huit ans, tout autant qu'elle s'est toujours moquée de ce que je pensais. Alors pourquoi resterais-je? J'aime ma famille, j'aime l'existence que je mène et je n'ai pas l'intention de changer... (Il lança un regard circulaire sur la vieille cuisine.) Et certainement pas pour vivre dans cette relique en prétendant que Devereaux représente quelque chose pour nous. La ville est morte, Ruby, et la maison aussi. Quand Mère mourra – si elle meurt –, je repartirai. Et même si elle se remet et vit encore quelques années, je ne resterai pas.

Ruby ne répondit pas. Elle se contenta de le contempler de ses yeux sombres. Après un moment elle se leva lourdement et se dirigea d'un pas traînant vers sa chambre. Elle en avait presque atteint la porte quand elle se retourna.

– Je comprends ce que vous dites, Mr. Kevin. Mais je sais ce que miss Helena veut dire. Vous êtes un Devereaux, et vous resterez à Sea Oaks. Parce que c'est ainsi que les choses doivent être. N'essayez pas de l'empêcher, Mr. Kevin. Vous n'en tireriez rien de bon. Rien du tout.

Avant qu'il ait eu le temps de répliquer, la vieille domestique disparut dans sa chambre et en referma sans bruit la porte.

Après le départ de Ruby, Kevin resta assis un long moment, sans bouger. Enfin il mordit dans son sandwich. Le pain lui parut trop sec et il eut du mal à avaler sa bouchée. Il jeta le restant dans la poubelle sous l'évier, éteignit la lumière et remonta se coucher.

Mais il était encore éveillé quand l'horloge de l'entrée sonna deux heures du matin. Les propos de Ruby lui avaient ôté toute possibilité de trouver le sommeil, et à la fatigue nerveuse s'ajoutait maintenant une autre sensation.

Une angoisse diffuse l'envahissait sournoisement tandis qu'il se demandait si Ruby n'avait pas raison.

Sa mère avait peut-être réellement décidé qu'il ne devait plus jamais quitter Sea Oaks.

Peut-être avait-elle l'intention de le retenir prisonnier, comme elle le faisait de Marguerite.

Peut-être même avait-elle l'intention de les retenir tous prisonniers ici...

# 4

Le jeudi matin, Anne commençait à s'habituer au rythme particulier des journées sur l'île Devereaux. Le petit déjeuner était servi à sept heures précises. Comme tous les repas, il était fréquemment interrompu par la sonnerie de l'interphone, et Marguerite devait à chaque fois monter dans la chambre de sa mère pour satisfaire ses caprices. Ruby vaquait ensuite à ses tâches ménagères. Anne était certaine que le nombre de pièces utilisées diminuait chaque année. Les volets de la plupart étaient fermés, et les meubles recouverts de draps poussiéreux. Un chiffon dans la main, Ruby parcourait de sa lourde démarche les pièces encore en service, mais ses efforts restaient sans grand effet. Bien qu'elle fût à présent occupée par sept personnes, la maison conservait l'atmosphère figée d'un musée. Même Julie et Jeff baissaient inconsciemment la voix dès qu'ils y entraient.

Après le petit déjeuner, Marguerite disparaissait dans la chambre de sa mère. Assise sur une chaise au rembourrage défraîchi par l'usage, elle lui faisait la lecture. La vieille femme était allongée dans son lit et ronflait doucement.

Jusqu'à ce que Marguerite s'arrête.

Alors la voix aigrie résonnait dans la maison tandis que Helena admonestait sèchement Marguerite : « *Je ne demande pourtant pas grand-chose!* disait le plus souvent Helena. *J'ai pris soin de toi toute ta vie, et tu pourrais au moins me faire la lecture de temps en temps!* » Une fois, Anne écouta à la porte de la chambre après une de ces réprimandes. Elle n'entendit que la mélodie de la voix tranquille de Marguerite qui avait repris sa lecture.

Un peu avant le déjeuner, Marguerite se changeait et se rendait sur la véranda, comme si elle s'apprêtait à accueillir une vingtaine d'invités. Mais personne hormis les Devereaux n'apparaissait jamais sur la route. Par quelque grâce mystérieuse, et alors qu'Anne sentait ses vêtements coller à sa peau, Marguerite semblait toujours fraîche, sa chevelure noire coiffée en une tresse formant chignon et tenue en place par un grand peigne en écaille de tortue. Toute autre qu'elle aurait paru ridicule avec un tel ornement, mais Marguerite en voyait sa silhouette gracieuse mise en valeur. Et si elle était consciente de sa claudication, elle ne le montrait jamais. Pourtant, même sur la véranda, elle ne pouvait échapper à l'appel hargneux de l'interphone. Anne avait rapidement remarqué que l'interphone ne restait silencieux que pendant les longs après-midi étouffants. Alors Helena s'abîmait dans un sommeil agité, et Marguerite profitait de ce répit pour aller travailler une heure ou deux dans la salle de couture sur l'antique machine Singer.

Elle avait déjà confectionné pour Julie une robe d'un vert profond, ceinturée légèrement d'une bande d'étoffe blanche. Non seulement le vêtement allait parfaitement à l'adolescente, mais encore il rehaussait son teint et lui donnait le même genre de beauté exotique que sa tante.

Chaque soir n'était qu'une redite du premier soir qu'ils avaient passé à Sea Oaks – un repas simple toujours gâché par les appels continuels d'Helena.

Pour Anne, peu habituée à la chaleur écrasante du Sud, les journées se résumaient à d'interminables chapelets d'heures frappées du sceau de l'ennui, qu'elle passait généralement à chercher un refuge contre l'atmosphère moite. Le troisième jour, elle prit le break et se rendit au village. Mais elle n'y resta pas longtemps. La pauvreté générale visible dans chaque rue et les commerces en faillite n'avaient fait que la déprimer davantage, et quand elle retourna à Sea Oaks elle comprenait mieux pourquoi Marguerite quittait rarement l'île et préférait envoyer Ruby faire les achats. Et donc, le jeudi matin, elle ne fut pas étonnée que Julie lui demande d'un ton embarrassé combien de temps encore ils allaient rester ici.

Anne accueillit la question d'un sourire compréhensif, car elle imaginait sans difficulté comment elle aurait réagi au même âge.

– Tu as l'impression qu'on est déjà là depuis des semaines, n'est-ce pas?

Julie acquiesça.

– Je ne sais pas trop quoi te dire, ma chérie, dit sa mère avec un soupir. Ton père n'arrête pas d'annoncer qu'on ne va rester qu'un jour ou deux encore, mais à voir ta grand-mère...

Elle laissa sa phrase en suspens. Julie affichait clairement sa déception.

– Mais il n'y a rien à faire, dit doucement Julie. Papa trouve toujours quelque chose à réparer dans la maison et...

– Et ça risque de prendre un an ou deux, enchaîna malicieusement Anne.

L'adolescente ne réagit pas à la plaisanterie.

– ... Jeff, lui, il a Toby pour jouer, mais moi je n'ai encore rencontré personne!

– J'ai l'intention de régler ce petit problème ce matin même, fit soudain la voix de sa tante.

Marguerite était sortie sur la véranda, et Julie se sentit rougir. Mais sa tante balaya sa gêne d'un geste affectueux.

– Les filles viennent ce matin, et j'ai pensé que tu aimerais peut-être te joindre à elles pour le cours.

Julie paraissait incertaine.

– Je... je ne sais pas. Je n'ai fait que trois ans de danse, et...

Marguerite comprit immédiatement et serra la main de sa nièce.

– Si tu as peur de ne pas être au niveau, tu peux t'arrêter. De temps à autre j'ai une élève vraiment douée, mais la plupart sont... eh bien, disons qu'elles ne sont pas aussi motivées qu'elles pourraient l'être. (Elle se tourna vers Anne et lui fit un clin d'œil.) Mais je suis toujours heureuse de leur apprendre quelque chose, même si c'est peu. Et si tu ne veux pas suivre le cours, ajouta-t-elle en regardant de nouveau l'adolescente, tu peux quand même venir pour simplement rencontrer les filles.

– J'aimerais beaucoup, oui, approuva Julie. Et je m'excuse de ce que j'ai dit; ça ne vous était pas destiné. En fait, ce n'est pas que Sea Oaks me déplaise, mais...

– N'en dis pas plus! coupa gentiment Marguerite. Tu n'es pas la seule qui soit désœuvrée ici, je te l'assure. C'est une des raisons pour lesquelles je continue à enseigner; les filles ont quelque chose qui les occupe. Et puis...

La sonnerie de l'interphone l'empêcha de finir. Par pur automatisme, elle tourna les talons et disparut aussitôt à l'intérieur de la maison.

– Je suis vraiment désolée pour elle, dit Julie, les yeux embués de larmes. Tante Marguerite est si gentille, et Grand-Mère si méchante avec elle. Pourquoi ne...

– Pourquoi ne meurt-elle pas, c'est ça? finit sa mère calmement.

L'air un peu honteux, Julie hocha la tête.

– J'aimerais ne pas le penser, mais...

– Mais tu ne peux pas t'en empêcher. Si cela peut te consoler, sache que tu n'es pas la seule. Bien sûr, ce serait merveilleux si ta grand-mère était une charmante vieille dame que nous pourrions tous aimer, mais elle ne l'est pas. Alors inutile de te culpabiliser pour ce que tu penses.

– Je ne comprends même pas pourquoi nous sommes venus, finit par avouer Julie avec une amertume évidente. Grand-

44

Mère ne parle ni à Jeff ni à moi, et presque pas à toi. Et j'ai même l'impression qu'elle n'est pas intéressée par la présence de Papa!

– Je sais, ma chérie. Mais nous ne sommes pas ici pour elle. Nous devons penser à ton père aussi. Si ce séjour lui permet de mieux accepter sa longue absence, alors nous ne serons pas venus en vain.

Julie acquiesça, et sa mère la serra un instant dans ses bras avec affection.

– A présent, montons à l'étage et essayons de te trouver quelque chose à porter pour le cours de Marguerite. Je dois avoir amené un jogging qui t'ira certainement, si tu n'as pas peur de mourir de chaleur!

– Des demi-pointes! s'exclama soudain Julie. Je n'en ai pas ici!

– Mais ta mère y a pensé, elle! fit Anne avec un petit sourire de triomphe. Au dernier moment, j'en ai mis une paire dans un sac. Je me suis dit que tu voudrais certainement danser...

Elles entrèrent ensemble dans la maison. Elles commençaient à peine à gravir l'escalier quand Jeff faillit les renverser. Il descendait en trombe du premier étage. Anne saisit son fils à la volée.

– Eh! Où cours-tu ainsi? Je ne t'ai pas interdit de courir dans la maison?

– Mais c'est Toby! protesta le gamin en essayant de se dégager. Il est en train de traverser la digue, et il a une canne à pêche!

– Une canne à pêche! répéta Anne. Ah! Je crois qu'on ne peux pas s'opposer à un argument aussi puissant!

Elle reposa Jeff qui repartit en trombe. La mère et la fille reprirent l'ascension de l'escalier.

Comme elles passaient devant la chambre fermée d'Helena, elles entendirent la voix grinçante de la vieille femme qui invectivait une fois de plus sa fille. Gênées, elles allongèrent le pas, peu désireuses d'entendre Marguerite subir une nouvelle humiliation.


Quand Marguerite était arrivée au premier étage, Ruby l'attendait en haut de l'escalier, le regard furieux et la mâchoire contractée.

– Elle refuse encore de manger son petit déjeuner, avait annoncé la domestique. Je ne sais plus quoi faire! On a l'impression qu'elle veut se laisser mourir de faim!

– Ça va aller, Ruby, avait dit Marguerite. Retournez à ce que vous faisiez, je vais lui parler.

La domestique avait considéré sa maîtresse sombrement:

– On dirait qu'à chaque fois que vous lui parlez, ces temps-ci, elle vous traite de noms d'oiseaux, comme si vous étiez moins que rien!

Marguerite avait eu un soupir de lassitude.

– Tout va bien. Et cela ne durera pas éternellement, n'est-ce pas?

Puis elle était entrée dans la chambre de sa mère. A peine avait-elle ouvert la porte qu'Helena l'avait prise à partie :

– Où étais-tu? Quand je t'appelle, j'exige que tu viennes immédiatement, sans bavacher en route comme une gamine!

– Je suis désolée, Mère. Mais il fallait que je parle à Ruby...

– *Ruby!* (La vieille femme avait craché ce nom comme une injure.) Je ne vois pas pourquoi je la garde! Elle est aussi incapable que toi!

Marguerite avait quitté des yeux sa mère pour regarder le plateau où le petit déjeuner était resté intact.

– Quelque chose n'allait pas avec votre petit déjeuner?

Helena avait observé sa fille avec une méchanceté non dissimulée.

– Comment pourrais-je manger, alors que la maison est remplie d'étrangers? Ce sale petit gamin n'arrête pas de descendre et monter les escaliers comme s'il était dans une maison de redressement. D'ailleurs, c'est là qu'on devrait l'enfermer! Et la femme de Kevin, qui rôde partout avec l'air d'être la propriétaire! Je ne le supporterai pas! Tu m'entends?

– Je suis sûre que tout le monde dans la maison vous a entendue, Mère.

Bien qu'elle pensât ces paroles, Marguerite se surprit elle-même de les avoir prononcées. Helena se mit à trembler de rage.

– Comment oses-tu me parler ainsi? siffla-t-elle. J'ai pris soin de toi depuis toujours! Et c'est ainsi que je suis payée de retour? Par l'ingratitude et l'impertinence? Tu vas t'excuser, Marguerite! Et tout de suite!

Sa fille ravala un sanglot et baissa les yeux, l'air misérable.

– Je suis désolée, Mère, murmura-t-elle. Je ne voulais pas vous manquer de respect.

– Vraiment? fit Helena d'un ton fielleux. Tu prononces ces mots avec la sincérité d'un perroquet! Et je devrais te croire? Je ne suis pas idiote, bien que ce soit ce que tu as toujours pensé!

– Je vous ai dit que j'étais désolée, Mère, répéta Marguerite d'une voix contrite. Je ne sais pas ce que je pourrais dire de plus. Mais c'est la famille de Kevin, et je suis certaine qu'ils ne veulent pas vous ennuyer.

– Ce n'est pas la famille de Kevin! Nous sommes la famille de Kevin! *Toi et moi!* Je ne sais pas pourquoi il les a amenés ici! Et je ne veux pas de cette femme qui fouine partout!

– Je suis sûre qu'Anne ne...

– Tu parles sans savoir! coupa la vieille femme. Je veux que tu ailles t'assurer que la porte de la nursery est bien fermée. Elle essayait d'y entrer ce matin. Je l'ai entendue!

Sa fille hésita une seconde de trop.

– Allez! ordonna sèchement la vieille femme.

Marguerite déglutit péniblement. Son cœur cognait de frustration et de colère dans sa poitrine quand elle sortit en hâte de la chambre. Elle alla jusqu'à la porte voisine de la sienne et tentait de l'ouvrir quand Anne sortit de la chambre qu'elle partageait avec son mari.

– Cette pièce est fermée, dit Anne.

A son grand étonnement, elle vit Marguerite se raidir et ôter sa main de la clenche comme si elle s'était brûlée. Intriguée, Anne avança dans le couloir vers sa belle-sœur qui continuait à lui tourner le dos.

– Que se passe-t-il? Quelque chose ne va pas?

Marguerite secoua la tête et finit par se retourner. Son visage était pâle et ses mains tremblaient.

– Que se passe-t-il? demanda une nouvelle fois Anne.

– Comment saviez-vous que cette porte était fermée? bredouilla Marguerite.

De surprise, Anne recula d'un pas.

– Je... eh bien, j'ai essayé de l'ouvrir tout à l'heure. Cette pièce est juste à côté de la chambre de Julie, et j'ai pensé que son frère aimerait y dormir. La sienne est à l'autre bout du couloir, et il se trouve plutôt isolé de nous, c'est tout... Pourquoi? Qu'y a-t-il dans cette pièce?

Brusquement, le regard de Marguerite prit une distance étrange.

– Il... il n'y a rien, vraiment. Mère y garde juste certaines choses auxquelles elle tient beaucoup, et elle m'a demandé de vérifier qu'elles étaient en sûreté, c'est tout.

– Alors vous pouvez lui dire que ni moi ni mes enfants n'avons l'intention de lui voler quoi que ce soit! répliqua Anne d'un ton vexé.

Voyant la peine qu'avaient provoquée ces paroles, elle les regretta aussitôt. Elle s'approcha de sa belle-sœur et lui posa ses mains sur les épaules.

– Je suis désolée, dit-elle calmement. Je me suis montrée grossière, et injuste. C'est... sans doute la faute de la chaleur.

Marguerite secoua la tête.

– Non, Anne. Inutile de nous cacher la vérité. Nous savons toutes les deux comment est ma mère et ce qu'elle pense; et c'est pourquoi elle m'a demandé d'aller vérifier que cette porte était toujours fermée. (Elle eut un faible sourire.) Eh bien, je pourrai la rassurer, n'est-ce pas?

Rendant à sa belle-sœur son geste affectueux, Marguerite recula d'un pas puis fit demi-tour. Anne la regarda repartir en claudiquant vers la chambre de sa mère, puis considéra un moment la porte close.

Il y avait quelque chose derrière ce panneau de bois, elle en aurait juré. Quelque chose qui n'était pas une simple collection de meubles précieux.

Quelque chose de beaucoup plus important. Mais quoi?

Timidement, Julie passa l'énorme double porte qui ouvrait sur la salle de bal du deuxième étage. C'était la première fois qu'elle venait ici, et ses yeux s'agrandirent de stupéfaction.

Longue de presque vingt mètres, large de douze, la pièce occupait la majeure partie de l'étage. Le plafond, à quatre mètres cinquante de hauteur, était décoré de guirlandes et de rosaces en plâtre. Du centre de chaque rosace descendait un lustre massif au métal terni et aux ornements de cristal couverts de poussière, quand ils n'étaient pas brisés ou simplement manquants. En face d'elle, de l'autre côté de la salle, l'adolescente découvrit quatre portes-fenêtres donnant sur un balcon qui devait surplomber la véranda. De lourdes tentures pendaient mollement de chaque côté des portes-fenêtres. Les deux autres murs étaient percés de grandes baies par lesquelles on voyait l'île et la mer alentour.

Un parquet aux motifs de losanges imbriqués couvrait le sol, mais toute trace de cire en avait depuis longtemps disparu. Un épais tapis était roulé contre un mur, sans doute depuis une éternité.

Dans le fond de la pièce, un grand piano occupait un coin, jouxté d'un vieux phonographe dans son meuble en bois travaillé. Une barre d'exercice avait été fixée entre deux fenêtres, devant une grande glace au tain largement entamé. Autour du piano étaient disséminés une douzaine de sièges au velours rouge passé.

Assise derrière le piano, Marguerite jouait lentement un extrait de l'*Oiseau de feu* de Stravinski. Devant elle cinq adolescentes évoluaient avec difficulté selon la chorégraphie mise au point par leur professeur. Celle-ci aperçut Julie et s'arrêta net de jouer. Elle se leva, traversa la pièce jusqu'à la nouvelle venue et revint avec elle en la tenant par une main.

– Les enfants, voici ma nièce, Julie.

Elle la présenta rapidement à chacune de ses élèves. Dès qu'elle eut fini, Julie se rendit compte qu'elle ne se souvenait que de deux noms: Jennifer Mayhew, au sourire très sympathique, et Mary-Beth Fletcher, qui n'avait pas souri du tout.

– Nous pourrions finir ce que nous faisions pendant que

Julie s'échauffe, proposa Marguerite. Ensuite nous ferons un peu de barre avant de travailler les exercices de base.

– Je me suis échauffée en bas, tante Marguerite, lui annonça Julie. Je ne voulais pas vous faire perdre de temps.

Marguerite eut un hochement de tête appréciateur.

– Alors tu pourrais peut-être te mettre à la barre, près du piano, afin que je te voie mieux.

Les autres filles s'entre-regardèrent, indécises, avant de se diriger toutes vers la barre. Jenny Mayhew se retrouva juste à côté de Julie et lui murmura à l'oreille :

– Elle veut voir de quoi tu es capable, mais elle ne veut pas que tu sois seule.

– La prochaine qui chuchote aura le privilège de nous faire une démonstration en solo, dit Marguerite en lançant un clin d'œil d'avertissement à Jenny.

Cette dernière sourit et se mit sagement en position derrière Julie.

– Première position, les enfants, annonça le professeur en entamant une mélodie très simple au piano. Deuxième position... Troisième... On tourne!

Julie se mit à exécuter les mouvements avec aisance, passant d'une position à une autre sans heurt. Elle se pliait naturellement aux indications données par sa tante. Comme toujours lorsqu'elle dansait, l'adolescente avait l'impression que la musique passait directement du piano dans son corps, qui paraissait mû par chaque note. Elle baissa les paupières et se laissa emporter par l'ivresse de la danse. Elle sentait avec délice ses muscles enchaîner les postures les plus délicates, jusqu'à la douleur parfois.

Soudain la mélodie cessa. Elle ouvrit les yeux et vit que les autres adolescentes s'étaient immobilisées et l'observaient. Sa tante s'était levée derrière le piano.

– J'ai... j'ai fait une erreur? s'enquit Julie d'une voix anxieuse.

– Une erreur? répéta Marguerite, incrédule. Certainement pas! C'était au contraire presque parfait! (Elle se tourna vers ses élèves.) Pourquoi ne pas vous asseoir quelques minutes? Je suis sûre que nous serions toutes ravies de regarder danser Julie, et nous en tirerions des enseignements utiles. (Elle reporta son attention sur sa nièce.) Et tu ne suis des cours que depuis trois ans?

Julie sentit une rougeur soudaine colorer ses joues.

– Je ne travaille sérieusement que depuis trois ans, précisat-elle. Mais je prends des leçons depuis l'âge de six ans.

Les sourcils de Marguerite se soulevèrent d'un étonnement ravi.

– Neuf ans de pratique, donc! Alors, tu as sans doute un solo personnel?

– J'ai quelques figures que j'avais répétées pour un récital, fit l'adolescente d'un ton gêné.

– Tu pourrais nous en montrer quelques-unes?

Julie jeta un rapide coup d'œil aux autres jeunes filles. Sans la quitter d'un regard peu amène, Mary-Beth Fletcher s'était penchée pour parler à l'oreille de sa voisine. Mais Jennifer Mayhew lui adressait un large sourire d'encouragement, imitée par une autre élève dont le nom revint à la mémoire de Julie : Tammy-Jo Aaronson.

– Je pourrais peut-être... Une chorégraphie de mon dernier professeur; si vous avez la musique de *West Side Story*...

– Bien sûr, répondit immédiatement Marguerite.

Joignant le geste à la parole, elle mit un disque sur l'antique phonographe, et les premières mesures de « *The Dance At The Gym* » envahirent l'immense pièce, quelque peu déplacées dans ce décor suranné.

Julie se retrouva bientôt seule avec la musique. Les yeux à nouveau fermés, elle se laissa souplement guider par la mélodie. Le professeur observait sa nièce avec un sentiment croissant de fierté. Julie n'était-elle pas l'héritière évidente de sa tante et de sa grand-mère? Le regard de Marguerite passa un moment à ses autres élèves.

Jennifer Mayhew et Mary-Beth Fletcher étaient sans doute les plus prometteuses, mais à voir Julie évoluer, il apparaissait clairement aux yeux pourtant indulgents de Marguerite qu'elles n'avaient que peu d'avenir en tant que professionnelles.

Tammy-Jo Aaronson, une adolescente quelque peu enrobée au caractère insouciant, travaillait du moins avec application. Allison Carter, une jolie blonde au corps mince, ne suivait le cours que pour satisfaire les ambitions sociales de sa mère. Mais elle n'était pas plus intéressée par la danse que par les espérances de sa mère. La cinquième élève, Charlene Phillips, assistait aux leçons pour accompagner sa meilleure amie, Mary-Beth Fletcher, et l'imiter dans un domaine de plus.

Ce cours était le dernier. Des années plus tôt, Marguerite avait décidé que ce groupe d'élèves serait le dernier dont elle s'occuperait. Elle avait apprécié chaque cours qu'elle leur donnait sans trop réfléchir à ce qu'elle ferait ensuite.

Mais la question ne se posait plus. Elle aimait chacune d'elles pour ce qu'elle était. Et puis il y avait Julie, à présent et pour quelque temps. Et elle voyait revivre dans sa nièce tous les rêves de sa propre jeunesse.

La musique monta en un crescendo final, et Julie tournoya gracieusement. Puis le morceau s'acheva. Il y eut un moment de silence, puis Jennifer et Tammy-Jo se mirent à applaudir, bientôt imitées par les autres.

A l'exception de Mary-Beth Fletcher.

50

Marguerite se leva de son siège et alla embrasser sa nièce.

– C'était magnifique, lui murmura-t-elle. Je n'aurais pas fait mieux quand j'avais ton âge.

Elle se retourna vers ses élèves et fit discrètement signe à Julie de saluer. L'adolescente fit une ample révérence et se laissa délibérément tomber sur le sol en une parfaite imitation d'une perte d'équilibre.

Mary-Beth Fletcher prit garde de ne pas rire avec les autres. Elle se pencha et dit quelques mots à son amie qui cessa aussitôt de manifester son amusement.

Julie se remit debout et sourit joyeusement à sa tante.

– Ça allait?

– Bien sûr! C'était mieux que ça! Tout ce que tu as fait prouve ton talent. Sauf tes yeux. Ne les ferme jamais quand tu danses, Julie. Rappelle-toi que tu ne danses pas pour toi-même mais pour le public, et le public veut voir tes yeux.

– Mais j'ai toujours dansé les yeux fermés, protesta Julie. Du moins quand j'exécute un solo. Je ressens tellement mieux la musique...

– Mais il ne faut pas! décréta Marguerite. Tu dois toujours être consciente du public. Toujours!

Le cours reprit lentement. Même lorsqu'elle dansait avec les autres, Julie pouvait sentir le regard fier de sa tante posé sur elle. A la fin de la leçon, l'adolescente avait oublié la chaleur étouffante, et elle aurait pu continuer une heure de plus. Mais Marguerite conclut le cours et les jeunes filles commencèrent à sortir de la salle. Jennifer Mayhew descendit l'escalier à côté de Julie.

– Tu es drôlement bonne, dit-elle d'une voix admirative.

– Tu n'es pas vraiment mauvaise non plus, tu sais! répliqua Julie.

Jenny haussa les épaules.

– Oh, j'essaie, mais quand je te regarde, je me dis que je ferais aussi bien de renoncer! Il ne suffit pas d'essayer, il faut avoir du talent. Et je crois qu'on sait toutes d'où te vient le tien.

– J'aurais aimé voir tante Marguerite danser, approuva Julie. Papa dit qu'elle était très douée.

Jenny hocha la tête.

– Elle l'est toujours. Il y a beaucoup de choses qu'elle ne peut plus faire, je suppose, mais elle a toujours essayé de nous les montrer.

Julie regarda sa nouvelle amie avec attention.

– Tu aimes bien ma tante, hein?

– Tu plaisantes? Tout le monde l'aime bien! Elle est toujours prête à nous consacrer son temps, et elle donne l'impression de savoir instantanément ce qu'on ressent. (Baissant la voix, elle ajouta :) C'est pour ça que nous venons, en grande partie. Nous savons que nous ne ferons pas carrière dans la danse, mais c'est un prétexte pour venir voir miss Marguerite. Avec elle, on ne s'ennuie jamais!

Soudain Mary-Beth Fletcher, qui descendait devant elles, se retourna et fixa sur Julie un regard jaloux.

— Et elle n'avait jamais eu d'élève préférée, jusqu'à maintenant!

Avant que Julie ait pu répliquer, l'autre s'était hâtée de les distancer. Dès qu'elle eut disparu, Julie interrogea Jenny d'un regard où se lisait la peine que lui avaient causée les paroles de Mary-Beth.

— Ne t'en fais pas, la rassura Jenny. Avant ton arrivée, Mary-Beth croyait que j'étais la préférée de miss Marguerite. Et si ce n'était pas moi, ç'aurait été une autre! Et, d'ailleurs... (Elle eut un large sourire.) Pourquoi ne serais-tu pas son élève préférée? Non seulement tu es sa nièce, mais tu es la meilleure danseuse!

Sans transition, elle passa à un autre sujet:

— Dis, tu veux venir à la plage cet après-midi? Je te présenterai les autres.

Julie n'hésita qu'une fraction de seconde.

— Ça me plairait beaucoup. Tu ne peux pas savoir comme je m'ennuie depuis que nous sommes arrivés ici!

— Je peux le deviner! rétorqua joyeusement Jenny. N'oublie pas que j'ai passé toute ma vie dans ce coin perdu! Je sais combien on peut s'ennuyer!

Quand Jennifer prit congé d'elle quelques minutes plus tard, Julie avait une opinion beaucoup moins négative de Devereaux. Après tout, ce voyage ne serait peut-être pas une perte de temps complète...

# 5

— Kevin, que fabriques-tu donc? lui demanda sa femme.

Après l'avoir cherché dans toute la maison, elle venait de le trouver dehors, au pied de l'aile ouest, sa chemise ouverte sur son torse luisant de sueur. Il disparaissait en partie sous un amas de plantes grimpantes arraché du mur. En entendant la voix de sa femme, il tourna vers elle un visage crasseux éclairé par un sourire de triomphe.

— Je n'arrive pas à le croire! dit-il en laissant tomber les énormes cisailles qu'il tenait et en posant ses mains sur ses hanches. Tu sais que ceux qui ont construit Sea Oaks connaissaient leur métier!

– Alors pourquoi toute cette baraque tombe-t-elle en ruine?
répondit Anne sans cacher son scepticisme.

– Justement! Elle ne tombe pas en ruine. Sous le revêtement
extérieur, les briques sont aussi solides qu'au premier jour. Le
revêtement n'a besoin que d'un bon coup de peinture et de quelques clous. Quand j'ai commencé à retirer tout ce lierre, j'avais
un peu peur que le mur s'écroule sur moi. Eh bien, regarde!

Il montra la portion de mur qu'il avait dégagée de vingt-cinq
ans de végétation folle, et Anne suivit sans enthousiasme la
direction de son geste.

– Je ne vois qu'un mur décrépi, deux volets sur le point de te
tomber sur le crâne, et une gouttière dont il manque un bon
mètre. Sans parler du tuyau d'écoulement qui pend au-dessus
de toi, des fenêtres du premier étage avec leurs carreaux fêlés;
quant aux fondations, si elles ne sont pas rongées par la pourri-
ture sèche, c'est qu'il me faut des lunettes!

Vaincu par une telle avalanche d'arguments, son mari ne put
qu'en rire.

– D'accord, la situation n'est pas aussi brillante que je le
disais. Mais j'ai vérifié le sous-sol, et les madriers sont sains. De
plus, les fondations sont en béton. Il n'y a donc pas de pourri-
ture sèche...

– Juste un état de décomposition avancée, rétorqua sa
femme avec mauvaise humeur.

– Même pas. Il n'y a besoin que de petites réparations de
surface. J'en suis même très surpris. C'est comme si la maison
avait pris soin d'elle-même pendant toutes ces années, en attendant que quelqu'un vienne lui remettre une couche de peinture!

Ces paroles éveillèrent en la jeune femme un sentiment
confus d'alarme, et elle posa sur son mari un regard sombre.

– C'est ce que tu projettes de faire? Repeindre la maison?

Il se renfrogna un peu.

– Quel mal y aurait-il? Elle en a besoin, et...

– Et il ne te reste plus que dix jours de vacances, lui rappela-
t-elle. Je peux comprendre que tu bricoles quelques détails,
mais j'espère que tu n'as pas l'intention de passer tout ton
temps à réparer cet endroit?

– Ce n'était pas mon intention, en effet; mais pourquoi ne le
ferais-je pas? rétorqua Kevin, brusquement sur la défensive.
Ma mère et ma sœur habitent ici, Anne. Tu penses que je
devrais laisser leur foyer se dégrader?

Anne était déchirée par des impulsions contradictoires. Bien
sûr, il n'avait pas tort, d'une certaine façon : Sea Oaks avait
besoin de nombreuses réparations qui, pour être légères, ne
pouvaient être faites par Marguerite; et, à l'évidence, l'argent
manquait pour louer les services d'un professionnel. Mais que
faisait-il de ses enfants et de sa femme? N'étaient-ils pas en

droit d'espérer profiter de ces vacances en sa compagnie, au moins une partie de ces deux semaines ?

– Je trouve simplement un peu curieux que quelqu'un qui n'avait aucune envie de venir ici se mette à agir comme s'il ne comptait plus en repartir.

En voyant le regard de son mari se fermer, son inquiétude redoubla.

– Tu sais que ce n'est pas vrai, dit-il après un moment.

Mais Anne crut déceler un certain manque de conviction dans la voix de son mari, et elle eut une soudaine envie de changer de sujet.

– De toute façon, je ne suis pas venue ici pour te faire un sermon. Il y a quelque chose qui me chiffonne, et je voulais t'en parler.

Kevin l'observait maintenant d'un air amusé.

– Et tu voulais m'en parler seule à seul, n'est-ce pas ?

Anne acquiesça brièvement puis lui raconta l'incident avec sa belle-sœur.

– Sais-tu ce qu'il y a dans cette pièce ? La façon dont a réagi Marguerite m'a paru vraiment étrange. Comme s'il y avait là quelque chose qu'elle ne voulait surtout pas que je voie...

Une lueur ironique brilla dans les yeux de Kevin, et il ne put s'empêcher de sourire.

– Alors, tu crois avoir enfin détecté un grand mystère dans cette austère demeure ? Je regrette de te décevoir, mais si je ne me trompe tu parles de la nursery...

– La nursery ? Ta nursery ?

– Celle de Marguerite, qui est ensuite devenue la mienne. Et il n'y a aucun mystère. Si tu veux la visiter, il te suffit de demander à Ruby de t'en ouvrir la porte.

Mais lorsque Anne entra dans la cuisine quelques minutes plus tard, Ruby refusa.

– Il y a des choses qu'il vaut mieux ignorer, dit-elle en évitant de regarder Anne.

Pendant un moment, celle-ci considéra la possibilité de réclamer les clefs, puis elle y renonça. Après tout, cette maison n'était pas la sienne, et Ruby n'était pas à son service. Mais la journée la trouva plusieurs fois en arrêt devant la porte de la nursery. En fin d'après-midi, elle eut la sensation qu'on l'observait ; elle tourna la tête pour découvrir que le couloir était désert.

Helena ouvrit brusquement les yeux. Sa chambre était plongée dans les ténèbres, et elle regarda aussitôt les aiguilles fluorescentes du réveil posé sur la table de chevet.

Minuit passé.

Habituellement, elle ne s'éveillait pas avant deux heures trente, et seulement pour quelques minutes. Cette nuit, pourtant, malgré les stridulations coutumières des insectes qui lui parvenaient par la fenêtre ouverte, elle était certaine que quelque chose n'allait pas.

Soudain les créatures nocturnes cessèrent de se faire entendre.

Quelque part au-delà de sa porte fermée, une latte de plancher craqua.

Elle tendit l'oreille pendant de nombreuses secondes, et le tic-tac du réveil lui parut anormalement sonore.

Un nouveau craquement.

Pendant un moment elle pensa qu'il s'agissait de Marguerite, avant de repousser cette possibilité. La personne qui rôdait dans le couloir s'était arrêtée quand le plancher avait craqué une première fois, ce que n'aurait pas fait sa fille. C'était donc quelqu'un d'autre.

Dans l'obscurité, les yeux de la vieille femme s'étrécirent tandis qu'elle se rappelait Anne, immobile devant la porte de la nursery, comme elle l'avait surprise cet après-midi. Son rythme cardiaque s'emballa quand elle comprit que cette femme allait entrer dans la nursery.

Sa première réaction fut d'appuyer sur le bouton de l'interphone pour appeler Marguerite, mais elle se ravisa immédiatement.

Elle réglerait ce problème elle-même.

D'un effort elle fit basculer ses jambes en dehors du lit et tendit le bras vers le peignoir de soie que Ruby avait posé sur le dossier de la chaise, à côté de la table de nuit. Pourquoi cette idiote ne le laissait-elle pas sur le lit, à portée de main d'Helena?

La vieille femme se mit debout en prenant appui sur la table de chevet et réussit à saisir le peignoir. Elle se rassit alors sur le bord du lit et enfila le vêtement léger. Puis elle prit une clef dans le tiroir de la table de nuit et se releva. S'appuyant contre le mur, elle progressa lentement jusqu'à la porte de sa chambre. Sa respiration devenait plus sifflante à chaque pas. Mais cela n'avait aucune importance; il fallait qu'elle empêche cette femme de pénétrer dans la nursery!

Elle se reposa quelques secondes contre le mur, le temps de reprendre son souffle, puis ouvrit sa porte. La faible clarté lunaire projetait de longues ombres incertaines dans le couloir désert.

Du rez-de-chaussée lui parvint alors un nouveau craquement, et la vieille femme comprit ce que faisait Anne. Elle se mit à avancer lentement dans le couloir. Ses jambes flageolaient sous elle à chaque pas, et son cœur malade battait la chamade.

Quand elle arriva enfin au bord de la monumentale cage d'escalier, elle dut se retenir à la rampe pour ne pas tomber.

Pendant un moment Helena oublia sa belle-fille en voyant la chaise-ascenseur abhorrée. Durant les dix dernières années, ce système avait été pour elle le seul moyen d'aller d'un étage à l'autre. Au départ, cette installation n'était destinée qu'à Marguerite ; la vieille femme n'avait eu aucune intention de l'utiliser. En fait, elle avait même ressenti très fortement l'envie de la faire démonter après qu'elle eut interdit à sa fille de s'en servir, de nombreuses années auparavant. Mais cette précaution s'était révélée inutile : il lui avait suffi de dire que la chaise-ascenseur n'était qu'une béquille perfectionnée pour que Marguerite refuse de s'y asseoir.

Ironie du sort, c'est Helena qui s'en servait maintenant, depuis que ce corps usé l'avait trahie. Mais elle n'en aurait pas besoin cette nuit. Elle ne voulait qu'atteindre la nursery.

Avant Anne.

Sans se soucier des élancements soudains qui lui traversaient le corps, elle reprit sa laborieuse progression le long de l'immense couloir.


Accablée par un sentiment de culpabilité, Anne tâtonnait dans les ténèbres du rez-de-chaussée. Elle n'avait pu trouver le sommeil. Longtemps après que Kevin s'était mis à ronfler doucement, elle était toujours éveillée. L'image de la porte fermée de la nursery dansait devant ses yeux.

« Il y a des choses qu'il vaut mieux ignorer... »

Que voulait dire Ruby ?

Quelles « choses » pouvaient nécessiter d'être enfermées dans la nursery ?

Elle avait fini par se glisser hors du lit. Elle était sortie dans la pénombre du couloir et s'était dirigée vers l'escalier. Chaque fois que le parquet craquait sous ses pas, elle s'immobilisait, terrorisée à l'idée qu'on pourrait la surprendre. La seconde suivante, elle se trouvait ridicule. Elle ne faisait quand même rien de répréhensible !

Néanmoins elle n'avait allumé aucune lumière en bas de l'escalier. A présent elle hésitait devant la porte de la cuisine. Elle tendit l'oreille, redoutant d'entendre Ruby.

Après un long moment, rassurée par le silence qui planait dans la maison, elle ouvrit doucement la porte et décrocha d'un geste précautionneux l'anneau de clefs pendu à un clou. Il y eut un léger cliquetis qui lui parut résonner monstrueusement. Posant une main sur les clefs, elle étouffa le son métallique et repartit sur la pointe des pieds vers l'escalier.

Dès qu'elle eut atteint le palier du premier étage, elle sentit un changement dans l'atmosphère. Elle se figea une nouvelle fois pour écouter; le bourdonnement des insectes avait repris au-dehors, et tout semblait normal. Pourtant, alors qu'elle approchait de la nursery, une impression de malaise l'assaillit, plus fortement encore qu'au rez-de-chaussée.

Peut-être devrait-elle abandonner ce projet, et décider d'ignorer simplement la nursery. Mais elle s'en savait incapable.

S'armant de courage en prévision de ce qu'elle risquait de découvrir derrière la porte qu'elle avait enfin atteinte, elle commença à essayer une à une les clefs dans la serrure.

La huitième était la bonne.

Elle la tourna d'un mouvement rapide, puis pesa sur la clenche pour ouvrir le battant de quelques centimètres. La pièce était plongée dans une obscurité totale. Anne passa une main par l'entrebâillement pour chercher l'interrupteur. Un moment plus tard elle le trouvait, et la pièce fut inondée d'une lumière crue.

Elle ouvrit largement la porte pour entrer... et poussa un hurlement strident.

Un berceau brisé était appuyé contre un mur, à côté de ce qui avait dû être un bassinet. Dans un coin de la pièce, un rocking-chair miniature était disposé près de sa réplique grandeur nature. Le capitonnage des deux sièges avait été sauvagement lacéré, et des paquets de bourre jaillissaient des déchirures du tissu. Les lambeaux d'un épais tapis étaient dispersés sur le sol, et aux murs étaient accrochés de travers quelques photographies dans des cadres aux verres cassés.

Au centre de la pièce, Helena Devereaux lui faisait face, son corps décharné tremblant de rage et ses yeux lançant des éclairs.

Le cri mourut aussi vite qu'il était monté aux lèvres d'Anne. Elle embrassa d'un regard affolé la pièce dévastée avant d'affronter la vieille femme.

– Je... je ne comprends pas, balbutia-t-elle.

– Personne ne vous a demandé de comprendre! grinça Helena.

Elle avança d'un pas, en levant des mains pareilles à des serres vers l'intruse.

– Personne ne vous a demandé de venir fouiller ma maison! Vous n'avez rien à faire ici! Croyez-vous que cette pièce soit fermée sans raison? Où cela vous est-il indifférent?

– Mais pourquoi, Mrs. Devereaux? s'enquit Anne d'une voix faible. Que s'est-il passé ici? Pourquoi gardez-vous cette pièce fermée?

– Pour empêcher des gens comme vous d'y entrer! hurla la vieille femme en faisant un nouveau pas chancelant vers Anne et en pointant un doigt accusateur. Comment osez-vous pénétrer ici? Comment osez-vous fourrer votre nez dans nos affaires?

Soudain elle écarquilla les yeux et tituba en arrière, comme si un poing invisible l'avait frappée. Son visage déjà empourpré prit une teinte violette et ses mains se crispèrent sur sa poitrine maigre. Un son horrible monta de sa gorge, arraché du tréfonds de son corps torturé par quelque souffrance indicible. Ses jambes la trahirent et elle s'écroula pitoyablement sur le sol.

Pendant une seconde, paralysée de stupeur, Anne fixa sur Helena un regard hébété. Puis elle se jeta à genoux auprès de sa belle-mère et prit une des mains décharnées dans les siennes. Les prunelles embrasées d'une haine inextinguible, malgré la douleur, Helena se dégagea aussitôt.

– Ne me touchez pas! cracha-t-elle dans un râle.

Anne sentit la panique lui tordre les entrailles. Elle se releva et se retourna vers la porte pour découvrir son mari, les yeux encore ensommeillés, qui la regardait sans comprendre.

– Kevin! s'écria-t-elle. C'est ta mère! Il lui est arrivé quelque chose!

– Son médicament, lança-t-il en allant s'agenouiller auprès de sa mère. Sur sa table de chevet. *Vite!*

Son propre cœur battant la chamade, Anne sortit de la nursery et se précipita dans le couloir vers la chambre de sa belle-mère. Elle en ouvrit la porte si violemment que celle-ci cogna contre le mur. Ayant trouvé sans difficulté le petit flacon de pilules, elle s'apprêtait à courir jusqu'à la nursery quand Marguerite apparut à la porte de la chambre.

– Qu'y a-t-il? Que...

En remarquant le lit vide, l'angoisse l'étreignit.

– Anne, où est Mère? Que se passe-t-il?

– Dans la nursery, répondit Anne. Je crois... je ne sais pas, on dirait un malaise cardiaque. Appelez une ambulance, Marguerite. Vite!

Elle repartit en courant jusqu'à la nursery, le flacon dans la main.

– De l'eau! ordonna son mari dès qu'elle lui eut donné le médicament.

Elle resta un instant immobile à regarder Helena. Le visage de la vieille femme avait pris une pâleur extrême, et les doigts d'une de ses mains se crispaient spasmodiquement comme pour saisir quelque objet invisible. Anna sortit enfin de cette contemplation morbide et courut jusqu'à la salle de bains, dont elle ressortit presque aussitôt avec un verre d'eau. Kevin avait pris trois pilules dans le petit flacon. Maintenant la tête de sa mère contre ses cuisses, il voulut les lui faire avaler. Mais elle repoussa la main d'un geste brusque.

– Non, souffla-t-elle dans un râle. Trop tard...
Elle ouvrit brusquement les yeux et les braqua sur son fils.
– Kevin...
– Je suis là, Mère. Ne vous en faites pas... Tout va s'arranger.
– Promets-moi, murmura-t-elle. Promets-moi...
Son corps fut secoué par un nouveau spasme de douleur.
– Quoi, Mère? demanda Kevin. Promettre quoi?
Soudain il y eut un petit cri venant de la porte. Levant les yeux, Anne vit Marguerite, le visage cendreux, qui se retenait au chambranle.
– Est-elle...?
Anne secoua la tête négativement.
– Et le docteur? dit-elle.
– Il... il arrive, bégaya Marguerite.
Elle entra dans la pièce, sa jambe estropiée menaçant de se dérober sous elle à chaque pas. Anne se précipita pour l'aider.
– Non! grinça sa mère en posant sur elle un regard venimeux. Pas elle! Faites-la sortir!
Les yeux agrandis par l'horreur, Marguerite recula d'un pas et plaqua une main sur sa bouche avant de s'écrier:
– Maman! Ne meurs pas, Maman! Tu ne peux pas...
– Je suis en train de mourir! lâcha Helena dans un regain d'énergie haineuse. Tu ne veux pas me voir mourir, Marguerite? N'est-ce pas ce que tu attends depuis des années?
Son corps se tordit une fois encore de souffrance, et ses mains griffèrent sa poitrine. Puis elle agrippa Kevin.
– Pro... mets-moi...
Kevin étouffa une exclamation en entendant les ultimes paroles de sa mère, dont les mains enserraient ses poignets, mais il ne put qu'acquiescer:
– Marguerite... Méfie-toi... de... Marguerite...
Il plongea son regard dans celui de la mourante et, pour la dernière fois, il ressentit la puissance étrange de cette femme qui se refermait sur lui.
Même pendant son agonie, il voulait s'écarter d'elle, échapper à son influence. Mais c'était impossible. Il n'avait pu lui échapper quand il était enfant, et il ne pouvait lui échapper à présent.
Le dernier spasme frappa Helena, et elle poussa un cri déchirant comme la douleur explosait dans sa poitrine et irradiait tout son corps. Sous la peau de son front, une veine éclata et le sang forma rapidement une tache d'un violet sale. Alors que son hurlement décroissait en un râle, ses doigts se détendirent et cessèrent d'agripper son fils, sa bouche s'ouvrit mollement et sa tête roula sur les genoux de Kevin. La colère quitta ses prunelles, et elle fixa le plafond d'un regard vide jusqu'à ce que Kevin lui baisse les paupières d'un geste très doux.

Marguerite, qui marmonnait des paroles incohérentes près de la porte, parut sentir le changement.

— M-maman? balbutia-t-elle d'une voix presque enfantine. *Maman?*

Kevin leva vers sa sœur un regard désemparé.

— C'est fini, Marguerite...

— *Noonnn...*

Le mot tomba des lèvres de Marguerite comme une plainte exprimant une angoisse infinie. Elle repoussa le bras d'Anne qui voulait l'aider et se précipita dans la pièce. Sa jambe estropiée bizarrement tordue, elle s'effondra près de sa mère et la prit dans ses bras.

— Non, Maman! murmura-t-elle. Tu ne peux pas m'abandonner... Tu n'as pas le droit! Je ne le supporterai pas! *Non!*

Sa voix se brisa dans un sanglot et elle pressa son visage contre la poitrine immobile de la vieille femme. Convulsivement, elle étreignit le corps sans vie, comme si elle voulait lui transmettre sa propre chaleur.

Kevin allait la relever quand Ruby apparut soudain à la porte de la nursery. D'un pas rapide, elle s'approcha et arrêta son geste. Leurs regards se rencontrèrent, et Kevin ne put détacher ses yeux de ceux de la domestique, à la sombre profondeur.

— Laissez-la faire, Mr. Kevin, dit Ruby avec un grand calme. Elle doit comprendre et accepter. A sa façon. Et elle y parviendra, Mr. Kevin. Soyez-en sûr...

Kevin voulut protester, mais Ruby hocha la tête.

— Je la connais, Mr. Kevin. Je la connais beaucoup mieux que vous. Je l'ai vue chaque jour de sa vie, et je sais comment elle réagit. Nous devons la laisser...

Avec un grand soupir, elle s'accroupit près du corps inanimé de la vieille femme.

— Tout ira bien, murmura-t-elle, et l'on eût dit qu'elle se parlait à elle-même. Je m'en assurerai, miss Helena...

Puis elle prit Kevin par le bras et l'emmena hors de la nursery.

Anne, qui pendant cette scène était restée immobile près de la porte, regarda un moment avec hébétude Marguerite et Helena, puis elle tourna les talons pour s'éloigner. Avant qu'elle en ait eu le temps, Marguerite lui parla, d'une voix blanche au calme terrifiant :

— Elle m'a abandonnée, Anne.

Celle-ci se retourna lentement, pour découvrir que Marguerite avait relevé la tête et la fixait d'un regard empli d'une souffrance comme jamais Anne n'en avait vue.

— Comment a-t-elle pu? demanda Marguerite. Comment a-t-elle pu m'abandonner? J'avais besoin d'elle, Anne. J'avais tellement besoin d'elle...

# 6

Anna avait assisté avec étonnement au défilé des voitures qui empruntaient la digue, l'après-midi où eurent lieu les funérailles d'Helena. A la réflexion, pourtant, elle jugea qu'une telle foule n'avait rien de surprenant. Malgré l'évidente décrépitude des lieux, les Devereaux étaient la première famille du comté depuis plus de deux siècles, et le décès de la descendante de ces riches planteurs représentait un événement d'une ampleur sociale évidente. De plus, comme Anne le comprit un peu plus tard, la plupart de ceux qui venaient rendre un dernier hommage à la défunte ne l'avaient pas vue depuis plus de dix ans, et ils n'avaient sans doute aucune idée de la terrible mégère qu'elle était devenue ces derniers temps. Marguerite n'avait certainement jamais parlé de ses malheurs à l'extérieur, et Ruby avait dû montrer la même discrétion que sa maîtresse, à moins qu'Anne se soit trompée de beaucoup sur le compte de la vieille domestique.

Debout dans la chaleur suffocante de cet après-midi de juillet, Anne écoutait d'une oreille distraite le pasteur de la paroisse égrener l'éloge de la défunte, car elle n'y voyait aucun reflet de la réalité découverte depuis son arrivée à Sea Oaks. Elle finit par ne plus entendre la litanie et laissa errer son regard sur le visage de ces gens dont le sort avait été lié à celui des Devereaux pendant plusieurs générations. Le groupe assemblé dans le petit cimetière familial, à une centaine de mètres de la maison, était également partagé entre Noirs et Blancs, et de nombreux visages montraient un mélange des caractéristiques des deux races. Anne ne remarquait d'ailleurs aucune tension entre eux, alors qu'ils se tenaient devant la tombe.

Les villageois – et cette constatation l'étonna beaucoup plus – ne paraissaient pas aussi pauvres qu'elle l'avait cru. Bien sûr, quelques-uns avaient les traits marqués par cette anxiété du lendemain commune à tous les démunis, mais la grande majorité faisait penser à des gens de condition moyenne traversant une mauvaise passe sans pour autant se laisser décourager. Ils étaient vêtus de leur meilleur costume, et si la coupe n'en était pas du dernier cri et le tissu de la plus belle qualité, aucun ne montrait de trace d'usure. La plupart avaient opté pour un modèle d'un noir strict très similaire à celui de Kevin.

Les femmes ressemblaient fort à leur mari. Leur visage était souvent celui, buriné par le soleil, des gens qui n'ont pas toujours eu une existence facile, mais aucune n'affichait cette amertume sans espoir qu'Anne avait lue sur les traits des femmes de l'ouest de la Virginie, lors d'un voyage qu'elle avait fait avec Kevin dix ans auparavant. Tandis qu'elle sentait la force du soleil sur son front, Anne se dit que n'importe qui finissait par prendre des rides s'il restait trop fréquemment audehors dans cette région.

Elle avait également remarqué une similitude frappante dans tous ces visages. L'explication en était assez simple : de très probables unions entre un nombre restreint de familles au cours des générations successives. Sans doute étaient-ils tous cousins, à un degré ou un autre. Combien avaient du sang des Devereaux dans leurs veines ? Peut-être bien plus qu'on ne voulait l'admettre au village... A cette idée, Anne réprima un petit sourire.

La pasteur se tut et Anne reporta son attention sur le cercueil de bois sculpté qui était posé sur un petit catafalque, devant la porte béante de la crypte familiale. À l'intérieur du monument en marbre étaient pieusement conservés les restes mortuaires de quatre générations de Devereaux. Anne l'avait déjà visitée. Elle avait lu les noms gravés des ancêtres d'Helena. Les plus anciens étaient français, mais il s'y était vite ajouté quelques patronymes écossais et irlandais. Certaines inscriptions étaient devenues illisibles, car la pierre du mausolée souffrait durement de son exposition aux éléments. Mais le nom d'Helena se découpait avec une grande netteté sur sa plaque. Un sculpteur était venu spécialement de Charleston pour le ciseler selon un lettrage identique à celui de Rafe Devereaux, auprès de qui reposerait sa femme.

Les hommes qui tenaient les cordons du poêle soulevèrent le cercueil du catafalque et le firent glisser dans la profonde niche aménagée dans le marbre, cependant que l'assistance psalmodiait une prière. Alors Marguerite, enveloppée dans une cascade de voiles noirs, s'approcha et déposa une simple rose sur le cercueil de sa mère. Elle resta immobile un moment, avant d'effleurer du bout des doigts le bois ouvragé. Puis elle recula de plusieurs pas.

Kevin s'avança et accomplit les mêmes gestes ; ensuite le cortège funèbre défila lentement devant l'entrée de la crypte, chacun murmurant une parole d'encouragement à l'adresse de Marguerite avant de sortir d'un pas mesuré du cimetière pour se diriger vers la maison. Un buffet froid avait été dressé sous la véranda. Flanquée de ses deux enfants, Anne attendit un peu en retrait que le dernier villageois ait présenté ses ultimes respects à la défunte. Puis elle s'avança vers le cercueil et ajouta une rose aux fleurs déjà amassées, aussitôt imitée par Julie et Jeff. Quand ils se furent écartés, Marguerite voulut fermer la lourde porte de la crypte, mais elle suspendit son geste, les yeux humides, et se retourna vers son frère.

– Je ne peux pas, dit-elle d'une voix blanche.

Kevin comprit aussitôt. Il se glissa près de sa sœur et referma le battant massif qu'il verrouilla avec une clef en argent. Puis il passa son bras sous celui de Marguerite et l'entraîna avec douceur vers la maison.

Jeff, qui avait réussi à rester relativement tranquille pendant la demi-heure de la cérémonie funèbre, poussa un soupir peu discret comme ils sortaient eux aussi du cimetière.

– C'est fini, maintenant? demanda-t-il à sa mère.

– Oui, mon chéri, répondit Anne. Et si tu arrives à retrouver Toby, vous pourrez peut-être profiter du buffet avant qu'il soit dévalisé...

Le visage du garçon s'éclaira et il se mit à courir. Une seconde plus tard il disparaissait entre les villageois, pour réapparaître presque aussitôt en compagnie de Toby Martin. Les deux gamins foncèrent jusqu'à la véranda où ils s'empressèrent d'entasser de la nourriture sur leur assiette.

Anne adressa un sourire amusé à sa fille.

– J'ai l'impression que nous risquons d'avoir quelques problèmes pour convaincre Jeff de partir d'ici. As-tu jamais vu quelqu'un se faire un ami aussi vite?

– Toby est gentil, répondit Julie. En fait, la plupart des enfants ici sont gentils. Pas comme ceux que nous connaissons dans le Connecticut.

Anne regarda l'adolescente avec un léger étonnement.

– Je croyais que tu aimais tes amis, là-bas...

– C'est toujours vrai, répliqua Julie d'une voix pressée, en rougissant aussitôt. Mais ici, ils sont... différents. Ils ne se soucient pas de savoir qui a la plus belle maison, ou le plus d'argent, ou ce genre de trucs...

– Difficile d'avoir ce genre de préoccupation quand on est pauvre, remarqua Anne.

– Ils ne sont pas si pauvres que ça, assura Julie. Le père de Jennifer travaille à Charleston, comme la plupart des autres parents.

Anne était interloquée.

– S'ils ont tous un emploi, pourquoi ne réparent-ils pas leurs maisons? Toute la ville semble prête à tomber en ruine!

En voyant sa fille détourner les yeux, Anne sentit son trouble s'accentuer.

– Qu'est-ce qui ne va pas, Julie?

Pour toute réponse, celle-ci haussa les épaules. Puis elle vit Jennifer Mayhew en compagnie d'une autre fille et de trois garçons.

– Oh! Voilà Jenny! s'écria-t-elle en agitant la main à l'adresse de son amie. Je ferais bien d'aller lui dire bonjour...

Mais sa mère l'arrêta avant qu'elle ne parte.

— Julie, réponds-moi! Que se passe-t-il?

L'adolescente hésita, puis elle leva sur Julie un regard furieux.

— Peut-être que tu devrais demander à Papa! Oui, demande-lui donc pourquoi la ville est dans cet état!

Et avant que sa mère puisse réagir, elle s'enfuit vers le groupe d'adolescents.

Anne resta sans bouger quelques secondes, se demandant ce qu'avait pu sous-entendre sa fille. Sans cesser d'y réfléchir, elle monta d'un pas lent la pente qui menait à la maison.

Mais, cet après-midi-là, elle ne put trouver la réponse à cette énigme. Alors qu'elle évoluait au milieu des gens de Devereaux, assemblés à l'ombre des arbres, elle se sentit étrangère. Et elle comprit qu'elle l'était.

Tous ici — et son mari aussi — partageaient un héritage commun dont elle ne savait rien. Elle leur parla, ou plutôt essaya de leur parler, et elle n'en sentit que mieux le gouffre qui la séparait d'eux.

Non qu'on se montrât impoli envers elle. En fait, elle avait même l'impression que la plupart faisaient un effort louable pour se montrer agréables. Mais c'était la correction du natif vis-à-vis de l'étranger, et non l'attention qu'un ami accorde à un autre.

Au bout d'une demi-heure, Anne eut la certitude qu'elle pourrait passer sa vie à Devereaux sans jamais s'y sentir à l'aise.

Bien avant le départ du premier villageois, elle s'était retirée dans la chambre qu'elle partageait avec Kevin.

Et cette pièce n'était qu'une autre illustration de son problème : jamais elle ne pourrait la considérer comme sa chambre. C'était seulement l'endroit qu'elle partageait avec son mari, qui lui était un vrai Devereaux.

Les choses étaient ainsi, et elles ne changeraient jamais.

*Mais cela n'a pas d'importance,* se raisonna-t-elle en s'allongeant sur le lit et en fermant les yeux. *Dans quelques jours, nous retournerons chez nous...*


— T'avais déjà vu quelqu'un de mort avant, toi? demanda Toby.

Jeff considéra d'un œil noir sa salade de pommes de terre, soudain fort peu appétissante. Il secoua la tête.

— Moi, ça m'a fait tout drôle, continua Toby.

— Moi aussi, approuva enfin son nouvel ami.

En vérité, Jeff ne s'était pas simplement senti « tout drôle » S'il avait réussi l'exploit de se tenir tranquille pendant toute la cérémonie, c'est qu'il était un peu anxieux de savoir ce qui arriverait ensuite. Il avait été heureux qu'ils n'ouvrent pas le cercueil de nouveau avant de le déposer dans la crypte. Les trois jours précédents lui avaient amplement suffi. Le cercueil ouvert était présenté dans la bibliothèque, et tous les gens du village étaient passés pour regarder un moment l'étrange masque blanc qui ressemblait si peu au visage de sa grand-mère. Quand personne ne le chassait de la pièce, il observait le corps avec une grande concentration. Il aurait voulu comprendre pourquoi sa grand-mère était si différente dans la mort. Même aujourd'hui, alors qu'on venait de l'enterrer – si on pouvait appeler « enterrer » le fait de mettre un cercueil dans une niche de marbre –, Jeff n'avait pas trouvé de réponse satisfaisante. Il n'était sûr que d'une chose : regarder le cadavre lui avait fait peur.

Mais il avait eu encore plus peur de la façon dont sa tante Marguerite l'avait regardé la veille, quand elle l'avait surpris dans la bibliothèque. Son visage était pâle et ses cheveux décoiffés ; pendant une seconde, Jeff avait presque cru se trouver en présence de sa grand-mère.

Mais c'est lorsqu'elle avait baissé les yeux sur lui qu'il avait eu la chair de poule. C'était exactement le même regard que lui avait lancé sa grand-mère, alors qu'elle descendait l'escalier dans la chaise-ascenseur, le jour de leur arrivée à Sea Oaks.

Il avait eu l'impression qu'elle ne savait pas qui il était, et que cela ne présentait d'ailleurs aucun intérêt.

Instantanément, et bien qu'il ne pût en deviner la raison, Jeff avait eu la certitude que sa grand-mère le haïssait.

Et la veille, pendant une fraction de seconde, sa tante l'avait toisé de la même manière.

Comme si elle aussi le haïssait.

Il sentit un frisson glacer son dos et jeta un coup d'œil de bête traquée alentour, redoutant que sa tante pût lire dans ses pensées. Mais elle n'était visible nulle part.

– Eh ! chuchota-t-il à Toby en le poussant du coude. Si on allait à la plage ?

Son ami sur ses talons, il se faufila entre les groupes d'adultes, et fut heureux de ne pas rencontrer sa tante.

Marguerite se tenait sous le plus grand des chênes. Les visages de ces gens qu'elle connaissait depuis toujours lui semblaient se fondre ensemble, et elle finissait par ne plus savoir exactement à qui elle parlait. Puis une silhouette imposante se détacha de la foule anonyme et s'avança vers elle. Will Hempstead, plus grand d'une trentaine de centimètres que Marguerite, posa sur elle un regard compréhensif, un sourire amical aux lèvres.

– Est-ce que je peux faire quelque chose? demanda-t-il à voix basse pour n'être entendu que d'elle. Si je peux vous être utile, Marguerite, vous n'avez qu'à me le dire.

Elle sourit tristement et secoua la tête.

– Mais c'est très gentil à vous, Will. Après toutes ces années, et après ce qui s'est passé...

Embarrassée, elle ne finit pas sa phrase.

– Ne vous en faites pas, dit Will d'un ton rassurant. J'ai grandi, depuis le temps, et vous aussi... Mais rien n'a changé, Marguerite, j'espère que vous le savez...

Elle leva les yeux pour affronter son regard.

– Mais tout a changé, Will, et rien ne pourra plus jamais être pareil...

Elle vit que Will allait protester – sans doute avec des arguments qu'elle ne voulait pas entendre – et se tourna vers son frère, qui se tenait à quelques mètres de là.

– Kevin? appela-t-elle. Viens donc dire bonjour à Will Hempstead. Tu te souviens de Will, bien sûr?

Kevin quitta le groupe de gens avec qui il parlait et s'approcha, la main tendue.

– C'est probablement Will qui m'a oublié! Je ne crois pas vous avoir revu depuis que j'avais huit ou dix ans.

Les deux hommes échangèrent une poignée de main franche en se souriant.

– Qu'est-ce que vous faites, maintenant?

– La loi, répondit Will. Sur le terrain, pas dans les prétoires...

– Will est le chef de la police de Devereaux, expliqua Marguerite d'une voix que son frère jugea un peu trop forte. Tout le monde dit qu'il est fait pour ce travail, mais moi je pense qu'ils lui ont proposé ce poste parce qu'il est si costaud que personne n'ose le contredire!

– Et moi je pense que vous êtes restée aussi moqueuse que quand vous n'étiez qu'une petite fille! répliqua Will sans pouvoir réprimer un large sourire. (Il se tourna vers Kevin.) J'ai appris que vous étiez de retour. Beaucoup de gens s'en réjouissent, vous savez.

– Eh bien, c'est agréable à entendre. Mais j'ai bien peur de ne pas rester très longtemps. A dire vrai, nous devons repartir dans trois jours.

– Vous ne restez pas? s'étonna Will. Ce n'est pas ce qu'on m'avait dit. On raconte que vous avez amené votre petite famille pour vous installer à Sea Oaks. Mais si ce n'est pas le cas, eh bien... vous m'en voyez sincèrement désolé. (Il fit un clin d'œil appuyé à Kevin.) J'ai croisé votre fille; c'est sans doute la plus jolie adolescente qu'il m'ait été donné de voir depuis que Marguerite est adulte. Mais c'est normal, puisqu'elle ressemble beaucoup à Marguerite!... Vous allez dire que je suis un peu partial!

— Will! s'exclama Marguerite sur un ton de reproche.

— Eh bien, c'est la vérité, non? se défendit Will, sans grande finesse.

— Quand bien même ce serait vrai, le moment et l'endroit sont mal choisis pour ce genre de réflexion!

Laissant là son frère et l'officier de police, elle s'éloigna sur la pelouse, sa main droite pressée sur sa hanche, sa claudication plus accentuée que de coutume. Will Hempstead la suivit d'un regard rêveur.

— Vous en pincez toujours pour elle, hein? fit Kevin avec sympathie.

Will rougit violemment, mais hocha la tête.

— Et je crois qu'il en sera toujours ainsi, avoua-t-il. Maintenant que miss Helena n'est plus...

Il se tut brusquement, et son visage franc afficha sa gêne.

— Maintenant que notre mère est morte, vous pourrez de nouveau venir à Sea Oaks lui rendre visite, c'est ça? termina Kevin d'un ton compréhensif. Je me demande comment elle va réagir. Elle a vécu tant de temps avec Mère... Je redoute un peu qu'elle connaisse une période assez dure...

Mais Hempstead hocha la tête d'un air convaincu.

— Elle s'en sortira. Et il n'y a pas une personne en ville qui ne l'adore, en dépit de votre mère. Elle n'a qu'à demander, et les gens viendront lui donner un coup de main... Bien sûr, ce serait certainement plus facile pour elle si son frère était également là pour la soutenir, si vous voyez ce que je veux dire. Vous représentez toute sa famille, à présent, et elle aura besoin de vous... En fait, la ville entière va avoir besoin de vous. Enfin, tout le monde aimerait connaître vos intentions...

La question implicite mit Kevin mal à l'aise.

— Je comprends ce que vous voulez dire, Will. J'ai l'intention de régler les affaires laissées par Mère, mais cela ne devrait pas prendre beaucoup de temps. Ensuite, je repartirai.

Un homme s'approcha d'eux. Kevin reconnut Sam Waterman, l'avoué qui s'était occupé des intérêts d'Helena Devereaux pendant près d'un demi-siècle. Kevin ne fut pas surpris de constater qu'il portait son sempiternel costume blanc, malgré la situation.

— Vous ai-je bien entendu? Vous allez partir? s'enquit-il de sa voix brusque.

Kevin répéta ce qu'il venait de dire à Will Hempstead. Le vieil homme de loi l'écouta en silence, mais il eut un geste de dénégation dès que Kevin eut terminé.

— A votre place, je n'y compterais pas trop.

Kevin se renfrogna. De quoi parlait Waterman?

– Je vous demande pardon?

– Je ne compterais pas repartir aussi vite, expliqua l'avoué. En fait, je crois que vous feriez mieux d'attendre demain pour penser à ces choses, quand j'ouvrirai le testament. Ensuite, vous envisagerez peut-être l'avenir différemment.

Et, avec un sourire sibyllin, il se détourna d'eux et marcha vers un autre groupe.

Intrigué, Kevin le suivit un moment du regard. Que signifiait ce sous-entendu? Sans raison précise, les paroles prononcées par Ruby, la nuit de son retour à Sea Oaks, résonnèrent dans son esprit:

« *Vous êtes un Devereaux, et vous resterez à Sea Oaks...* »

Malgré la chaleur lourde de l'après-midi, un frisson le parcourut.


Cette nuit-là, Kevin ne put trouver le sommeil. Non seulement les propos de Sam Waterman tournaient sans cesse dans son esprit, mais il se souvenait également de sa conversation avec Anne. Ils se trouvaient dans la petite bibliothèque de l'aile est, et elle lui avait rapporté ce que lui avait dit Julie après l'enterrement. Tout en se servant un bourbon allongé d'eau, il avait alors acquiescé.

– C'est à cause des baux. Personne à Devereaux ne possède le terrain sur lequel est construit sa maison ou son commerce.

– Pardon? avait dit sa femme.

– Les baux. Ma famille a toujours été très attachée à la terre. A la fin du siècle dernier, comme leur situation financière se dégradait, ils ont décidé de louer des terrains plutôt que de les vendre. Ils ont donc fait des baux de quatre-vingt-dix-neuf ans, lesquels arriveront à expiration dans quelques années. Or, légalement, toute construction érigée sur ces terrains nous reviendra à la fin des baux. (Devant l'air scandalisé de sa femme, il avait ajouté :) C'est pour cette raison que le village a un tel aspect. Qui serait assez fou pour dépenser son argent à entretenir une maison qui ne lui appartiendra bientôt plus? Personne n'est véritablement pauvre à Devereaux, Anne. Tout le monde attend simplement de savoir quelle tournure prendront les choses.

– C'est donc ce qu'ils voulaient savoir en t'interrogeant sur tes intentions?

Kevin avait opiné avec lassitude.

– Will Hempstead m'a quasiment posé la question aujourd'hui, mais je l'ai ignoré.

– Et que comptes-tu faire?

– Attendre demain, je suppose, avait-il répondu avec une moue. La nuit porte conseil. Et je préfère savoir ce que Sam

Waterman a à me dire. Ensuite Marguerite, toi et moi déciderons de la meilleure conduite à adopter.

Mais Anne avait aussitôt levé les mains en signe de protestation.

– Pas moi! Ce problème vous regarde, toi et Marguerite. Je ne suis jamais venue ici auparavant, je ne connais personne et, pour ne rien te cacher, je ne suis pas folle de cet endroit... Comment t'expliquer? J'ai vu la façon dont se comportent les gens avec toi et Marguerite, cet après-midi, et les rapports qu'ils avaient avec moi. Pour eux, tu fais partie de Devereaux, et le fait que tu n'y vives plus ne change rien. Mais pas moi...

Il avait voulu protester, mais elle l'en avait empêché.

– Oh, ils se sont montrés très corrects envers moi; là n'est pas la question. C'est juste une impression que j'ai eue : au fond d'eux-mêmes, ils me considèrent comme une étrangère, et ils ont raison. C'est à Marguerite et à toi de décider de ce qu'il convient de faire, sans vous soucier de moi. Je ne fais partie ni de Sea Oaks, ni de Devereaux, et ce ne sera jamais le cas...

La conversation en était restée là. A présent, Anne dormait paisiblement à côté de lui, tandis qu'il était toujours éveillé, l'esprit en ébullition. Après un moment, il comprit que le sommeil ne viendrait pas avant plusieurs heures. Il se leva et sortit de la chambre. A l'autre extrémité du couloir, un rai de lumière brillait sous la porte de sa sœur. Kevin alla frapper doucement contre le battant, et Marguerite lui dit presque aussitôt d'entrer.

Elle était assise dans son lit, une paire de lunettes sur le nez. Elle les ôta dès qu'il entra et tapota le matelas à côté d'elle pour qu'il vienne s'asseoir.

– Ça va? dit-il quand il l'eut rejointe. Tu tiens le coup?

– A peu près, je crois, répondit Marguerite. Je suis encore un peu sous le choc, mais ça passera. Je m'en sortirai.

– Comme tu l'as toujours fait, approuva-t-il gentiment. Parfois, tu m'étonnes. Comment as-tu réussi à la supporter toutes ces années?

Le regard de sa sœur se voila légèrement.

– Je l'aimais, Kevin, dit-elle d'une voix lointaine. (Puis, comme il allait parler, elle lui mit un doigt sur la bouche.) Je sais ce que tu ressentais à son égard, mais ce n'était pas la même chose pour moi. Elle a pris soin de moi, Kevin. Après mon... (Elle hésita une seconde, puis se força à terminer.) Après mon accident, c'est elle qui m'a soignée, tu sais.

– Comment pourrais-je l'oublier? répliqua Kevin avec une amertume non dissimulée. Elle m'a envoyé dans une école militaire afin de pouvoir te consacrer tout son temps...

Des larmes montèrent aux yeux de Marguerite.

– C'est vraiment ce que tu penses?

– Je ne devrais pas? Et pour quelle raison? C'est la vérité, non?

Sa sœur resta silencieuse un long moment, mais elle finit par acquiescer, vaincue.

– Je suppose, oui. Et je suppose que c'était injuste. Mais j'ai souffert aussi à cette époque, Kevin. Et en fin de compte tu es parti d'ici. Moi, je ne l'ai jamais fait...

Kevin lui prit une main dans les siennes.

– Mais il n'est pas trop tard, Marguerite. Maintenant, tu peux envisager ton avenir comme tu le désires. Si nous vendons Sea Oaks...

Elle dégagea brusquement sa main.

– Vendre Sea Oaks? Kevin, tu n'y penses pas, n'est-ce pas? Où irais-je vivre? Que ferais-je?

Son frère regretta instantanément ses paroles.

– J'ai simplement dit « si », précisa-t-il d'un ton rassurant. Nous ne prendrons aucune décision que tu n'approuves pas.

– Eh bien, je sais que je ne veux pas partir d'ici, répondit aussitôt Marguerite. J'ai vécu à Sea Oaks toute ma vie. Je ne dirai pas que tout a toujours été parfait, mais c'est mon foyer, et je ne crois pas que je pourrais vivre ailleurs. (Sa voix prit une intonation apeurée.) Je n'ai pas besoin de beaucoup d'argent, et...

– Eh! fit Kevin. Ne t'emballe pas! Si c'est ce que tu veux, et si nous pouvons trouver une solution, tu resteras ici, bien sûr! D'ailleurs, nous ne devrions même pas en parler maintenant : attendons demain ce que nous dira Sam. D'accord?

Marguerite le dévisagea un instant, puis elle sourit.

– D'accord. (Elle regarda sa montre.) Et je pense que tu devrais retourner te coucher. Tu es toujours mon petit frère, et je peux t'envoyer au lit quand je le désire, pas vrai?

– C'est vrai, approuva Kevin en se levant du lit et en déposant un baiser sur la joue de Marguerite. Et tiens bon la rampe, sœurette, d'accord?

– Comme toujours! répliqua-t-elle sur le même ton.

Comme Kevin sortait de sa chambre, elle remit ses lunettes et tenta de nouveau de se concentrer sur le livre qu'elle avait décidé de lire. Mais en vain. Sans sa mère, quelque chose manquait terriblement à Sea Oaks.

Finalement elle éteignit la lumière et s'allongea sur son lit. Dans sa hanche droite – cette hanche brisée tant d'années auparavant –, une douleur atroce s'éveillait.

Elle voulut l'oublier, se convaincre qu'elle n'existait pas.

Mais elle était toujours présente, à chaque minute de chaque heure, guettant à la limite de sa conscience. Et les jours où quelque chose la perturbait, la souffrance remontait à la surface et enveloppait son corps entier.

Depuis trois jours, depuis la minute où sa mère l'avait abandonnée, elle souffrait le martyre.
Et chaque jour la douleur devenait plus insupportable...

C'est le rêve qui sortit Jeff de son sommeil. Il venait de voir sa grand-mère, ses yeux froids fixés sur lui et un doigt décharné pointé, telle une terrible accusation muette. Il ne comprenait pas pourquoi elle était tellement en colère contre lui, mais il savait qu'elle voulait lui faire mal.
*Elle voulait le tuer.*
A l'instant où elle allait le toucher, où ses doigts crochus allaient se refermer sur sa gorge, Jeff s'était éveillé en sursaut.
Le cœur battant à se rompre, il resta immobile dans son lit de longues minutes, les yeux grands ouverts, à écouter les bruits de la vieille demeure. Un par un, il les identifia.
L'étrange crissement – comme si quelqu'un tentait d'entrer par la fenêtre – était en fait produit par une inoffensive branche que le vent agitait contre une vitre. Les coups sourds – qui la première nuit lui avaient paru un présage sinistre, peut-être un fantôme frappant à la porte – n'étaient dus qu'à un volet mal assujetti, au deuxième étage, juste au-dessus de sa chambre.
Les craquements et les grincements provenaient du bois d'œuvre jouant selon les écarts de température. Mais il n'avait jamais eu peur de ces bruits, car ils existaient aussi dans leur maison du Connecticut.
Mais il était maintenant bien éveillé et, après avoir reconnu chaque bruit suspect, il se glissa hors de son lit et alla jusqu'à la porte. Il colla son oreille contre le panneau de bois et écouta longuement.
Rien.
Sur la pointe des pieds, il revint alors jusqu'à la fenêtre et scruta la nuit. Un quartier de lune faisait scintiller la mer au loin, et il observa un moment les vagues bordées de lumière argentée qui venaient mourir sur la grève.
Puis il crut voir un mouvement.
Il n'en fut pas sûr immédiatement, car lorsqu'il regarda dans la direction du phénomène il ne remarqua rien. Lentement, il regarda un peu de côté. Quelque chose bougea.
Il ferma les yeux quelques secondes, pour les habituer à l'obscurité, puis il les rouvrit.
Il faillit pousser un cri de terreur, et son cœur s'emballa.
A une centaine de mètres de la maison, dans le cimetière, une forme pâle errait entre les pierres tombales.
Un fantôme.
Le fantôme de sa grand-mère.

Jeff essaya de se raisonner. Quel imbécile il faisait! Les fantômes n'existaient pas, sauf dans les films!

Pourtant le spectre dans le cimetière était aussi visible que sa grand-mère dans son cauchemar. Il avait quelques difficultés à le suivre des yeux, car une brise assez forte agitait les branches du chêne devant la fenêtre. Mais il arrivait à l'entrevoir de temps à autre. Le fantôme tournait lentement autour de la crypte familiale.

Les battements de son cœur s'accélérèrent encore, et il sentit une peur glacée lui nouer l'estomac.

Que devait-il faire? Retourner dans son lit et s'emmitoufler dans les couvertures? Mais si le spectre l'avait vu et venait dans sa chambre?

Julie.

Sa sœur saurait quoi faire.

Les jambes tremblotantes, il retourna à la porte et écouta attentivement. Que se passerait-il si le fantôme l'attendait dans le couloir? Il eut beau tendre l'oreille, il ne perçut aucun bruit alarmant. Avec mille précautions, il tourna la clenche et ouvrit la porte d'à peine un centimètre.

Le couloir était plongé dans une obscurité totale, et sa grand-mère semblait prête à surgir à tout moment des ténèbres pour l'étrangler de ses doigts glacés.

Terrorisé par cette idée, il recula dans sa chambre.

Mais il ne pouvait pas rester ici. Plus maintenant.

Soudain, il comprit ce qu'il devait faire.

S'il allumait toutes les lampes dans sa chambre et s'il ouvrait la porte toute grande, il pourrait voir ce qui se passait dans le couloir.

Il alluma donc la veilleuse sur sa table de chevet, puis le plafonnier. Ensuite, il entrebâilla de nouveau sa porte, et sa vue était déjà meilleure. Lentement, prudemment, il ouvrit et le rayon de lumière s'étala dans le couloir.

Alors, d'un œil circonspect, il scruta les ténèbres qui subsistaient à chaque extrémité du couloir. Puis il prit une profonde inspiration et fonça jusqu'à la chambre de sa sœur. Il traversa la pièce comme une flèche, sauta sur le matelas et remonta les couvertures sur lui. Presque instantanément, Julie s'assit dans le lit.

– Jeff? dit-elle d'une voix ensommeillée.

D'un geste large, elle rabattit les couvertures et considéra le garçon avec sévérité.

– Jeff! Qu'est-ce que tu fais ici?

Son frère fit un effort visible pour avaler la boule qui s'était formée dans sa gorge et parler sans bégayer:

– Un... fantôme... Il y a un fantôme dans le cimetière!

Julie fronça les sourcils.

72

– Allons! Que racontes-tu encore?

– Je l'ai vu! Je me suis réveillé, et j'ai su qu'il se passait quelque chose de bizarre. Et quand j'ai regardé par la fenêtre, je l'ai vu!

– Qu'as-tu vu exactement?

– Un fantôme, je te dis! Il était tout blanc, et il avait l'air de flotter au-dessus du sol!

Julie leva les yeux au ciel.

– C'est idiot! Les fantômes n'existent pas, et tu le sais très bien!

– Mais je l'ai vu! insista son frère. Si tu ne me crois pas, tu n'as qu'à aller voir!

Julie crut alors comprendre.

– Tu essayes de me faire sortir du lit et aller jusqu'à la fenêtre pour te moquer de moi ensuite, hein? Eh bien, c'est raté! Alors retourne dans ta chambre, ou je préviens M'man et P'pa que tu t'amuses à faire des blagues idiotes en plein milieu de la nuit!

Jeff ne bougea pas d'un pouce, et son visage prit une expression butée.

– Je m'en fiche, dit-il. Je sais ce que j'ai vu!

Julie hésita. Jusqu'alors, la menace d'appeler leurs parents avait suffi à le dissuader de poursuivre ses plaisanteries. Mais cette fois il semblait vraiment apeuré. Avec un long soupir, elle sortit de son lit et s'approcha de la fenêtre.

Naturellement, le cimetière reposait paisiblement au clair de lune. Seules les silhouettes de la crypte et de quelques pierres tombales se dressaient sous la lueur laiteuse de l'astre mort.

– Il n'y a rien là-bas, annonça l'adolescente.

– Je te dis que si! lança son frère sans bouger du lit.

– Et moi, je te dis que non! Si tu ne me crois pas, viens voir!

Après un long silence, Jeff quitta la protection des couvertures et rejoignit sa sœur. Avant de regarder par la fenêtre, il glissa une main dans celle de Julie. Enfin il rassembla tout son courage, respira un grand coup et osa scruter la nuit.

Le cimetière était vide.

Ses yeux s'emplirent de larmes.

– Mais c'était là! Je te jure, je l'ai vu!

Julie l'observa un moment. Il ne faisait aucun doute que le garçon était terrifié. Elle le ramena jusqu'au lit.

– Bon, écoute : quoi que ce soit, ce que tu as vu est parti; d'accord? Mais si tu veux, tu peux dormir avec moi cette nuit. Ça te va?

Jeff eut un hochement de tête plein de gravité, et il laissa sa sœur l'installer sous les couvertures. Elle fit ensuite le tour du lit, se coucha de l'autre côté avant d'éteindre la lampe de chevet.

La chambre baigna dans un silence total pendant quelques secondes. Puis Jeff sentit un picotement très désagréable parcourir sa nuque et un frisson glacé descendit le long de son dos.

– Bouh! lança Julie en l'attrapant par-derrière.

Jeff poussa un cri puis, malgré lui, il pouffa de rire. Pourtant, bien après que sa sœur eut fini de le chatouiller et qu'elle fut tombée dans un sommeil serein, l'image de la chose blanche dans le cimetière flottait toujours dans son esprit.

Il avait bien vu un fantôme, et un fantôme bien réel.

Et s'il était resté dans sa chambre, le spectre serait venu pour le tuer...

# 7

– Mais j'ai vu quelque chose! fit Jeff.

La mâchoire agressive, il fixait d'un regard coléreux sa sœur assise en face de lui à la table de la cuisine.

Mais Julie se contenta d'un haussement d'épaules et versa un peu de mélasse sur l'assiette de pancakes que Ruby venait de poser devant elle.

– Je n'ai jamais dit que tu n'avais pas vu quelque chose, répliqua-t-elle en adoptant le ton exagérément patient qui mettait toujours hors de lui son frère. J'ai simplement dit que ce que tu avais vu n'était pas un fantôme. Les fantômes n'existent pas.

– Et qu'est-ce que tu en sais? lança Jeff. C'est pas parce que tu le dis que c'est vrai!

– Pareil pour toi, mon cher!

Ruby vint s'asseoir à la table avec une assiette débordante de nourriture.

– Pourquoi vous disputez-vous si tôt le matin? dit-elle.

Julie prit son frère de vitesse.

– Jeff a cru voir un fantôme, cette nuit. Avez-vous jamais entendu quelque chose d'aussi ridicule, Ruby?

L'adolescente s'attendait à une approbation ironique. Or la domestique posa sur Jeff un regard brillant.

– Dans le cimetière? demanda-t-elle. Près de la crypte?

La surprise agrandit les yeux du garçon, mais il acquiesça.

– Il était tout blanc, souffla-t-il. Et on aurait dit qu'il flottait...

Ruby eut un bref hochement de tête.

– Ça devait être miss Helena, dit-elle paisiblement. Je me doutais qu'elle apparaîtrait.

– Grand-Mère? s'étrangla Jeff.

Mais, avant que Ruby pût répondre, Julie éclata de rire.

– Oh, voyons, Ruby! Vous plaisantez!

La vieille domestique se tourna vers elle, et ses yeux n'étaient que deux puits sombres. Le rire mourut sur les lèvres de Julie.

– Par ici, on ne plaisante pas avec ces choses-là.

– Mais... les fantômes n'existent pas, répéta la jeune fille d'une voix beaucoup moins assurée.

– Vraiment? Peut-être pas dans la région d'où vous venez. Ici, certaines choses sont différentes. Et si Jeff dit qu'il a vu un fantôme cette nuit, j'essayerais de le croire, si j'étais vous...

Enhardi par ce soutien énigmatique, Jeff regarda la domestique avec une crainte respectueuse.

– Vous en avez déjà vu, des fantômes?

Ruby eut une moue indéchiffrable.

– Je crois bien que oui. En fait, la plupart des gens sur cette île ont fait cette expérience, du moins s'ils étaient là après la mort de quelqu'un. Ça arrive à chaque fois. C'est arrivé un peu après la mort de votre grand-père. J'ai vu son fantôme moi-même...

Julie en avait complètement oublié son petit déjeuner. Elle tourna les yeux vers la fenêtre. Le ciel matinal était clair, et la chaleur faisait déjà ondoyer l'air. Pourtant elle s'aperçut qu'elle frissonnait comme son regard glissait vers le cimetière. Pendant une seconde, elle s'imagina presque voir...

*Non!* Elle chassa l'étrange sensation qui l'envahissait insidieusement et reporta son attention sur la domestique.

– Je continue de penser que les fantômes n'existent pas, affirma-t-elle.

Mais elle se demanda soudain si elle essayait de convaincre Ruby ou... elle-même.

– Vous pouvez penser ce que vous voulez, répondit placidement la vieille domestique. Ça ne change rien. Je sais ce que j'ai vu. Et si miss Helena était revenue cette nuit, ça ne m'étonnerait pas du tout. Il y a des gens qui disent que tous les Devereaux reviennent. Il y en a même qui assurent qu'ils ne quittent jamais l'île, et que certaines nuits, quand la lune est propice, on peut les voir tous errer dans l'île.

Les yeux de Jeff étaient complètement écarquillés.

– Mais qu'est-ce qu'ils font?

Ruby haussa les épaules.

– Qui peut le dire? Peut-être qu'ils viennent simplement vérifier que tout va bien sur leur domaine... (Son regard se fit lointain et elle ajouta, d'une voix plus basse :) A moins qu'ils ne veuillent quelque chose... Avec les morts, on ne peut jamais être sûr. Mais je sais qu'ils sont là, et je sais qu'après sa mort un Devereaux revient toujours au moins une fois...

— Woaah! souffla Jeff. Quand je vais raconter ça à Toby!

— Lui raconter quoi? fit Kevin.

Leur père venait d'entrer dans la cuisine et il s'assit à la table. Jeff se leva et alla déposer son assiette dans l'évier.

— J'ai vu le fantôme de Grand-Mère cette nuit! C'est super-classe, hein?

Avant que son père ait eu le temps de répliquer, le gamin était sorti par la porte de service et dévalait l'escalier. Kevin le suivit des yeux un moment, puis il se tourna vers Ruby.

— Vous pourriez me dire de quoi il s'agit?

— Vous l'avez entendu, répondit Ruby en se levant pour lui préparer des pancakes. Miss Helena. Elle est revenue cette nuit, et Jeff l'a vue.

La colère durcit le visage de Kevin.

— Bon sang, Ruby! Vous ne continuez pas à effrayer les gosses avec ces vieilles histoires, j'espère?

Julie lança un regard aigu à son père.

— Tu veux dire que tu as déjà entendu ce genre de choses?

Kevin eut un bref hochement de tête.

— Quand j'avais l'âge de ton frère. Après la mort de mon père, Ruby m'a filé une peur bleue en me racontant qu'il allait revenir et qu'il me punirait si je n'étais pas sage...

Du coin de l'œil, il surveillait la vieille domestique qui, lui tournant le dos, préparait d'une main experte les pancakes. Il remarqua qu'elle s'était raidie à ses dernières paroles.

— Et je ne veux pas que vous fassiez peur à Jeff avec les mêmes sornettes, Ruby! ajouta-t-il d'un ton sec.

Sans se retourner, elle lui répondit en maugréant:

— M'avait pas vraiment l'air terrorisé...

— Et il ne l'était probablement pas. Mais cette nuit? Ou demain soir? A son âge, j'ai eu quelques insomnies à cause de ces histoires, et j'aimerais autant qu'on lui évite ce genre de choses.

— Je n'ai fait que lui dire ce que je sais, rétorqua Ruby en amenant à Kevin son assiette de pancakes. Je ne vois pas pourquoi la vérité ne serait pas bonne à dire.

— Mais ce n'est pas la vérité, justement! Ce ne sont que des histoires de bonnes femmes!

Ruby se planta en face de Kevin et le contempla d'un regard insondable.

— Pour quelqu'un qui n'est pas venu ici depuis si longtemps, vous êtes très sûr de ce qui se passe à Sea Oaks. Mais laissez-moi vous dire ceci, jeune homme: vous ne savez rien! Vous m'entendez? *Vous ne savez rien!*

Elle tourna les talons et disparut d'un pas raide par les portes battantes qui donnaient sur l'office. Kevin et Julie l'entendirent fermer rageusement des tiroirs.

L'adolescente sourit en regardant son père à la dérobée.

— Pendant une seconde, j'ai cru qu'elle allait te donner une fessée!

— Moi aussi! reconnut Kevin avec un petit sourire. (Puis, son visage redevenu grave :) Jeff l'a vraiment crue?

Julie eut une moue expressive.

— Comment savoir? Mais c'est probable. Avant ton arrivée, elle m'avait presque convaincue.

— Eh bien, si elle te raconte d'autres fadaises du même acabit, ne les prends pas au sérieux, conseilla son père. Ruby est une brave femme, mais elle est très superstitieuse, comme tous les gens du coin.

Julie acquiesça, le visage sombre.

— Mais si c'était vrai? Je veux dire, quand tout le monde dit la même chose, c'est qu'il y a une raison, non?

A cet instant précis, Anne entra dans la cuisine, sauvant Kevin d'une réponse embarrassée.

— Il y a quelqu'un au téléphone pour toi, annonça-t-elle à sa fille. Un garçon du nom de Kerry... Sanders, c'est ça?

Julie rougit violemment.

— Oui. Je l'ai rencontré hier, dit-elle d'une voix animée. Il m'avait promis de m'appeler ce matin. Il voulait savoir si je pourrais venir avec lui et ses amis à la plage. Je peux?

— Pourquoi pas? répondit Anne.

Dès que sa fille fut sortie de la pièce, elle se tourna vers Kevin.

— Alors, quoi de neuf ce matin?

— Bah! Rien qui vaille la peine d'être rapporté, dit-il d'un ton maussade. Juste Ruby qui s'amuse à raconter des histoires de fantômes aux enfants...


Sam Waterman se targuait de pouvoir donner les résultats d'un entretien avant même qu'il ait lieu. Cette aptitude, il le savait, était surtout due à l'expérience. Plus vous avancez en âge, plus vous en savez, disait-il souvent, et Sam Waterman approchait les quatre-vingts ans. Mais il y avait autre chose : il jouissait d'un sixième sens pour deviner le caractère de ses interlocuteurs, ce qui lui donnait toujours une longueur d'avance. Quand on sait à qui on a affaire, il est plus aisé de le manœuvrer.

Aujourd'hui, pourtant, il n'avait aucune idée de la façon dont se déroulerait sa visite. Inhabituellement soucieux, il engagea son automobile sur la digue menant à l'île Devereaux. Il ne connaissait pas du tout Anne Devereaux, et même Kevin, que Sam avait vu naître, était devenu une sorte d'énigme.

Ce sentiment était en partie dû au phrasé de Kevin. Il parlait maintenant avec les intonations dures du Yankee. Plus aucune trace de ce débit légèrement traînant propre à la Caroline du Sud. Même son comportement avait changé; il était devenu plus nerveux. Bien sûr, après toutes ces années passées dans le Nord, où tout bougeait si vite, cela n'avait rien d'étonnant. Sam eut un petit rire. Ici, à Devereaux, les choses n'évoluaient pas aussi rapidement, songea-t-il tandis que la voiture abordait l'île. Pourtant, il allait confier à Kevin et à Anne quelque chose de très particulier, et il se demandait comment ils réagiraient. Or Sam Waterman n'aimait pas ce genre d'incertitude.

Sans même le remarquer il réduisit la vitesse de son véhicule, comme si ces quelques moments de délai pouvaient changer quoi que ce soit. Il n'en finit pas moins par se garer devant l'imposante demeure. Avec un profond soupir, il prit le dossier posé sur le siège avant et sortit de l'automobile. Alors qu'il s'engageait sous la véranda, la porte d'entrée s'ouvrit toute grande et Marguerite apparut. Comme toujours, elle paraissait fraîche malgré la chaleur. Aujourd'hui pourtant, Sam lui trouva une expression quelque peu absente, et son sourire de bienvenue lui parut hésitant.

Peut-être sait-elle, songea-t-il en un éclair avant de repousser cette idée. Helena Devereaux n'avait dit à personne hormis lui ce qu'elle comptait faire de la propriété, et elle lui avait fait jurer le silence. « Ce n'est pas une lubie! » lui avait-elle rétorqué quand il avait suggéré qu'elle en parle à sa fille. « Marguerite est incapable de faire face à une quelconque situation. Elle a toujours été ainsi. »

– Bonjour, Marguerite, dit Sam.

Quoi que sa défunte mère ait pu penser d'elle, songea-t-il, Marguerite lui paraissait s'être fort bien conduite lors de l'enterrement. Elle avait fait preuve d'un calme remarquable. Non, il n'avait pas à redouter de crise de nerfs.

– Tout le monde est là? demanda le vieil avoué.

Marguerite s'effaça pour le laisser entrer dans la fraîcheur relative du hall.

– Les enfants sont sortis avec des amis. Kevin et Anne attendent dans le bureau.

Sam se dirigea vers l'aile ouest. Au bout du couloir une porte ouvrait sur une vaste pièce éclairée par des fenêtres sur trois murs. C'est là que les chefs de famille successifs avaient travaillé la plupart du temps. Bien qu'il n'eût jamais posé la question à Rafe Devereaux, Sam s'était toujours demandé si l'orientation du bureau n'était pas symbolique. Seules deux pièces offraient une vue aussi étendue de la propriété des Devereaux : ce bureau et les appartements de maître, à l'étage supérieur.

Anne et Kevin se levèrent dès qu'il entra. Après les présentations, Sam fit le tour du bureau et s'assit dans le fauteuil au cuir usé qui était là depuis presque deux cents ans. Mais le siège était aussi solide que la maison, et il ne craqua même pas quand Sam y laissa aller le poids de son corps fatigué. Le vieil avoué chaussa avec précaution ses lunettes cerclées d'acier, puis il sortit de son dossier une liasse de feuilles.

– Êtes-vous prêts? demanda-t-il en regardant les trois Devereaux par-dessus ses lunettes.

Comme personne n'objectait, il commença à lire le testament d'Helena Devereaux.

Dix minutes plus tard il avait terminé. Comme il s'y attendait, un silence abasourdi succéda à sa voix posée. Sam Waterman le mit à profit pour tenter de deviner qui parlerait le premier. Il aurait parié sur Kevin.

– C'est absolument sandaleux! s'exclama enfin Anne d'une voix vibrante d'indignation. Elle ne peut avoir tout laissé à Kevin! C'est impossible!

– Non seulement elle le pouvait, mais elle l'a fait, rappela d'une voix douce l'avoué.

– Mais c'est injuste! protesta Anne. Et Marguerite? Elle a pris soin d'Helena toute sa vie, et elle n'hérite de rien?

La colère illuminait ses yeux. Elle se pencha et saisit sa belle-sœur par un bras.

– Comment a-t-elle pu agir ainsi?

Marguerite posa sur elle un regard brouillé de larmes. Pourtant, à la surprise générale, ce fut elle qui lui répondit, d'une voix remarquablement calme :

– Notre famille a toujours agi de la sorte, Anne. Notre propriété a toujours été léguée au fils aîné. C'était la seule façon de la préserver. Père disait toujours que diviser la propriété équivaudrait à la perdre. Il est donc logique qu'elle revienne aujourd'hui à Kevin. J'aurais dû m'en douter, n'est-ce pas?

– Quelle importance, ce testament? lança Kevin. A part l'île et les terrains en ville, y a-t-il autre chose?

– Une centaine d'hectares, répondit Sam Waterman. Mais difficilement rentabilisables : la plus grande partie est constituée de marécages dont personne ne voudra.

– Ne pouvons-nous revendre les terrains en ville? demanda Anne. Et partager l'argent avec Marguerite?

– C'est possible, dit prudemment l'avoué. Mais la chose ne sera pas simple : les baux arriveront bientôt à expiration... et il y a un codicille.

– Un codicille? s'étonna Kevin. Il y a donc autre chose?

Waterman acquiesça et s'humecta nerveusement les lèvres.

– Cela fait partie du testament. J'ai essayé de convaincre Helena de l'ôter, mais elle a refusé. En fait, quand elle a compris que j'étais opposé à ce codicille, elle l'a fait ajouter par un confrère. (Il regarda Kevin droit dans les yeux.) Je présume que vous savez combien votre mère tenait à ce que vous reveniez vivre ici?

Kevin opina sans se départir de son expression méfiante.

— Eh bien, je crains qu'elle n'ait trouvé le moyen de vous y obliger. Quoiqu'elle vous ait tout légué, elle a également stipulé que vous deviez vivre, à Sea Oaks, et administrer la propriété, je cite : « ... en servant au mieux les intérêts des Devereaux, et des habitants de Devereaux, Caroline du Sud ».

Le visage de Kevin se détendit.

— Alors il n'y a aucun problème. Je n'ai qu'à rentrer avec Anne et les enfants dans le Connecticut, et Marguerite aura tout. Ai-je raison?

— Vous avez tort, répliqua Waterman. Ne sous-estimez pas votre défunte mère. Si elle ne s'est guère montrée bienveillante, elle n'était pas sotte pour autant. Si vous refusez de vivre ici et de gérer la propriété, l'intégralité des biens légués par Helena Devereaux reviendra à l'État. Tout : les terres, les comptes en banque, les titres, rien n'échappe à cette clause. Si vous ne voulez pas rester ici, Marguerite ne le pourra pas non plus.

Un nouveau silence salua cette déclaration. Les doigts de Marguerite se crispèrent sur les accoudoirs de son fauteuil, mais elle ne desserra pas les lèvres. Anne était abasourdie, comme si elle ne pouvait pas croire ce qu'elle venait d'entendre. Mais le visage de Kevin était blanc de colère. Il lui fallut presque une minute avant de pouvoir parler :

— Vous avez sans doute vérifié qu'il était impossible de faire annuler ce codicille?

Waterman leva les mains dans un geste d'impuissance.

— Il est très long, très détaillé, très complexe. Avec l'aide de cet homme de loi de Charleston, elle a couvert toutes les éventualités auxquelles ils ont pu penser. Pour autant que j'aie pu en juger, il est incontournable. J'ai même songé à le brûler... mais cela n'aurait servi à rien : je n'ai pas l'original en ma possession.

Anne paraissait sortir d'un mauvais rêve.

— C'est... c'est obscène! dit-elle dans un souffle. Après tout ce que Marguerite a fait pour elle, Helena ne lui a rien laissé, et elle veut obliger Kevin à changer complètement sa vie!

— Je ne peux que partager votre sentiment, approuva Waterman en soupirant. J'ai fait tout ce que j'ai pu pour la dissuader, mais elle est restée intraitable. Pourtant... (il eut un sourire sans joie) ces dispositions ne sont pas éternelles. En fait, il aurait mieux valu pour vous qu'une durée indéterminée ait été notifiée dans le codicille. Un tribunal aurait jugé une telle mesure déraisonnable et aurait certainement cassé la clause. Mais la défunte n'est pas tombée dans ce piège. Vous devez rester ici dix ans. Vous avez un contrôle total sur la propriété, mais si vous vendez une parcelle de terrain avant l'expiration de cette période, la vente ne deviendra effective qu'à son échéance. Les dix ans écoulés, vous pourrez faire ce que bon vous semblera.

– C'est généreux de sa part! remarqua Anne sans cacher son amertume.

– Généreux? Non pas, rectifia Waterman d'une voix posée. Elle a fait tout ce qu'elle a pu pour vous faire plier à sa volonté. Et elle m'a précisé qu'elle pensait que dix ans suffisaient. Dans son esprit, elle était sûre que vous resteriez après un tels laps de temps.

Marguerite se leva avec difficulté et marcha d'un pas incertain vers son frère. Posant ses mains sur les épaules de Kevin, elle se pencha et déposa un baiser sur sa joue.

– Je suis désolée, lui murmura-t-elle. Je ne savais rien de tout cela. Rien du tout.

Kevin couvrit la main de sa sœur de la sienne.

– Ne t'en fais pas, dit-il. Je ne sais pas encore ce que nous pouvons faire, mais il doit bien y avoir une solution, et nous la trouverons.

Marguerite sourit bravement en hochant la tête.

– J'en suis certaine, répondit-elle d'une voix légèrement chevrotante. Mais je me sens un peu fatiguée... Si vous voulez bien m'excuser?

Elle interrogea l'avoué du regard, comme pour avoir la permission de se retirer. Waterman ne réagissant pas, elle sortit de la pièce en claudiquant et referma la porte derrière elle.

– Comment Helena a-t-elle pu se montrer aussi méchante? dit Anne dès que Marguerite eut disparu.

Sam Waterman, qui rangeait déjà ses papiers dans le dossier, eut une moue dubitative.

– Je ne saurais dire, répondit-il. Je crois que tout vient de sa volonté de tout contrôler. Helena n'a jamais apprécié d'être à la merci de quelqu'un. Elle détestait les limitations imposées par son état physique depuis déjà plusieurs années, et elle détestait encore plus d'avoir besoin de Marguerite. Peut-être a-t-elle focalisé tout son ressentiment sur sa fille...

– Mais qu'allons-nous faire? s'enquit Anne, désemparée. Personne ne peut espérer que Kevin s'installe ici, n'est-ce pas?

Sam Waterman afficha un sourire un peu triste.

– Bien entendu, les décisions que vous prendrez tous les deux vous appartiennent entièrement. Mais n'oubliez pas Marguerite; son sort est lié au vôtre. (Il croisa le regard d'Anne.) Ainsi que celui de nous tous ici, d'ailleurs. Quelle que soit votre décision, chacun à Devereaux en verra sa vie influencée.

L'avoué partit cinq minutes plus tard. Son automobile souleva un petit nuage de poussière comme il quittait l'île Devereaux. Anne et Kevin suivirent le véhicule des yeux jusqu'à ce qu'il disparaisse. Alors le couple rentra dans la fraîcheur sombre de la maison.

*Ce n'est pas une maison*, songeait Anne en refermant la porte. *C'est une prison...*

Marguerite fit halte en haut de l'escalier, le temps que la douleur qui brûlait sa hanche s'atténue un peu. Elle avait réapparu pendant que Sam Waterman lisait le testament, mais Marguerite avait fait de son mieux pour ne rien montrer de sa souffrance. Elle s'était contentée de serrer les accoudoirs de son fauteuil de plus en plus fort, jusqu'à ce que ses doigts lui fissent assez mal pour supplanter l'élancement dans sa hanche.

Jamais auparavant l'idée ne l'avait effleurée qu'elle pourrait un jour partir de Sea Oaks. Depuis son accident – quand elle avait compris que jamais plus elle ne pourrait danser–, elle s'était résignée à finir paisiblement son existence entre ces murs, en compagnie de sa mère, dans ce décor qu'elle avait toujours connu. A présent, alors que les implications du testament de sa mère commençaient à lui apparaître plus clairement, elle se rendait compte que le fait de vivre dans cette maison lui avait semblé aller de soi, tout comme la présence de sa mère. Et il avait fallu Sam Waterman et la lecture du testament pour qu'elle comprenne vraiment que sa mère avait disparu. Jamais plus elle n'entendrait l'interphone grésiller, jamais plus elle ne devrait affronter les sarcasmes d'Helena, ni se plier à ses caprices.

Pourtant Marguerite avait accepté toutes ces exigences sans rechigner. Elle avait presque espéré chaque sonnerie de l'interphone. Prendre soin de sa mère, comme celle-ci s'était occupée d'elle, était devenu le centre de son existence depuis tant d'années... Et ces années n'avaient pas été un calvaire, contrairement à ce que semblaient penser beaucoup de gens.

Marguerite avait appris à lire sur les visages ces jugements mal dissimulés, à entendre les condamnations voilées par des paroles anodines.

« Comment se porte votre mère ? », prononcé sur un ton attentionné, avec le sourire le plus sympathique, signifiait en fait : « Quand va donc mourir la vieille harpie ? »

« Comment allez-vous ? » sous-entendait : « Comment arrivez-vous à supporter votre sorcière de mère ? »

Marguerite avait toujours semblé prendre ces questions au premier degré. Jamais elle n'avait montré combien elle en voulait à ceux qui pensaient qu'elle haïssait sa mère. Car elle ne haïssait pas sa mère; bien au contraire, elle l'aimait. Pour Marguerite, le caractère de plus en plus irascible d'Helena s'expliquait par sa santé défaillante et son grand âge. Qui aurait pu conserver un abord avenant après quelques mois passés dans un lit?

Et puis, Marguerite devait beaucoup plus à sa mère qu'elle ne lui avait rendu. N'avait-elle pas énormément déçu Helena, bien des années auparavant, quand elle s'était montrée assez maladroite pour tomber dans l'escalier, brisant ainsi à jamais le rêve qu'avait élaboré sa mère dès sa naissance?

Elle en qui sa mère avait mis tous ses espoirs, ne s'était-elle pas transformée en un fardeau qu'Helena avait dû supporter toutes ces années?

A présent, malgré la présence de son frère et de sa famille, Sea Oaks serait éternellement vide pour Marguerite.

Pourtant il lui restait ses élèves.

Et Julie.

Elle ne devait pas négliger Julie. Il y avait tant d'elle-même dans l'adolescente.

Elle se dirigea d'une démarche syncopée vers sa chambre. Un sourire fugace jouait sur ses lèvres. Elle revoyait Julie dansant dans la salle de bal. Ç'avait été comme de se revoir danser elle-même...

A l'extrémité du couloir, un mouvement attira soudain son attention.

Quelqu'un se trouvait dans la chambre de sa mère.

Intriguée, Marguerite avança dans cette direction en s'appuyant contre le mur d'une main, sa jambe blessée traînant un peu. La porte était ouverte. Marguerite pénétra dans les appartements de la défunte mais s'arrêta presque aussitôt.

La porte de l'immense penderie, où sa mère rangeait soigneusement ses robes sur des cintres rembourrés, béait, et Ruby était occupée à décrocher les vêtements. Elle les pliait rapidement et les empilait dans de grands cartons. Marguerite écarquilla les yeux d'horreur en comprenant ce que faisait la vieille domestique, et un petit cri lui échappa. Ruby se tourna vers elle puis reprit son travail.

– Je crois que nous pourrons envoyer celles-là aux bonnes œuvres, fit-elle en désignant une rangée de robes encore suspendues. Je ne sais pas qui pourrait acheter ces vieilleries, mais je suppose qu'il y aura bien quelqu'un pour...

Elle resta sans voix quand Marguerite lui arracha des mains la robe qu'elle s'apprêtait à plier.

– Comment osez-vous? siffla Marguerite, hors d'elle. Comment osez-vous toucher aux vêtements de ma mère?

Stupéfaite, Ruby recula d'un pas et faillit perdre l'équilibre sur un des cartons déjà remplis.

– Mais, miss Marguerite, vous voyez bien ce que je fais. J'emballe les affaires de miss Helena, tout comme je l'avais fait pour celles de Mr. Rafe après sa mort.

Elle tendit la main pour reprendre la robe, mais Marguerite serra convulsivement le vêtement contre sa poitrine.

– Non! s'écria-t-elle d'une voix aiguë. Je ne le supporterai pas! Pas maintenant!

Ruby allait protester, mais elle se ravisa en voyant le regard de Marguerite. La domestique battit lentement en retraite.

– Je suis désolée, miss Marguerite, dit-elle. J'aurais peut-être dû attendre demain.

Aussi vite qu'elle était apparue, la colère déserta Marguerite, et elle sembla se détendre un peu. Pourtant elle ne lâcha pas la robe.

– Oui, demain vous pourrez peut-être commencer à emballer ses affaires. Ou après-demain... (Son regard se fit suppliant.) S'il vous plaît, Ruby?

La domestique passa la langue sur ses lèvres.

– Très bien, dit-elle enfin. J'attendrai un jour ou deux. De toute façon, ces robes ne seront pas plus démodées dans deux jours..

Elle fit demi-tour et sortit de la chambre, mais elle se retourna dès qu'elle eut franchi la porte.

Marguerite se tenait devant le grand miroir, la robe de sa mère plaquée contre son corps. Un moment elle observa son reflet puis, avec un étrange sourire, elle se courba en une révérence de ballerine.

Mais sa jambe raide transformait ce salut en une horrible caricature.

Ruby s'éloigna en hâte dans le couloir.

# 8

Julie était allongée sur le dos, son bras droit ramené devant ses yeux pour les protéger du soleil. Elle sentit une goutte de sueur couler lentement le long de son flanc et se dit qu'elle devrait bientôt retourner dans l'eau pour se rafraîchir un peu. Seul problème, elle n'était pas sûre d'avoir assez de force pour parcourir les quelques mètres qui séparaient la serviette de bain des premières vagues. La chaleur l'enveloppait comme une couverture, et elle pouvait à peine respirer. Pourtant, autour d'elle, les autres adolescents ne semblaient pas affectés par la canicule. Mais eux avaient grandi ici.

Ils étaient une dizaine avec elle. Un peu plus tôt cet après-midi, Julie avait décidé qu'elle les aimait bien tous, à l'exception néanmoins de Mary-Beth Fletcher. Mais ce n'était pas faute d'avoir essayé. Julie ne lui avait pas tenu rigueur de la façon dont celle-ci s'était comportée la semaine précédente, au cours de danse. Elle avait voulu arranger les choses, mais Mary-Beth avait tout fait pour l'en dissuader. Et, chaque fois que Julie avait tenté de lui parler, elle s'était détournée et avait commencé à discuter avec quelqu'un d'autre.

Et une heure plus tôt, alors qu'elle était assise avec Kerry et qu'ils dressaient ensemble l'inventaire du panier à pique-nique préparé par Ruby, Mary-Beth était venue s'asseoir à côté de Kerry. Julie lui avait offert un sandwich, que l'autre avait refusé avec une grimace.

— Ici, on ne mange pas comme les Nordistes, avait-elle dit en forçant sur son accent. Continue, si tu veux te transformer en cochon; moi, ça ne me dérange pas!

Julie s'était sentie rougir de gêne, mais elle n'avait pas répondu. Quelques minutes plus tard, lassée de faire des avances inutiles à Kerry, Mary-Beth s'était éloignée sur la plage.

Mais maintenant Julie pouvait entendre la voix acerbe de Mary-Beth qui parlait avec d'autres adolescents, un peu plus loin. Pendant un moment, Julie pensa que Mary-Beth se croyait hors de portée d'oreille, puis elle comprit que c'était exactement l'inverse : Mary-Beth avait haussé le ton pour être certaine que Julie l'entende.

— Je pense laisser tomber le cours de danse, disait-elle.

— Laisser tomber? s'exclama la voix consternée de Jennifer Mayhew. Mais pourquoi?

— Bah, je ne sais pas, répondit Mary-Beth avec une désinvolture soigneusement calculée.

Bien qu'elle gardât les yeux clos, Julie sentait le regard de l'autre fixée sur elle tandis qu'elle poursuivait :

— Jusqu'à la semaine dernière, miss Marguerite n'avait pas de préférée, et les cours étaient intéressants. Maintenant, on dirait qu'on ne va plus rien faire que rester assises, à regarder cette frimeuse du Nord sautiller partout, tandis que Marguerite bave comme une demeurée en nous serinant que sa nièce est formidable! A quoi ça sert?

Jenny Mayhew eut un hoquet indigné.

— Ça n'est pas vrai, et tu le sais! Miss Marguerite n'est pas du tout comme ça, et ce n'est pas la faute de Julie si elle est bien meilleure que nous toutes! Moi qui croyais que tu voulais qu'elle t'aide à progresser!

Julie pouvait imaginer le sourire affecté que devait afficher Mary-Beth.

— Tiens, tu t'es transformée en sainte-nitouche, tout d'un coup?

Julie entendit alors une autre voix :

– Jenny n'est pas une sainte-nitouche! Ni aucune d'entre nous! Si c'est parce que tu n'es pas assez bonne que tu arrêtes, pourquoi ne le dis-tu pas? Ce n'est pas une raison pour accuser Julie ou prétendre que miss Marguerite a changé!

– Je n'ai pas dit que j'allais arrêter, se défendit Mary-Beth. J'ai simplement dit que j'y pensais, c'est tout. Pourquoi me prenez-vous toutes à partie? Si vous la trouvez si géniale que ça, allez donc parler avec elle!

Brusquement Julie en eut assez. Elle se redressa en clignant des yeux dans la lumière violente, et se tourna vers Kerry. Le garçon était assis à côté d'elle. Ses yeux clairs étaient habités d'une lueur dangereuse, et sa mâchoire volontaire contractée par la colère.

– Allons nous baigner, proposa-t-elle. Si je reste ici encore cinq minutes, je crois que je vais m'évanouir.

Elle essaya de se lever, mais retomba sur sa serviette de bain; la chaleur suffocante lui avait coupé les jambes. Aussitôt elle perçut les ricanements moqueurs de Mary-Beth. Kerry se pencha vers elle et la prit par la main. Sans effort, il la remit sur ses pieds.

– Il faut que tu bouges un peu, murmura-t-il, si bas que personne d'autre qu'elle ne put l'entendre. L'eau n'est qu'à quelque mètres, et ça ira mieux dès que tu l'auras atteinte.

Il l'encouragea d'un sourire.

Un vertige soudain submergea Julie. Pendant une seconde elle craignit de s'évanouir, mais la poigne solide de Kerry l'entraîna rapidement en bas de la plage. Dès qu'elle sentit la fraîcheur de l'eau caresser ses pieds, elle put se passer du soutien de Kerry. Un instant plus tard elle plongeait dans une grosse vague.

Instantanément le malaise disparut. La mer la lava de la transpiration qui la couvrait. Elle fit quelques brasses sous l'eau puis remonta à la surface et se tourna sur le dos. Kerry apparut à deux mètres d'elle, un grand sourire aux lèvres.

– Ça va mieux?

– J'ai bien cru que j'allais m'évanouir. Comment arrivez-vous à supporter cela?

– La chaleur ou Mary-Beth? plaisanta le garçon.

– La chaleur. répondit Julie. Qui se soucie de ce que dit Mary-Beth?

Soudain Kerry poussa un cri d'avertissement. Julie n'eut que le temps de tourner la tête pour découvrir une vague de belle taille qui arrivait sur elle. Elle prit une rapide inspiration, se pinça le nez et plongea. Ils refirent surface ensemble, après le passage de la vague.

– Tu t'habitueras vite à la chaleur, lui assura Kerry. Encore quinze jours et tu n'y prêteras même plus attention. (Il fit une grimace malicieuse.) Même chose pour Mary-Beth ; d'ailleurs, si elle est aussi désagréable aujourd'hui, c'est parce que je t'ai invitée.

Julie crut comprendre.

– C'était ta petite amie?

– Pas du tout!

– Mais elle aimerait l'être? insista Julie, et elle lut la gêne sur le visage du garçon.

– Tu veux discuter tout l'après-midi ou nager? éluda-t-il en l'éclaboussant.

Elle fit de même, et bientôt tous les adolescents vinrent se joindre à eux, à l'exception de Mary-Beth Fletcher. Avant longtemps le groupe s'était divisé en deux équipes dont les membres changeaient au gré des alliances et des déplacements. Épuisée de rire, Julie entendit soudain Kerry lui crier :

– Julie! Attention!

Elle pivota mais il était trop tard. Venue de nulle part, une énorme vague s'élevait au-dessus d'elle. Avant qu'elle ait eu le temps de plonger, l'appel d'eau lui saisit les jambes et la fit basculer sur le dos. Elle ouvrait la bouche pour respirer quand la vague l'écrasa et l'enfonça brutalement comme un morceau de bois d'épave.

Elle tenta de lutter pour reprendre pied, mais elle sentit alors les algues qui lui enserraient les chevilles, et elle faillit céder à la panique.

*Rien de grave,* se sermonna-t-elle. *J'ai certainement toujours pied, je sais nager, et ce n'est qu'une grosse vague. Je n'ai qu'à me laisser porter un moment avant de pouvoir refaire surface.*

Mais combien de temps pourrait-elle encore tenir? Elle suffoquait déjà, et elle ne pourrait résister plus de quelques secondes.

Et les turbulences créées par la vague semblaient la plaquer au fond. D'une détente, elle se propulsa vers le haut et sa tête creva la surface comme elle n'y tenait plus et ouvrait la bouche. Elle avala une grande goulée d'air... et beaucoup d'eau.

Une autre vague, qui s'était formée juste derrière la première, la gifla violemment. Sa bouche et sa gorge s'emplirent d'eau. Elle toussa en disparaissant sous la surface. Mais cette fois, elle le savait, elle n'avait aucune réserve d'air.

Elle allait se noyer!

La panique l'envahit, et elle se mit à faire des gestes désordonnés dans l'eau tourbillonnante.

Contre sa propre volonté, elle entrouvrit la bouche et ses poumons commencèrent à s'emplir d'eau.

Alors que la nuit obscurcissait les frontières de sa conscience, un bras musclé entoura sa taille et elle se sentit soulevée hors de l'eau. Dans son affolement, elle se débattit encore un instant avant d'entendre la voix de Kerry.

— Tout va bien! Tu es sortie d'affaire, Julie! Je te tiens!

Sans cesser de tousser et de cracher, elle lui passa les bras autour du cou et se maintint ainsi pendant qu'il la ramenait jusqu'à la plage. En moins d'une minute il l'avait allongée sur sa serviette. Puis il s'agenouilla auprès d'elle, la fit rouler sur le ventre et appuya rythmiquement ses deux mains sur son dos.

Ses poumons crachèrent des filets d'eau qui disparurent dans le sable.

Un moment plus tard l'alerte était passée. Julie resta parfaitement immobile. Seule sa poitrine se soulevait selon un rythme de plus en plus calme comme elle aspirait avec ravissement l'air pur. Il lui sembla qu'il s'était écoulé plusieurs heures avant qu'elle trouve le courage de rouler sur le dos pour affronter le cercle de visages au-dessus d'elle.

— Que... que s'est-il passé?

Kerry la fixait d'un regard anxieux.

— C'est de ma faute. J'aurais dû te prévenir. De temps en temps, il y a des vagues beaucoup plus fortes que les autres qui se forment. Tout est calme, et puis un rouleau énorme te tombe dessus, et si tu n'es pas prête, il t'assomme à moitié! Ça va, maintenant?

Julie n'hésita qu'une seconde.

— Je pense, oui, dit-elle en réussissant à sourire faiblement. Mais pendant une seconde, j'ai bien cru que c'en était fini de Julie Devereaux! Si tu ne m'avais pas attrapée, Kerry...

Elle se tut. Le simple souvenir de ce qui venait de se passer la fit frissonner, puis elle comprit qu'elle tremblait de froid malgré la chaleur de l'après-midi.

— Je... Peut-être que ce serait mieux si tu me ramenais à la maison.

Entouré des autres adolescents, Kerry la prit dans ses bras musclés et la porta jusqu'à son automobile. C'était une vieille Chevrolet décapotable à la carrosserie rouillée et cabossée. Le toit ouvrant n'était plus qu'une collection de lambeaux de cuir artistement maintenus ensemble par une profusion de bandes adhésives argentées.

— Peut-être vaudrait-il mieux prendre un autre véhicule, dit-il d'un ton soucieux.

— Ça ira, dit Julie. J'aime bien ta voiture.

— Alors, c'est que tu es cinglée! répliqua Kerry avec un large sourire. Mais c'est égal... J'aime bien les filles cinglées.

Il l'installa confortablement et referma la portière. Puis il fit le tour de la Chevrolet en hâte et s'assit derrière le volant.

Aucun des deux n'entendit la dernière réflexion de Mary-Beth Fletcher:

— Pourquoi ne la reconduis-tu pas dans le Nord, là où est sa place? Et si tu l'apprécies tant, reste avec elle!

L'air méfiant, Toby Martin observait Jeff.

– Et si on se fait prendre?

Les deux enfants se trouvaient dans la cabane qu'ils avaient construite dans l'après-midi. C'était un appentis branlant collé au garage, aux cloisons formées de planches volées aux ruines des quartiers des esclaves et maintenues en place par quelques poignées de clous découvert dans la vieille grange. Une petite ouverture au ras du sol leur permettait tout juste d'entrer en s'accroupissant, et aucun des deux n'avait eu l'idée d'une fenêtre pour aérer un peu l'intérieur surchauffé de leur palace. Même s'ils souffraient de la chaleur, ni l'un ni l'autre n'était prêt à l'admettre. Depuis qu'ils l'avaient terminée une heure plus tôt, les deux gamins étaient restés dans leur cabane, bien protégés du monde extérieur. Ils avaient longuement discuté de ce que Jeff avait vu dans le cimetière la nuit précédente, et ce dernier en était venu à proposer un passage à l'action.

– Mais non, on ne se fera pas prendre! assura-t-il. Je me glisserai dehors quand ils seront tous endormis, et nous nous rejoindrons ici. Ensuite nous pourrons surveiller le cimetière toute la nuit.

Soudain ils perçurent un bruit à l'extérieur, dans les broussailles.

– Qu'est-ce que c'est? chuchota Jeff. Tu crois qu'il y a quelqu'un?

Toby haussa les épaules.

– Sais pas. Qu'est-ce qu'on fait?

– Allons voir, décida Jeff.

Et, joignant le geste à la parole, il se mit à quatre pattes pour sortir par l'étroite ouverture. Son ami fit de même.

– C'était quoi? demanda Toby dès qu'ils furent au-dehors. Tu as vu quelque chose?

Jeff ne répondit pas. Du regard il fouillait les buissons tout proches à la recherche du moindre mouvement suspect. Puis il repéra un lapin à quelques pas. Aplati contre le sol, l'animal gardait une immobilité totale.

– Là! chuchota Jeff en enfonçant son coude dans les côtes de son ami. Je vais essayer de l'attraper.

Toby suivit des yeux la direction indiquée par Jeff, mais il lui fallut quelques secondes pour discerner le lapin. Et un instant de plus pour comprendre pourquoi l'animal ne bougeait pas.

– Attends! s'écria-t-il, mais trop tard.

Le cliquetis menaçant d'un serpent à sonnette emplit l'air. Jeff se figea, et seuls ses yeux cherchèrent la source du bruit.

Il n'était qu'à un mètre d'un crotale rouge des bois, au corps lové en boucles serrées, tandis que sa tête ondulait dangereusement et que sa queue tremblait, produisant ce bruit de crécelle si reconnaissable.

– Bouge pas! prévint Toby. Il ne peut pas te voir si tu restes immobile. C'est ce que fait le lapin.

– Mais... qu'est-ce qu'on va faire? souffla Jeff.

Ses jambes lui semblaient envahies d'une grande faiblesse, et il redoutait de s'effondrer d'une seconde à l'autre.

– Je vais aller chercher quelqu'un, décida Toby. Mais ne bouge surtout pas, ou il te tuera!

Laissant son ami face à la créature mortelle, Toby fit demi-tour et remonta l'allée à toute vitesse en hurlant pour demander du secours. La porte de service s'ouvrit au moment où le gamin allait monter les marches du perron, et Kevin apparut.

– Un serpent! s'écria Toby. Un crotale énorme qui veut tuer Jeff, près du garage! Vite, m'sieur Devereaux! *Vite!*

Plantant là le garçon terrifié, Kevin se précipita vers le garage où il saisit sans ralentir une vieille pelle rouillée appuyée contre le mur. Deux secondes plus tard il trouva son fils, pétrifié par la peur, le visage d'une pâleur impressionnante.

– Ça va aller, dit Kevin d'une voix rassurante. Je suis ici, maintenant. Surtout ne bouge pas, Jeff, d'accord?

Mais le gamin était incapable de répondre.

Lentement, son père décrivit un arc de cercle pour passer derrière le crotale. Puis, avec des gestes précautionneux, pour ne pas alerter l'animal, il s'en approcha peu à peu. Chaque pas réduisait la distance qui le séparait de la tête dardée. Le serpent continuait à fixer Jeff, sa langue frémissante.

Kevin leva la pelle. Encore un pas et il serait à bonne portée.

Sous sa chaussure, une petite branche se brisa avec un craquement sec. Instantanément, le crotale fit volte-face et frappa. Kevin abattit son arme de toutes ses forces en s'écartant. Le fer de l'outil s'enfonça dans le sol au moment où le serpent mordait le manche, et Kevin sentit la vibration du coup dans ses mains. A peine étourdi par le choc, le crotale reprit sa position d'attaque, tête dressée vers son assaillant.

Cette fois, Kevin fut plus rapide; le tranchant de la pelle décapita l'animal alors qu'il frappait. Les anneaux du serpent tressautèrent un moment, puis le crotale resta immobile.

En criant, Jeff se précipita dans les bras de son père.

– Ça va bien, maintenant, dit Kevin. Tu n'as rien, et le crotale est mort. C'est fini.

– Il allait me tuer! sanglota l'enfant. Je ne l'avais même pas vu! Il était là, et...

– Je sais, je sais. Les crotales sont comme ça. Il faut faire attention tout le temps et bien regarder où on met ses pieds. Mais tout va bien, maintenant.

Anne apparut au coin du garage. Elle s'arrêta net en voyant le corps du serpent.

– Mon Dieu! souffla-t-elle, les yeux agrandis par l'horreur. Qu'est-il arrivé?

– Rien, la rassura son mari. Jeff s'est trouvé nez à nez avec un crotale, mais il a très bien réagi. En fait, je n'avais probablement pas besoin de le tuer. Quelques secondes de plus, il se serait désintéressé de Jeff et aurait filé. Il était sûrement beaucoup plus effrayé!

Anne lança un regard indigné à son mari.

– Comment peux-tu dire des choses pareilles? Il aurait pu tuer Jeff!

Elle prit son fils dans ses bras et le serra tendrement contre elle.

– Ça va, mon chéri?

Le gamin acquiesça, puis se dégagea de l'étreinte maternelle. A présent que tout danger était écarté, il était fasciné par le serpent. Il ramassa un morceau de branche et s'en servit pour toucher le cadavre de presque deux mètres.

– Eh, P'pa! Je peux le garder, dis?

Kevin eut un petit rire, puis il coupa l'extrémité de la queue du crotale d'un coup de pelle.

– Prends-les. A ton âge, j'en avais déjà deux douzaines.

– Wooah! Super!

Le gamin s'accroupit; pas trop rassuré quand même, il saisit les sonnettes d'un geste rapide. Soudain très fier, il se releva en agitant son trophée.

Il y eut un léger cliquetis et Jeff lâcha la relique comme si elle était brûlante; tout penaud, il la ramassa une nouvelle fois, puis se tourna vers Toby, qui était resté à quelques pas.

– Tu en as, toi?

– Ouais, cinq. Et j'en ai même une qui est plus grosse que celle-là.

– C'est vrai? dit Jeff avec une pointe d'admiration dans la voix. Tu veux bien me les montrer?

– Sûr.

– Quand? Maintenant?

Mais avant que Toby ne réponde, Anne intervint:

– Pas maintenant. Pour l'instant, je crois que vous feriez mieux de rentrer tous les deux dans la maison.

– Oh, M'man... geignit Jeff.

Mais sa mère resta intransigeante.

– Cet incident est peut-être clos pour vous, mais pas pour moi. Et jusqu'à ce que ce soit le cas, je veux vous garder à portée de vue. D'accord?

Comprenant qu'il était inutile d'insister, Jeff entraîna Toby vers la maison. Dégoûtée, Anne garda un long moment les yeux fixés sur le serpent, puis elle regarda son mari.

– Comment as-tu pu supporter cela? dit-elle enfin. Comment peut-on supporter cela? La chaleur, les alligators, les moustiques... et maintenant ça!

Kevin haussa les épaules.

— A part les alligators, quelle différence avec le Connecticut? Là-bas, nous avons aussi des périodes de canicule. Et, si tu ne t'en souviens pas, nous avons aussi des crotales.

Anne en resta bouche bée.

— Oh, Kevin! Je t'en prie...

— Mais c'est la vérité, insista son mari. On trouve des serpents à sonnette dans tout l'est. Nous les voyons moins parce que les régions sont plus développées, c'est tout. Et même ici, ça ne devrait pas être très difficile de les faire disparaître.

Anne fronça les sourcils.

— Les faire disparaître? Que racontes-tu?

Un grand coup de klaxon empêcha Kevin de s'expliquer, et ils se retournèrent à temps pour voir la vieille Chevrolet de Kerry Sanders descendre à tombeau ouvert le chemin qui venait de la digue, suivie par un panache de poussière. Ce n'est que lorsque l'automobile s'arrêta dans un grand crissement de pneus devant la maison que le couple comprit que quelque chose n'allait pas.

Anne et Kevin remontèrent l'allée en courant. Ils arrivèrent au véhicule au moment où Kerry aidait Julie à en sortir.

Le visage de la jeune fille était pâle, et ses cheveux pendaient sur ses épaules en longues mèches humides.

Anne la contempla avec effarement.

— Julie, tu vas bien, ma chérie?

L'adolescente hocha la tête mais remonta frileusement la serviette de bain sur ses épaules.

— Ça va; j'ai juste été renversée par une grosse vague, et j'ai bu la tasse.

— Renversée? fit sa mère d'une voix aiguë. Mais tu as l'air à moitié noyée!

— Ce n'est pas si grave... commença Julie.

Mais Kerry la coupa avec autorité:

— Si, c'était assez grave. Elle a été à moitié assommée par deux vagues successives, mais je suis arrivé à temps. Elle va bien, mais elle dit qu'elle a froid...

— C'est le choc, intervint Kevin. Allons, ma chérie, nous allons te mettre au lit pour que tu te réchauffes.

Ébahie, Anne dévisageait son mari. Comment pouvait-il réagir avec une telle légèreté? D'abord un crotale avait menacé Jeff, et maintenant Julie revenait à moitié noyée! Et lui se comportait comme si de rien n'était! Que lui faudrait-il pour comprendre qu'ils n'avaient qu'une chose à faire: leurs valises, pour repartir dans le Connecticut? Elle faillit le lui dire mais se ravisa au dernier moment. Elle lui parlerait plus tard, quand ils seraient seuls et que Julie se serait remise de sa frayeur. Alors il l'écouterait.

Mais le doute s'insinua dans son esprit. Et si Kevin ne voulait pas comprendre? S'il avait déjà l'intention de rester ici? Que ferait-elle?

Elle n'en savait rien.

Kevin souleva Julie dans ses bras et se dirigea vers le perron. Anne se précipita pour lui ouvrir la porte principale. Au moment où il allait en franchir le seuil, Marguerite apparut. Elle recula pour laisser passer son frère mais se campa devant Kerry qui suivait. L'adolescent s'arrêta, indécis.

– Je... je peux entrer? demanda-t-il.

– Que s'est-il passé? dit-elle sans faire mine de bouger. Qu'est-il arrivé à ma nièce?

Aussi clairement qu'il le put, Kerry lui résuma les derniers événements.

– C'était un accident, conclut-il. J'ai essayé de la prévenir, mais trop tard. J'ai...

– Comment osez-vous? siffla-t-elle, soudain furieuse. Comment osez-vous parler d'accident, jeune homme, alors qu'on vous avait confié Julie et que vous la ramenez à moitié noyée?

Kerry rougit jusqu'à la racine des cheveux et fit un pas en arrière.

– Je... je suis désolé, miss Devereaux.

– « Désolé »! Vous êtes « désolé »! Ma nièce est quelqu'un de très spécial, Kerry. Elle est à l'orée d'une carrière de danseuse exceptionnelle. Aujourd'hui, vous avez failli lui enlever cette chance, et tout ce que vous trouvez à dire, c'est que vous êtes « désolé »?

Devant cette ironie blessante, Kerry sentit l'irritation le gagner.

– Et que voulez-vous que je vous dise? rétorqua-t-il. Ce n'est pas ma faute, et j'ai essayé de la prévenir. Je l'ai tirée de l'eau et ramenée ici! Que pouvais-je faire de plus?

– Vous n'auriez jamais dû la laisser aller dans l'eau! décréta sèchement Marguerite. Vous êtes bien comme tous les autres garçons! Aucun sens des responsabilités! Et comment osez-vous me parler sur ce ton?

Cette fois, ç'en était trop pour Kerry.

– Comment j'ose vous parler? s'écria-t-il. Et la façon dont vous me parlez, vous? Maintenant je sais pourquoi Mary-Beth veut laisser tomber vos stupides cours de danse! Si vous parlez à vos élèves comme à moi, elles finiront toutes par partir!

Devant ce déferlement de rage, Marguerite recula d'un pas et dut agripper le montant de la porte pour ne pas perdre l'équilibre.

– Laisser... tomber? bredouilla-t-elle. Je... je ne comprends pas... De quoi parlez-vous?

– Je parle de Mary-Beth, répliqua Kerry d'une voix encore vibrante de colère. Aujourd'hui elle disait qu'elle avait envie de quitter votre cours, et tout le monde essayait de l'en dissuader. Mais maintenant je la comprends!

Il tourna les talons et regagna sa voiture d'un pas nerveux. Quelques secondes plus tard les roues de la Chevrolet patinèrent sur la pelouse dans un vrombissement de moteur, avant de mordre enfin le sol. Dans un dérapage assourdissant, le véhicule fila vers la digue dans un nuage de poussière.

Longtemps après que la Chevrolet eut disparu au loin, Marguerite, abasourdie, était encore immobile sur le seuil de Sea Oaks, le regard absent.

Qu'avait dit Kerry? Mary-Beth voulait quitter son cours? Mais c'était impossible; elle ne pouvait pas abandonner Marguerite. Elle n'en avait pas le droit!

Tandis que ces pensées s'entrechoquaient dans son esprit bouleversé, Marguerite sentit qu'on touchait son bras.

Elle fit volte-face, s'attendant presque à découvrir sa mère derrière elle.

Mais ce n'était pas elle, bien sûr. Helena était morte. Et Marguerite devait cesser de penser qu'elle allait revenir.

– Ruby? balbutia-t-elle, les yeux embués de larmes. Oh, Ruby! Que vais-je devenir? Si Mary-Beth m'abandonne...

– Allons, allons! dit la vieille domestique d'une voix apaisante. N'y pensez pas. Vous ne devez pas vous inquiéter pour Mary-Beth Fletcher. Je vous l'ai toujours dit: celle-là finira mal. Et si elle quitte le cours, ce ne sera pas une grande perte, croyez-moi!

Mais Marguerite secoua la tête.

– Non, balbutia-t-elle. Tu ne comprends pas, Ruby. Elle ne peut pas m'abandonner. Je l'aime, Ruby. Je l'aime, et c'est pourquoi elle n'a pas le droit de m'abandonner...

Sa gorge se serra; elle fit un pas chancelant et dut s'appuyer sur la domestique.

– Elle ne peut pas...

– Alors elle ne le fera pas, dit Ruby avec fermeté. Nous y veillerons, miss Marguerite. Il y a toujours moyen d'arranger les choses.

Elle aida sa maîtresse à rentrer et ferma la porte. Puis elle la guida jusqu'au petit salon et l'assit dans un fauteuil. Marguerite resta ainsi de longues minutes, perdue dans ses pensées. Enfin elle parut sortir de sa rêverie.

– Oui, dit-elle doucement. Nous y veillerons. Il y a toujours moyen d'arranger les choses.

94

# 9

Après le repas, Kevin attendit que Ruby ait débarrassé la grande table de la salle à manger pour parler de l'idée qui avait germé dans son esprit depuis le départ de Sam Waterman, quelques heures plus tôt. Toute sa famille se doutait bien qu'il y avait du nouveau dans l'air, et pendant le repas ils lui avaient demandé à plusieurs reprises pourquoi il souriait. Il avait préféré patienter un peu. Maintenant, alors qu'un soupçon d'air tiède apporté par les portes-fenêtres ouvertes un parfum de glycine, il jugea le moment propice. Il se tourna vers sa fille, assise à sa droite. L'adolescente avalait les dernières miettes de la tarte à la rhubarbe confectionnée par Ruby.

– Que penseriez-vous de vivre ici? dit-il en détachant chaque mot pour donner plus d'emphase à ses propos. Je veux dire : de vivre ici de façon permanente?

Julie considéra son père avec un étonnement non feint, et ses sourcils se froncèrent un peu.

– Tu veux dire qu'on ne retournerait pas dans le Connecticut? Qu'on resterait ici?

Kevin jeta un coup d'œil à sa femme, assise à l'autre extrémité de la table, et le doute l'étreignit. Au lieu de lui sourire pour l'encourager, comme il l'espérait, elle paraissait s'être raidie sur son siège. Il se retourna vivement vers sa fille.

– Non, nous rentrerions dans le Connecticut, bien sûr. Il nous faudrait déménager, vendre la maison, et régler un certain nombre de détails. Mais ce que je voudrais savoir, c'est ce que vous penseriez si nous nous installions ici?

A présent, Julie montrait tous les signes de la stupéfaction la plus totale.

– Eh bien... je ne sais pas, réussit-elle à dire. Enfin, je veux dire... Je n'y avais pas songé, évidemment, alors...

– Moi, je trouve que ça serait super-classe! déclara Jeff avec enthousiasme.

– Quant à moi, fit Anne d'une voix froide, j'aimerais savoir de quoi tu parles.

Kevin regarda de nouveau son épouse. Avant de répondre, il prit silencieusement une grande inspiration.

– J'ai beaucoup réfléchi à notre situation. Bien que Mère ait essayé de m'imposer sa volonté par son testament, je me suis rendu compte qu'elle nous avait peut-être fait à tous le plus beau cadeau de notre vie.

Anne lança un regard vif vers Marguerite, qui écoutait paisiblement son frère.

– Un cadeau? releva-t-elle d'un ton sceptique. Je ne suis pas certaine de suivre ton raisonnement.

Kevin décida qu'il était temps d'abattre ses cartes.

– Une hostellerie, dit-il. Vous savez tous que j'ai toujours voulu avoir mon propre établissement. Eh bien, il me semble que Sea Oaks est un endroit parfait pour ce projet. C'est bien trop grand pour une seule famille; nous avons neuf chambres, chacune équipée d'une salle de bains, et assez de place au rez-de-chaussée pour les pièces communes. Sans compter le reste de l'île. Il y a plus de terrain qu'il n'en faut pour construire un golf, des piscines, des courts de tennis, des bungalows en copropriété, tout ce qu'on veut!

– Enfin, Kevin, de quoi parles-tu? s'exclama sa femme, que cette folie des grandeurs effrayait visiblement. On a l'impression que tu veux transformer cet endroit en complexe hôtelier!

– Mais c'est exactement ça! répliqua-t-il sans pouvoir cacher plus longtemps l'enthousiasme qui l'habitait depuis l'après-midi. Et pourquoi pas? Je reconnais que cela demandera beaucoup de travail et beaucoup d'argent. Mais nous avons déjà tout ce qu'il faut pour commencer : une des meilleures plages de toute la côte, une maison qui fera un petit hôtel très acceptable – au moins au début –, et tout le terrain que nous désirons! Et tout cela nous appartient déjà. Pensez aussi au bénéfice qu'en tirera le village. Bon Dieu! Si ça marche un tant soit peu, le prix des terrains va monter en flèche, et il y aura plus de boulots que d'habitants!

Brusquement, Anne se leva de son siège, le visage fermé.

– Je pense qu'il serait souhaitable que nous en reparlions plus tard, tous les deux, lâcha-t-elle sèchement. Maintenant, si vous voulez bien m'excuser...

Elle sortit de la salle à manger dans un silence total, et ses pas résonnèrent dans l'escalier comme elle montait à l'étage. Julie fut la première à réagir.

– Tu as fait une gaffe, P'pa, dit-elle. Pourquoi ne lui en as-tu pas parlé avant?

Kevin savait que sa fille avait raison. Pourtant l'idée de l'hostellerie lui avait paru tellement bonne qu'il avait cru qu'Anne en serait également ravie. Mais il savait aussi combien sa femme détestait les surprises et plus encore les décisions prises sans elle... Il posa sa serviette sur la table et se leva.

– Je ferais mieux d'aller lui parler.

– Eh bien moi, je trouve toujours que ce serait super-classe! déclara Jeff après le départ de son père.

Julie entendit à peine son frère. Elle observait sa tante qui conservait une immobilité de statue, le regard vide.

– Tante Marguerite? dit-elle après quelques secondes. Savez-vous ce que tout cela signifie? Pourquoi Papa parle-t-il de transformer votre maison en hôtel?

Marguerite parut s'efforcer de s'éclaircir les idées, puis elle sourit faiblement à sa nièce.

– C'est que... Eh bien, cette maison n'est plus vraiment la mienne, ma chérie. Elle appartient maintenant à ton père. Et cela crée quelques... problèmes.

Avec une grande simplicité, Marguerite expliqua les subtilités du testament de sa mère aux enfants. Quand elle eut terminé, Julie était révoltée.

– Mais c'est complètement injuste! s'écria-t-elle. Comment a-t-elle pu vous faire une telle chose?

– Ça ne semble pas juste, ma chérie, mais la vie l'est rarement, dit sa tante avec résignation. Et ton père ne fait que proposer une solution pour s'arranger des dispositions du testament.

Elle laissa errer son regard sur la salle à manger, s'attardant sur chacun des meubles familiers. Puis elle poussa un petit soupir.

– Mais un hôtel... Je ne sais pas. Ouvrir la maison à des étrangers... C'est une idée qui me paraît tellement curieuse.

– Pas tant que cela, tante Marguerite, dit Julie après un temps de réflexion. Papa a vu juste : cette maison ferait un hôtel merveilleux. Et les endroits comme celui-ci sont très recherchés. Papa dit que les gens sont fatigués des hôtels ultra-modernes; ils veulent séjourner dans des lieux qui ont une histoire, qui sont vraiment passés de mode et...

Soudain honteuse de ses propos irréfléchis, elle se tut en rougissant; mais sa tante accueillit son embarras d'un sourire.

– Tu as raison, reconnut-elle d'une voix légère. Cette maison est passée de mode. Et la cuisine est certainement assez grande pour nourrir une armée. A l'époque de ma grand-mère, il n'était pas rare d'avoir vingt-cinq ou trente personnes à chaque repas.

Le visage de Marguerite s'éclaira comme elle se remémorait les jours anciens.

– Et même quand j'étais enfant, nous organisions encore des bals ici. Tout ce qui comptait dans les environs y venait, et nous étions obligés d'engager des extras pour l'occasion. Toute la maison était décorée, comme dans un conte de fées. Nous avions un petit orchestre dans la salle de bal, et on dansait jusqu'à l'aube... Ne serait-ce pas merveilleux si ce temps pouvait revenir? Oh, ce serait comme avant...

Elle se tut brusquement et la joie quitta son visage.

– Avant quoi? voulut savoir Julie.

– Non, rien, fit Marguerite en secouant la tête tristement. Parfois, je me laisse aller à rêver, voilà tout. Et je ne dois pas me le permettre.

– Et pourquoi donc? Je le fais tout le temps. Je m'allonge sur le dos, je regarde le ciel et je m'imagine que je suis un oiseau, ou un nuage. Quel mal y a-t-il à cela?

– Aucun, sans doute, reconnut Marguerite d'une voix singulièrement absente. Mais il ne faut pas le faire trop souvent, ou l'on finit par mélanger le rêve et la réalité. Et alors...

Son visage prit une expression lointaine et elle parut les oublier. Jeff regarda sa sœur avec une certaine nervosité. Alors qu'il allait parler, Julie le devança.

– Allons, lui dit-elle. Si nous allions aider Ruby à faire la vaisselle?

Quelques minutes plus tard, dans la cuisine, Jeff revint à la charge.

– Qu'est-ce qu'elle a, tante Marguerite? demanda-t-il d'un ton sérieux. Pourquoi est-ce qu'elle parle bizarrement? Et quel mal y a-t-il à imaginer des choses?

Ce fut Ruby qui lui répondit:

– Il n'y a aucun mal à imaginer des choses. Mais votre tante n'imaginait pas, elle se souvenait. Et quand elle se souvient des jours heureux qu'elle a vécus ici, elle se souvient aussi des mauvais jours.

– Les mauvais jours? s'étonna le gamin. Comment ça?

Ruby était sur le point de répondre mais elle parut changer d'idée.

– Rien, dit-elle d'un air renfrogné. Je parlais comme ça...


Debout au milieu de la chambre, Anne donnait enfin libre cours à la colère qui n'avait fait que croître en elle au fil des heures.

– Et comment voudrais-tu que je réagisse? lança-t-elle. Cet après-midi, j'ai pris connaissance du testament aberrant de ta mère, ma fille a manqué de se noyer et mon fils de se faire mordre par un crotale. Pour couronner le tout, que se passe-t-il au repas? Tu te comportes comme si cette baraque était la chance de ta vie! Et tu ne m'avais même pas parlé de ton projet avant ce soir! Ça, c'est le bouquet! Tu as pris ta décision tout seul, et maintenant tu espères que je vais dire amen? Eh bien, il n'en est pas question, Kevin! Je refuse!

Son mari s'approcha d'elle, mais elle recula pour éviter qu'il la touche.

– Je suis désolé, dit-il. Chérie, je sais que j'aurais dû t'en parler avant de l'annoncer, mais toute l'idée m'avait semblé tellement parfaite que j'étais persuadé que tu serais d'accord.

Mais Anne ne faiblit pas.

– Une idée parfaite, vraiment? Mais enfin, Kevin, as-tu la moindre notion de ce qu'elle coûterait? Et où trouverions-nous l'argent?

– Nous avons notre maison, et...

– Elle est déjà hypothéquée de la cave au grenier! coupa sa

femme. Nous aurons de la chance si nous parvenons à la libérer, et tu le sais aussi bien que moi!

– Je crois que je peux contracter une hypothèque sur Sea Oaks, dit Kevin d'un ton précipité. Et même si ça ne marche pas, je crois avoir trouvé un moyen de réunir les fonds nécessaires.

– Allons donc! Tu as entendu ce qu'a dit Mr. Waterman. Aucun moyen de contourner le testament; s'il en existait un, il l'aurait trouvé.

– Justement! Il ne s'agit pas de contourner le testament! Je pense que je peux vendre des options pour l'achat des terrains qui sont encore sous bail. Je peux les vendre aux locataires actuels qui le désireront, et le reste à des investisseurs extérieurs. Même chose avec les terrains qui sont sur l'île...

Son épouse considérait Kevin avec le regard désolé d'un être sain pour un fou.

– Tu ne peux rien faire de tout cela, objecta-t-elle. Tu ne peux rien vendre avant dix ans, et encore faut-il que tu restes ici tout ce temps. Et si tu crois que j'y suis disposée...

– Attends, supplia Kevin en levant une main pour l'arrêter. Est-ce que tu veux bien prendre le temps d'y réfléchir? Je reconnais que j'ai eu tort de ne pas t'en parler en premier. Et je n'avais pas vraiment l'intention de l'annoncer comme je l'ai fait. Mais je crois toujours que ce serait une façon de tourner le testament de ma mère à notre avantage. Je te demande simplement de prendre le temps d'y réfléchir. Est-ce que tu veux bien le faire?

Anne faillit formuler une autre objection, mais elle se ravisa. Qu'était-elle en train de faire? Elle se réfugiait derrière ses certitudes aussi fortement que Kevin s'était barricadé derrière les siennes. Elle se força à respirer lentement et à fond, puis elle réussit à sourire.

– D'accord, dit-elle. Je vais y réfléchir. Mais je veux y réfléchir seule, sans que tu viennes me parler toutes les cinq minutes pour tenter de me convaincre.

– Laisse-moi simplement t'expliquer comment je compte procéder pour lancer l'opération, proposa Kevin.

– Demain, répliqua sa femme, intraitable. Nous en parlerons demain. Pour l'instant, je dois décider si je suis capable ou non de vivre ici. Et il y a les enfants. Où iront-ils à l'école? Je ne connais pas grand-chose de la Caroline du Sud, mais je sais que cet État ne fait pas vraiment de grands efforts dans le domaine de l'éducation.

– Je suis allé à l'école ici, remarqua son mari.

– Et tu haïssais cela, rétorqua Anne avec un petit sourire qui disparut presque aussitôt. Kevin, je t'aime beaucoup, mais je ne sais pas si je serai capable de vivre ici. Je t'ai promis d'y réfléchir et je le ferai. Mais si j'en arrive à la conclusion que je ne peux pas rester ici? Quelle sera ta réaction?

Kevin sentit son cœur se serrer. Que ferait-il si elle décidait de partir? Cette éventualité le frappa de plein fouet. Il ne savait ce qui comptait le plus pour lui; sa femme, sa famille et la vie qu'il avait menée ces vingt dernières années, ou cette vieille demeure, symbole d'une jeunesse malheureuse mais promesse d'un avenir dont il n'avait jamais pu que rêver? Son esprit était en pleine révolution, mais avant qu'il ait pu parler, il était déjà trop tard.

— Eh bien, dit Anne d'une voix calme, bien qu'un peu tremblante. Je crois que j'ai ma réponse, n'est-ce pas?

Il était plus de minuit, mais la température avait à peine baissé, et la brise légère qui avait agité l'air dans la journée avait complètement disparu. Une pesanteur moite imprégnait la maison. Assise dans le salon à peine éclairé, Anne sentait l'atmosphère étouffante l'envelopper comme un piège invisible. Au-dehors, la nuit vibrait doucement des stridulations d'insectes qui venaient se cogner aux vitres, attirés par la lueur de la lampe.

Depuis plusieurs heures déjà, elle était assise seule ici. Jusqu'à dix heures et demie, quand ils étaient montés se coucher, Anne avait senti le regard inquiet de ses enfants posé sur elle. Elle savait qu'ils avaient déjà fait leur choix. Ils voulaient rester.

Mais le contraire l'eût étonnée. Pour Jeff, l'île était un véritable paradis, avec ses hectares sauvages à explorer, sa plage privée et une maison qui semblait un château aux yeux d'un enfant de huit ans. Dans son esprit, tout à Devereaux et Sea Oaks prenait l'apparence d'un rêve devenu réalité.

Le cas de Julie était semblable. Elle s'était déjà fait des amis qu'elle semblait préférer aux enfants qu'elle avait connus toute sa vie dans le Connecticut. Et, bien sûr, il y avait Kerry Sanders, ce garçon athlétique, aux yeux d'un bleu limpide et aux cheveux blonds, qui lui avait déjà sauvé la vie. Dans la semi-obscurité du salon, Anne sourit en pensant à l'état d'esprit qui était certainement celui de sa fille à l'heure actuelle. Kerry serait sans doute la première grande histoire d'amour de Julie, et sa mère imaginait aisément la peine de l'adolescente si elle devait retourner dans le Connecticut. Mais elle surmonterait ce chagrin, quoi qu'elle pensât maintenant.

Anne avait également senti le poids du regard de sa belle-sœur, bien que Marguerite ait tout fait pour apparaître neutre. Mais que deviendrait-elle si Anne parvenait à convaincre Kevin de ne pas rester ici? Comment pourrait-elle vivre sans cette maison et les revenus des terrains? Elle n'aurait certainement pas d'autre solution que de vivre avec eux, dans le Connecticut. Le supporterait-elle?

En fin de compte, tous détesteraient rentrer dans le Connecticut.

*Et moi?* songea Anne. Elle avait passé une heure entière à déambuler dans l'immense demeure, en essayant d'imaginer sa vie dans un tel nombre de pièces. Elle avait caressé le vieux bois des meubles, ces meubles qui appartenaient aux Devereaux depuis des générations, et qui maintenant lui appartenaient également.

Mais elle n'avait pu s'en convaincre.

Elle n'était pas une Devereaux, du moins pas une Devereaux de Sea Oaks, et jamais elle n'en serait une. Jamais elle ne se sentirait à l'aise dans un tel environnement. Elle avait grandi dans une petite ville de l'État de New York, dans une petite maison de cinq pièces dont ses parents avaient eu du mal à payer les traites. Ensuite elle avait déménagé à New York, dans un appartement qu'elle partageait avec trois amies. Puis elle avait rencontré Kevin. Ils s'étaient mariés. Mais jamais elle n'avait vraiment compris le milieu dont il venait. Il avait très peu parlé de sa famille, et toujours avec une amertume qui glaçait le cœur d'Anne. Elle savait qu'il avait grandi dans une école militaire qu'il avait détestée. A la première occasion, il était monté dans le Nord. Et il n'avait jamais laissé entendre qu'il pourrait désirer retourner vivre en Caroline du Sud si les circonstances s'y prêtaient.

Maintenant, néanmoins, les circonstances l'avaient fait changer d'avis.

Bien sûr, ils n'habiteraient pas Sea Oaks, se souvint-elle. Du moins pas toute l'énorme bâtisse. Et ce ne serait plus une demeure privée mais une entreprise hôtelière que Kevin pourrait très bien gérer. De cela, Anne ne doutait pas. Mais ils devraient rester ici, et Kevin travaillerait tout le temps, au moins les premières années; les enfants iraient à l'école ici, ce qui, pour Anne, paraissait aussi déplorable que de ne pas y aller du tout.

Et ils risquaient fort de finir ruinés, malgré la compétence indéniable de son mari. Ces choses arrivaient tous les jours dans l'hôtellerie.

En plus de toutes ces incertitudes, il leur faudrait supporter la chaleur, l'humidité, les insectes, les serpents, les alligators...

*Non!*

Elle faillit le crier. Cette situation lui serait impossible à endurer. Mais comment l'expliquer à Kevin? Et quelle serait sa réaction?

Refusant d'admettre que son mariage venait peut-être de

recevoir un coup fatal, elle ferma les yeux quelques minutes et laissa son esprit vagabonder.

Et tous ces problèmes découlaient du testament diabolique d'une vieille femme aigrie. Helena était la cause de tous leurs ennuis.

La pendule sonna la demi-heure, et Anne se dit qu'elle devrait aller au lit. Son esprit commençait à s'embrumer, et ses émotions prenaient le dessus.

D'abord elle ne sut pas pourquoi elle était persuadée de ne plus être seule dans le salon. Ce n'était qu'une impression. Les paupières toujours baissées, elle écouta.

Il y eut un craquement du plancher, trop bruyant pour être dû au seul bois dont il était fait.

Quelqu'un était entré dans la pièce et s'approchait. Mais pourquoi ne disait-il rien? Anne sentit les battements de son cœur s'accélérer. Il fallait qu'elle ouvre les yeux.

Mais elle n'en avait pas la force.

Le plancher craqua une nouvelle fois.

Rassemblant tout son courage, Anne releva les paupières.

A quelques pas d'elle se tenait une silhouette toute de blanc vêtue.

*Helena!*

Anne sursauta et se redressa dans son fauteuil, le souffle coupé. Alors la silhouette bougea, et une voix connue rompit le silence :

– Anne? C'est moi, Marguerite. Je croyais que vous dormiez, et je ne voulais pas vous réveiller.

Anne eut un petit rire nerveux tandis que les battements de son cœur se calmaient peu à peu.

– Marguerite! Excusez-moi de cette réaction, mais vous avez failli me faire mourir de peur! Je crois bien que je m'étais assoupie, et tout d'un coup j'ai eu cette impression étrange d'une présence et, quand j'ai ouvert les yeux, j'ai cru pendant une seconde que vous étiez le fantôme d'Helena! (Elle s'arrêta un instant, gênée de ses paroles.) Mais que faites-vous ici? Je vous croyais couchée depuis des heures!

– Je n'arrivais pas à m'endormir, avoua Marguerite en sortant de l'ombre pour s'asseoir dans le fauteuil en face de sa belle-sœur. J'étais allongée là-haut, et je pensais au testament de Mère, et plus j'y pensais, plus j'avais peur... (Elle fixa sur Anne des yeux agrandis par l'émotion.) Je n'ai pas osé en parler à Kevin; il a déjà tant de problèmes en tête. Mais j'ai peur, Anne. Et je ne sais que faire...

– Peur? Mais de quoi?

Marguerite se mordit les lèvres avant de répondre, d'une voix qui n'était guère plus qu'un murmure :

– J'ai peur qu'il reparte. Et s'il le fait, que deviendrai-je? Je n'aurai plus aucun endroit où vivre, ni aucun revenu. Je... je ne sais pas quoi faire, et je sais que ce n'est pas votre problème, mais...

— Mais bien sûr que c'est aussi mon problème! dit immédiatement Anne avec compréhension. Quoi qu'il se passe, nous sommes tous concernés, et nous voulons aussi savoir ce que vous ressentez.

Dans la lumière chiche de la lampe, Marguerite cligna des yeux.

— Mais c'est justement là le problème, ne comprenez-vous pas? Je ne sais plus ce que je ressens. Je ne peux même pas imaginer de vivre ailleurs qu'ici, mais je ne veux pas que vous preniez une décision qui vous déplaît. Oh, Anne! Kevin est tout ce qui me reste, avec les enfants et vous. Et je me rappelle combien il était malheureux ici. Mais s'il part maintenant, et que je perds la maison...

Sa voix se brisa et elle enfouit son visage dans ses mains. Anne se leva et vint passer un bras affectueux autour de ses épaules. Quand Marguerite releva les yeux, son visage était baigné de larmes.

— Je ne veux pas la perdre, Anne, dit-elle d'une voix heurtée. Je ne veux pas... Je vous en prie, il faut que vous restiez, tous... J'ai... j'ai tant besoin de vous...

Anne fit un effort pour maîtriser son émotion et parler d'une voix sereine :

— Nous trouverons une solution, promit-elle. D'une façon ou d'une autre, nous trouverons. Et vous ne serez pas seule. D'accord?

Marguerite hésita un moment avant de hocher la tête. Puis elle se tamponna les yeux avec un mouchoir. Elle se mit ensuite debout et se dirigea d'un pas chancelant vers le hall.

— Je suis désolée, dit-elle d'un ton d'excuse. Je me sens vraiment idiote, mais je n'ai pas pu me retenir. Il fallait que je descende et que je vous parle. Je... j'espère que vous ne m'en voulez pas trop...

— Bien sûr que non, l'assura sa belle-sœur. A présent, retournez donc vous coucher et tâchez de dormir un peu. Je suis certaine que demain nous verrons les choses beaucoup plus clairement. Je vous promets d'y réfléchir, de mon côté.

Marguerite lui sourit faiblement.

— C'est bien, dit-elle. C'est ce que j'ai souvent fait moi-même... (Elle considéra la grande entrée sombre et frissonna.) Bien sûr, parfois je n'arrivais même plus à penser correctement, avec tous les souvenirs qui sont ici. Alors je prenais la voiture et je partais faire un tour. Simplement pour m'éloigner un moment de l'île; vous comprenez?

— Oui, bien sûr, répondit Anne.

Elle attendit que Marguerite ait disparu dans les escaliers et revint au salon pour y éteindre la lampe. A sa grande surprise, elle découvrit Ruby, appuyée contre la porte de la salle à manger, les mains retenant le peignoir qu'elle avait passé sur ses épaules. La vieille domestique l'observa de longues secondes, puis elle dit, d'une voix très douce :

– Elle vous a tous possédés. Et elle ne laissera partir personne...

Anne comprit immédiatement de qui elle parlait.

– Elle est morte, Ruby, répondit-elle avec calme. Morte et enterrée, et elle ne peut plus rien nous imposer. Quoi que nous fassions, ce sera parce que nous le voulons, et non à cause de miss Helena ou de son testament.

Mais Ruby secoua lentement la tête.

– Vous resterez. Vous resterez tous. C'est ce qu'elle veut, et elle trouvera un moyen d'y parvenir.

Laissant Anne au milieu du salon toujours dominé par le portrait d'Helena Devereaux, la vieille domestique tourna les talons et s'en fut de sa lourde démarche vers la petite chambre qu'elle occupait à côté de la cuisine.

# 10

Le ciel matinal était d'un gris d'ardoise, et d'épais nuages arrivaient du sud-ouest en lourdes volutes menaçantes. Devant le plan de travail de la cuisine, Ruby, qui mettait la dernière main au plateau de Marguerite, jeta un coup d'œil maussade par la fenêtre.

– On dirait qu'ils ont oublié de nous prévenir pour celui-là, maugréa-t-elle. Une mauvaise journée se prépare. Je ne crois pas que miss Marguerite descende aujourd'hui.

Julie leva les yeux de la revue qu'elle feuilletait en prenant son petit déjeuner.

– Et le cours ? s'enquit-elle. Tout à l'heure, elle était levée, non ?

– Tout ce que je sais, c'est qu'elle souffre beaucoup de sa hanche quand il fait ce genre de temps. Alors je ne vois pas comment elle pourrait donner son cours. (Elle désigna d'un regard la tempête qui continuait d'approcher.) Et puis, avec ce qui arrive, personne ne pourra plus emprunter la digue d'ici peu de temps, de toute façon...

Elle prit le plateau et se dirigea vers la porte, mais Julie se leva d'un bond.

– Je peux le lui porter, dit-elle.

Ruby hésita une fraction de seconde, et les rides de son front se creusèrent un peu plus. Puis elle sourit et tendit le plateau à la jeune fille.

– Eh bien, je pense que ça pourrait lui faire plaisir, oui.

Tenant le petit déjeuner avec précaution, Julie poussa à reculons les portes battantes de l'office qu'elle traversa. Puis elle passa dans la salle à manger et le salon avant de gravir l'escalier. Alors qu'elle commençait à monter les marches, elle entendit la voix de sa mère provenant de la bibliothèque située dans l'aile opposée.

– Voyons, Kevin! Tu ne peux pas t'attendre à ce que je prenne une décision d'une telle importance en l'espace d'une nuit. Mon Dieu! D'abord tu m'annonces cette nouvelle sans aucun préambule, et maintenant tu voudrais que je te donne un avis définitif le lendemain! Ce n'est pas sérieux!

– Ma chérie, je ne te demande pas de prendre une décision maintenant. Je voudrais juste que tu me laisses t'expliquer...

– Non! s'exclama Anne. Il n'y a rien à expliquer! Je suis persuadée que ton idée est parfaitement raisonnable. Mais je ne suis pas du tout sûre de pouvoir vivre ici. Et j'ai la conviction que ce ne serait pas bon pour les enfants.

– Mais ils veulent rester!

– Et Jeff voudrait que ce soit Noël tous les jours! Pour l'amour du ciel, Kevin! Ce ne sont que des enfants! Tu ne peux pas leur demander de savoir ce qui est bon pour eux!

Sans attendre la réponse de son père, Julie monta rapidement l'escalier et se dirigea vers la chambre de Marguerite. Dans sa précipitation, elle avait renversé un peu de jus d'orange sur la pile de toasts, et c'est en retenant des larmes qu'elle poussa la porte. Vêtue d'un peignoir de satin rouge, sa tante se reposait dans un fauteuil près du lit, sa jambe estropiée allongée sur une ottomane. Elle accueillit l'adolescente d'un sourire chaleureux qui disparut dès qu'elle remarqua ses yeux pleins de larmes.

– Julie, quelque chose ne va pas?

La jeune fille renifla discrètement en posant le plateau sur la table.

– Non, non, rien. J'ai simplement entendu Papa et Maman, c'est tout. Ils se disputent parce qu'ils ne savent pas si on peut rester ici ou non.

Un moment, Marguerite ferma les yeux et balança lentement sa tête d'avant en arrière.

– Je le savais, murmura-t-elle en regardant de nouveau sa nièce. Je savais que cela créerait des problèmes. Je croyais... enfin, c'est sans importance, maintenant... C'est vraiment très gentil à toi de m'apporter mon petit déjeuner, mais tu n'avais pas à te donner cette peine : Ruby l'aurait fait.

– Mais c'est moi qui le lui ai demandé, protesta Julie. Je suis désolée que votre jambe vous fasse si mal. Ruby m'a dit que c'était toujours pire à l'approche d'une tempête.

Marguerite eut un petit sourire résigné.

– Hélas, c'est sans remède. Mais si je me tiens tranquille pendant une heure ou deux, je devrais être d'aplomb pour le cours de danse.

Julie jeta un coup d'œil nerveux par la fenêtre. Le vent semblait s'être levé, et les pins commençaient à frémir, produisant un son bas et continu, comme une plainte indéfinie. Elle réprima un frisson.

– Vous croyez vraiment qu'elles vont venir? dit-elle. Ruby disait que...

– Ruby s'inquiète pour un rien, coupa Marguerite avec un geste négligent de la main. Elle est toujours persuadée qu'une catastrophe est imminente. Ce n'est qu'un mauvais coup de vent. Tu verras: à dix heures toutes les filles seront là, et je n'aurai plus mal à ma jambe.

Mais Julie ne paraissait pas entièrement rassurée.

– Je pourrais peut-être téléphoner à Jenny et lui dire de ne pas venir. Elle préviendrait les autres...

– Ridicule! Si je pensais ne pas être en mesure de donner mon cours, je te le dirais. Et j'interdirais aux filles de faire route vers l'île s'il y avait le moindre risque. Mais je serai en pleine forme à l'heure du cours, et le grain sera passé. Tu devrais redescendre pour finir ton petit déjeuner; d'ailleurs tu ne peux pas danser juste après avoir mangé, tu le sais. Tu aurais des crampes.

L'adolescente se dirigea vers la porte.

– Julie? Ne t'inquiète donc pas pour ta mère, ajouta Marguerite. Je suis certaine qu'elle finira par prendre la bonne décision. Il faut juste lui laisser un peu de temps. D'accord?

– Oui, répondit Julie sans grande conviction avant de sortir de la chambre.

En haut de l'escalier, elle s'apprêta à entendre les échos de la querelle qui devait toujours opposer ses parents, mais aucun son ne lui parvint de la bibliothèque. Mais en arrivant dans la cuisine, elle vit ses parents attablés face à face, le visage fermé.

Aucun des deux ne lui adressa la parole, et Ruby lui lança un regard de mise en garde. La jeune fille ressortit de la cuisine et repartit vers sa chambre. Alors qu'elle montait l'escalier, Jeff arriva en sens inverse, dévalant les marches deux par deux comme à son habitude. Julie le saisit par les épaules alors qu'il passait à sa hauteur.

– Si tu avais l'intention d'aller à la cuisine, dit-elle, tu ferais mieux d'y renoncer. Maman et Papa sont en train de s'y disputer. Pour l'instant, ils ne se parlent même plus.

Jeff écarquilla les yeux.

– M'man et P'pa ne se disputent jamais!

– Eh bien, c'est pourtant ce qu'ils sont en train de faire. Et il vaut mieux se tenir à l'écart. Compris?

– Mais j'ai faim, moi! s'insurgea le gamin en se libérant des mains de sa sœur. Qu'est-ce que je dois faire? Mourir de faim?

Julie eut un soupir excédé.

– Très bien! Fais ce que tu veux. Mais si Maman et Papa se mettent à hurler après toi, ne viens pas te plaindre!

Jeff toisa sa sœur avec un certain dédain.

– Sûrement pas!

Cinq minutes plus tard, pourtant, il se glissait dans la chambre de Julie, le visage pâle.

– Ils crient tous les deux! annonça-t-il d'un ton apeuré. M'man dit qu'elle ne pourra jamais vivre ici, et P'pa dit qu'il le faut. Qu'est-ce qu'on va faire?

– Je ne sais pas, reconnut sa sœur après un moment. Je crois que nous ne pouvons rien faire sinon attendre de voir la tournure que prendront les choses.

– Eh bien, c'est pas juste! répliqua Jeff. Tout le monde veut rester ici sauf M'man. Qu'est-ce qu'elle a?

Pour toute réponse, Julie ne put que hausser les épaules en signe d'ignorance.


La pluie commença à dix heures. Alicia Mayhew gara son break devant Sea Oaks, et quatre adolescentes en sortirent, pour courir aussitôt s'abriter sous la grande véranda de la vieille demeure. Jenny allait les imiter quand sa mère, qui observait avec inquiétude le ciel de plus en plus lourd, la retint un instant.

– Je ferais peut-être mieux d'attendre, dit-elle. Le temps se gâte vraiment.

– A quoi ça te servira? demanda l'adolescente. Si ça tourne à la tempête, tu seras bloquée ici avec nous. Mais si rien ne se passe, tu pourras revenir nous chercher comme d'habitude.

Alicia serra affectueusement le bras de sa fille.

– Je te demande seulement de ne pas rentrer à pied par un temps pareil. Ni aucune de tes amies. Promis?

– Promis, ronchonna Jenny. Maintenant, Maman, cesse de te faire du mauvais sang et rentre à la maison. Tout se passera bien, je t'assure.

Elle sortit de la voiture, claqua la portière et monta en courant la volée de marches pour rejoindre les autres jeunes filles sous la véranda. Elle se retourna et fit un signe de la main en direction du véhicule avant d'appuyer sur le bouton de la sonnette. Elle savait que sa mère ne partirait pas avant de les avoir vues entrer dans la vieille demeure. Parfois, elle avait envie de lui rappeler qu'elle n'avait plus cinq ans. Enfin Ruby ouvrit le lourd battant, et les adolescentes s'engouffrèrent à l'intérieur. Jenny tourna la tête une dernière fois. Le break descendait lentement vers la route, tandis que le premier éclair striait le ciel sombre, immédiatement suivi d'un coup de tonnerre assourdissant.

– Où est Julie? demanda Jenny avant de foncer comme les autres vers l'escalier.

Du pouce, Ruby désigna les étages.

– Dans sa chambre, je suppose. Et je ne suis pas sûre que vous ne perdiez pas votre temps, ce matin. Miss Marguerite ne se sent pas très bien, aujourd'hui.

Jenny eut un sourire malicieux.

– Il faudrait qu'elle soit morte pour annuler un cours!

Comme pour prouver cette affirmation, Marguerite apparut alors en haut de l'escalier, le corps aussi droit qu'à l'accoutumée. Ses cheveux étaient ramenés sur son crâne en un chignon parfait, et elle avait passé une blouse ample sur sa tenue de danse.

– Et toi, Jenny, dit-elle en jetant un regard sévère à l'adolescente, tu seras morte avant la fin du cours si tu ne montes pas immédiatement pour t'échauffer!

Tandis que son élève obtempérait de bonne grâce, Marguerite parcourut le palier d'une démarche aisée, sa claudication presque imperceptible. Ruby l'observa jusqu'à ce que sa maîtresse disparaisse à sa vue, puis elle retourna dans la cuisine. C'était étrange. Depuis vingt ans la jambe de Marguerite devenait un véritable poids mort dès qu'une tempête approchait. Ce matin, quand elle avait découvert sa maîtresse dans la cuisine avant qu'elle-même fût habillée, elle avait lu la douleur sur son visage, et la jambe de Marguerite était si raide qu'elle avait eu toutes les peines du monde à monter dans sa chambre. Pourtant, Marguerite paraissait maintenant ne ressentir aucune souffrance.

*Un jour bien étrange,* se dit la vieille domestique en entrant dans la cuisine. *Oui, un jour bien étrange...*


Anne avait l'impression que tout dans Sea Oaks essayait de l'étouffer. Depuis l'instant où elle était sortie d'un sommeil agité, ce matin, elle avait ressenti une pression indéfinissable autour d'elle. Il ne s'agissait pas uniquement de Kevin, qui lui demandait de se décider avant qu'elle ait vraiment pris le temps de réfléchir. Les enfants aussi avaient leur part dans ce sentiment. Elle avait entraperçu le visage de Julie quand celle-ci était entrée dans la cuisine pour en ressortir aussitôt.

Pendant un instant, leurs regards s'étaient croisés, et Anne avait très bien compris ce qu'exprimait celui de sa fille : « Pourquoi t'opposes-tu à Papa ? Pourquoi n'acceptes-tu pas ce que nous désirons tous ? »

Puis Jeff avait fait irruption, le visage anxieux et les yeux implorants. Juste à temps pour l'entendre crier comme une mégère.

Malgré ses appréhensions, elle avait bien failli de guerre lasse baisser les bras et accepter les projets de son mari. Et elle l'avait laissé la guider dans chaque pièce de la maison pour lui expliquer les travaux qu'il comptait y effectuer. Mais elle n'avait vu que la promesse de travaux considérables et de factures énormes. Pour quel résultat ? Se retrouver prisonnier de cette île minuscule !

C'est alors qu'elle avait ressenti cette impression d'étouffement, si brutalement qu'elle avait eu envie de hurler.

Ils se trouvaient maintenant dans la bibliothèque. Kevin passait en revue les plans qu'il avait déjà élaborés, chiffrant les dépenses et démontrant à sa femme les différentes façons d'honorer les emprunts nécessaires. Mais elle ne pouvait plus l'écouter. La tempête qui commençait à rugir au-dehors n'y était pour rien. Les bourrasques de vent et les coups de tonnerre de plus en plus fréquents avaient moins d'effet sur elle que l'hostilité qui émanait de la vieille demeure.

Chaque pierre de Sea Oaks lui hurlait de s'enfuir, d'aller réfléchir loin d'ici, dans quelque endroit où elle pourrait s'isoler, sans l'accusation muette des regards de tous. Elle se souvint alors des paroles prononcées par Marguerite la nuit précédente : « ... Parfois je prenais la voiture et je partais faire un tour. Simplement pour m'éloigner un moment de l'île. »

— Je m'en vais, dit-elle soudain.

Kevin la regarda avec des yeux ronds.

— Tu t'en vas ? répéta-t-il d'une voix blanche. Mais je croyais...

— Pas définitivement, précisa Anne. Mais il faut que je parte d'ici, de cette maison, de cette île. J'ai envie d'être seule pendant quelque temps. (Ses yeux s'embuèrent de larmes.) Ici, j'ai l'impression que je ne peux même plus réfléchir. Je sais ce que tu veux, et ce que veulent les enfants, et Marguerite... Mais moi, je ne sais plus ce que je veux, Kevin ! Et chaque minute qui passe m'enfonce un peu plus ! Et je ne sais même pas pourquoi !

Sa voix avait pris des inflexions dangereusement aiguës, et les mots s'entrechoquaient sur ses lèvres.

— Oh ! Je sais bien que cette maison est très belle, et qu'elle ferait un hôtel magnifique ! Et je suis sûre que tu peux le réaliser ! Mais je me sens complètement dépassée... C'est comme si ta mère te donnait toujours des ordres, bien qu'elle soit morte. J'ai l'impression qu'elle vous possède, toi, les enfants, et Marguerite, et qu'elle cherche à me posséder aussi! Je me rends bien compte que tout ça peut te paraître aberrant, mais c'est ainsi que je ressens la situation! J'ai peur de devenir folle, Kevin, et c'est pourquoi il faut que je parte d'ici! *Maintenant!*

Kevin voulut la prendre par le bras, mais elle l'esquiva.

— Non! s'écria-t-elle. N'essaye pas de me retenir! Et ne dis rien! Laisse-moi seulement partir!

Atterré, Kevin contemplait sa femme. Une pâleur mortelle avait envahi son visage, et ses mains étaient agitées d'un tremblement incoercible. Son regard brûlait d'une violence qu'il n'aurait jamais soupçonnée. Il voulut l'approcher mais elle recula de nouveau.

— Je t'en prie, dit-elle dans un murmure angoissé. Laisse-moi partir. Je veux juste m'éloigner d'ici quelques heures.

Brusquement elle se détourna de lui et se précipita hors de la bibliothèque. Il la rattrapa dans l'entrée. Elle avait enfilé un imperméable et fouillait dans son sac à la recherche des clefs du break. La porte était déjà entrouverte quand il la referma avec autorité.

— Pas maintenant, dit-il en haletant. Chérie, il faut que tu attendes un peu. La tempête est en plein sur nous. Tu ne pourras même pas traverser la digue.

— Il faut que je parte d'ici! s'obstina sa femme. Et il faut que je parte tout de suite! Si je ne quitte pas immédiatement cette île, je sens que je vais devenir cinglée! (Elle croisa le regard de son mari.) Il le faut vraiment, Kevin. Je reviendrai dans quelques heures, mais je dois partir maintenant...

Elle ouvrit la porte et sortit. Une bourrasque chargée de pluie la frappa de plein fouet, mais elle n'en avait cure. Courbée pour lutter contre le vent, elle descendit en vacillant les quelques marches et s'éloigna en direction du garage. Une minute plus tard, Kevin vit leur break déboucher de l'allée pour s'engager à bonne allure sur la route menant à la digue. Impuissant, il observa le véhicule jusqu'à ce qu'il disparaisse dans la tourmente.

Il allait repousser la lourde porte quand un éclair illumina le ciel, aussitôt suivi d'un coup de tonnerre assourdissant. Les vitres des fenêtres tremblèrent dangereusement, et toutes les lumières s'éteignirent en même temps, plongeant la maison dans une obscurité soudaine.

Kevin jura à mi-voix. Il lutta une seconde contre la force du vent pour refermer la porte. Puis il se dirigea vers l'escalier menant au sous-sol. Avec un peu de chance, seul le fusible principal aurait sauté.

Dans la salle de bal, la musique du phonographe mourut brusquement, tandis que les ampoules des énormes lustres s'éteignaient. Au-dehors, les éléments se déchaînaient. Une des adolescentes ne put réprimer un petit cri de frayeur.

– Tout va bien, dit Marguerite avec assurance. Ce n'est qu'une tempête, et nous en avons toutes subies par le passé. Je suis certaine que la lumière sera rétablie dans un petit moment et que nous pourrons reprendre le cours.

– Et pourquoi ne pas arrêter maintenant? dit Mary-Beth d'un ton belliqueux. De toute façon, nous ne faisions que rester assises à regarder Julie danser! Je me demande bien pourquoi nous sommes venues aujourd'hui, tiens!

Dans la clarté grisâtre de la tempête, les autres élèves gardèrent un silence gêné, leur attention fixée sur Marguerite. Après une seconde d'étonnement, celle-ci sourit à Mary-Beth.

– Tu as peut-être raison. Nous pourrions abréger le cours et descendre à la cuisine. Ruby a certainement quelque chose à manger pour nous. Qu'en pensez-vous?

Ces paroles désamorcèrent la tension créée par Mary-Beth, et les adolescentes se mirent à délacer leurs chaussons de danse avant de se diriger vers la porte. Elles tâtonnèrent un peu dans l'obscurité de la cage d'escalier, mais elles arrivèrent au rez-de-chaussée sans encombre. Pourtant, alors que les autres allaient se diriger vers la cuisine, Mary-Beth s'immobilisa.

– Moi, je rentre, annonça-t-elle. Je n'ai pas faim, et j'en ai marre d'entendre miss Marguerite s'extasier sur Julie. D'ailleurs, j'en ai marre de ces cours débiles!

– Tu ne peux pas arrêter un peu? lança Jennifer Mayhew. Tu veux que miss Marguerite t'entende?

– Quelle importance? rétorqua Mary-Beth. De toute façon, elle ne s'intéresse plus à nous. Il n'y a plus que sa frimeuse de nièce nordiste qui compte, et j'en ai tellement marre d'elle que j'ai envie de vomir! Alors je rentre, un point c'est tout!

– Mais tu ne pourras pas traverser la digue!

– Eh bien, je préfère encore être noyée en essayant de traverser la digue que rester ici! répliqua Mary-Beth.

Elle boutonnait son imperméable quand Marguerite commença à descendre lentement du premier étage en se tenant à la rampe. Et elle s'apprêtait à sortir lorsque son professeur atteignit enfin le rez-de-chaussée.

Marguerite regarda la jeune fille avec incrédulité.

– Mary-Beth? Où vas-tu?

– Chez moi, dit l'adolescente en baissant les yeux. J'ai décidé d'abandonner les cours de danse et je ne veux pas rester ici une minute de plus. Alors, je rentre chez moi. Voilà.

111

Le visage de Marguerite s'assombrit.

– Mais... Je ne comprends pas... Je croyais que tu aimais la danse...

– Peut-être avant, répliqua Mary-Beth d'un ton renfrogné. Mais maintenant c'est fini. Et je n'aime pas Julie non plus. Alors, je crois qu'il est préférable que je m'en aille.

Elle se tourna vers la porte, mais Marguerite l'arrêta.

– Mary-Beth, tu ne peux pas partir maintenant. Pas dans cette tempête... Et pas de cette façon... (Sa voix prit une intonation suppliante.) Je t'en prie, reste au moins jusqu'à la fin de la tempête. Et essayons de discuter de tout cela. Tu ne peux pas partir comme ça. Non, tu ne peux pas...

Mais la détermination de l'adolescente ne fléchit pas.

– La tempête ne me fait pas peur, rétorqua-t-elle, et j'ai pris ma décision. Laissez-moi partir!

Sans attendre plus, Mary-Beth ouvrit la porte et sortit. La tourmente l'engloutit rapidement.

Effarée, Marguerite la vit disparaître dans les bourrasques chargées de pluie. Dans un geste inconscient elle porta la main à sa hanche droite, où la douleur s'était brusquement réveillée. Prenant soudain sa décision, elle alla jusqu'à la penderie et décrocha un imperméable.

Julie, qui se tenait toujours immobile dans l'entrée, avait suivi chacun de ses mouvements.

– Tante Marguerite, que faites-vous? Vous ne pouvez pas sortir. Laissez-moi y aller avec Jenny. Nous ramènerons Mary-Beth.

– Non, répondit calmement Marguerite. C'est à moi de le faire. Je dois agir comme il convient. (Elle adressa un sourire paisible aux adolescentes en ouvrant la porte.) Cela ne prendra pas plus de cinq minutes, je vous le promets.

Un moment plus tard elle avait également disparu dans la tempête.


Anne stoppa le break à l'entrée de la digue. Elle tenta de scruter le passage, mais la visibilité était quasiment nulle. Malgré les essuie-glaces en position rapide, la pluie tombait si dru que le pare-brise était continuellement couvert d'un voile liquide. Elle opta pour la seule solution qui lui restait : baissant la vitre, elle passa la tête au-dehors pour repérer l'amorce de la digue.

Des bourrasques en provenance du sud balayaient sauvagement la côte, arrachant à la mer houleuse de lourds embruns. Anne put constater que la digue était toujours praticable, bien qu'elle aperçût une vague qui submergea un moment le passage dans des geysers d'écume. Elle remonta la vitre et remit le break en marche.

Elle avait à peine parcouru le quart de la digue quand le moteur se mit à avoir des ratés. Elle enfonça l'accélérateur en freinant un peu. L'automobile trembla une seconde, le moteur rugit et le véhicule fit un bond en avant.

Tout se passa bien sur une cinquantaine de mètres, puis le moteur toussa de nouveau, renâcla, et finalement se tut. Le break glissa un moment sur sa lancée, puis s'arrêta. Anne repassa au point mort et tourna la clef de contact, mais rien ne se produisit. Elle recommença la manœuvre, et cette fois le démarreur hoqueta, mais le moteur refusa de se mettre en marche. Elle attendit quelques secondes, et fit un nouvel essai.

En vain.

Le vent redoublait de violence. Anne sentit le véhicule glisser de quelques centimètres sur le côté, poussé par la force de la tempête. Une vague se dressa comme un mur liquide et balaya la chaussée.

Anne tourna de nouveau la clef de contact, et le démarreur crachota à peine.

Sans véritablement se rendre compte de ce qu'elle faisait, Anne ouvrit la portière et sortit. Se cramponnant comme elle le pouvait à l'automobile, elle se plaça devant la calandre et actionna la petite manette qui déclenchait l'ouverture du capot. Le relevant, elle détailla d'un regard affolé l'enchevêtrement de fils électriques, de tuyaux et de pièces métalliques.

Elle se souvint alors que ses connaissances en mécanique étaient des plus restreintes. Elle n'avait qu'une notion très vague de la façon dont fonctionnait un moteur et aucune idée de ce qu'il convenait de faire en cas de panne.

Une autre vague submergea brusquement la digue et faillit la renverser. Le souffle coupé par le choc, elle referma le capot d'une poussée et retourna s'asseoir dans la voiture. Avant qu'elle ait eu le temps de refermer la portière, une autre vague survint, trempant Anne et l'intérieur du break.

Elle claqua la portière et resta assise un long moment, à contempler les éléments déchaînés à travers le pare-brise.

La tempête grossissait rapidement, et à présent chaque vague submergeait la digue qui se trouvait continuellement inondée.

Il fallait que l'automobile démarre! Elle n'avait plus d'autre solution. A pied, elle aurait été déséquilibrée par une bourrasque, ou engloutie par une vague.

Nerveusement, elle tourna une nouvelle fois la clef de contact.

Le démarreur grinça faiblement, et elle comprit qu'elle épuisait la batterie. Le moteur resta silencieux.

Elle jeta un regard affolé sur le tableau de bord, à la recherche de ce qui n'allait pas.

Alors elle vit.

L'aiguille de l'indicateur d'essence pointait désespérément sur zéro, alors qu'elle aurait dû se trouver à l'opposé.

Le réservoir était vide.

Mais c'était impossible! Elle avait fait le plein deux jours plus tôt, et ils n'avaient pratiquement pas utilisé le break entre-temps.

Peu à peu, la vérité s'imposa à son esprit.

On avait siphonné l'essence du break.

*Pourquoi?* Cela n'avait aucun sens!

La panique qui n'avait cessé de menacer s'empara brutalement d'elle. Avec frénésie, elle écrasa l'avertisseur, priant silencieusement pour que quelqu'un l'entende et vienne à son secours. Mais elle savait que c'était sans espoir. Elle-même percevait à peine le faible bruit du klaxon couvert par le mugissement de la tempête, et les paquets d'embruns étaient devenus si massifs qu'elle ne voyait plus aucune extrémité de la digue.

Elle comprit qu'elle devait à tout prix reprendre son calme. Ce n'était qu'un grain d'été, un peu fort certes, mais qui allait bientôt passer, même s'il avait pour elle des allures de cyclone. Quand la tempête se serait atténuée, il lui suffirait d'abandonner le break et de rejoindre le village à pied.

Mais la tempête ne donnait aucun signe d'épuisement. Bien au contraire, elle allait crescendo. Lorsque Anne regarda vers le sud, les vagues qui arrivaient lui parurent énormes.

Alors une vague monstrueuse surplomba soudain la digue. Pendant une seconde qui sembla une éternité, la masse d'eau titanesque cacha l'horizon avant de s'écraser sur la route.

Le break fut frappé de travers avec la force d'une locomotive lancée à toute vitesse.

Le véhicule trembla, et Anne le sentit glisser de côté. Pendant un très court instant elle crut qu'il allait résister au mouvement, mais la force d'inertie du break céda devant la puissance de la vague.

Pareille à une main géante, la mer souleva le Dodge et le projeta à bas de la digue.

Anne hurla comme le break heurtait la surface de l'eau et se recroquevilla instinctivement pour se protéger du choc. Puis la mer se referma sur le véhicule, le ballottant au gré des courants et des bourrasques.

Elle devait s'échapper de la carcasse métallique avant que l'eau ne l'emplisse.

Elle voulut ouvrir la portière, mais la pression de l'eau était trop forte. Soudain elle comprit ce qu'elle devait faire : descendre lentement la vitre pour laisser l'eau entrer, ce qui finirait par équilibrer la pression. Ensuite elle pourrait ouvrir la portière ou s'échapper par la vitre baissée.

Elle prit une profonde inspiration et donna un tour à la poignée de la vitre.

L'eau se rua à l'intérieur beaucoup plus vite qu'elle ne l'avait pensé. Elle se détourna du flot qui l'aspergeait avec violence et sentit le niveau de l'eau monter rapidement.

Soudain le break s'immobilisa, et elle se rendit compte qu'il s'était posé sur le côté, sa vitre ouverte tournée vers le haut. Elle avait toujours une chance! Le pare-brise s'incurva brusquement, puis explosa sous un torrent liquide. Anne hurla une dernière fois avant d'aspirer un peu d'air.

Maintenant!

Elle devait sortir immédiatement de la voiture ou il serait trop tard. Elle repoussa la portière qui s'ouvrit légèrement, puis se bloqua.

La fenêtre!

Elle s'accrocha au montant pour passer la tête et les épaules dans l'étroite ouverture. Puis elle poussa de ses deux jambes contre la portière opposée.

Elle réussit à passer une bonne partie du buste, lutta pour hisser ses hanches au-dehors.

Elle allait réussir. Une seconde encore et elle serait libre.

Alors elle sentit quelque chose caresser sa cheville gauche avant de l'enserrer comme un lien.

*La ceinture de sécurité.*

La large sangle qui était censée lui sauver la vie la maintenait prisonnière des eaux.

Ses poumons commençaient à brûler comme elle se courbait pour dénouer la ceinture. Les courants ballottaient son corps, ralentissant ses mouvements. Ses doigts gourds effleurèrent la ceinture de sécurité...

Puis son corps se révolta et elle cracha l'air sans oxygène qui consumait sa poitrine. Instantanément l'eau salée envahit ses poumons.

Elle avait échoué.

Au dernier moment, elle avait échoué.

Et elle allait mourir.

L'eau emplit totalement ses poumons, et son corps se tordit en une convulsion sauvage.

Peu à peu, une étrange euphorie prit possession d'elle, et elle se mit à considérer la mer comme... une amie...

Dans ses bras ondulants, doucement, elle se laisserait aller...

Les dernières traces de panique désertèrent l'agonisante, et son corps se détendit. Alors elle s'abandonna à l'étreinte miséricordieuse de cette nouvelle et fatale amie.

# 11

La douleur dans sa hanche devenait insupportable, mais Marguerite faisait de son mieux pour l'ignorer. Courbée en deux contre les rafales de vent, une main devant ses yeux pour les protéger, elle progressait sur la route. La boue freinait sa marche en retenant chacun de ses pas, mais elle ne s'arrêtait pas. Après un long moment, à peine visible dans la tourmente, elle aperçut une silhouette devant elle.

— Mary-Beth! cria-t-elle. Attends! Je t'en prie!

Mais le hurlement des éléments absorba ses paroles. La souffrance qui irradiait sa hanche droite lui arracha un gémissement torturé. Sa jambe était presque anesthésiée par la douleur. Pourtant elle se força à courir pour rattraper son élève. Elle n'en était plus qu'à une dizaine de mètres quand elle l'appela de nouveau.

— *Mary-Beth! Attends!*

L'adolescente s'arrêta, puis fit volte-face. Un moment plus tard Marguerite la rejoignait. Le souffle court, elle voulut s'appuyer sur l'épaule de son élève, mais celle-ci recula d'un pas et Marguerite faillit perdre l'équilibre.

— Mary-Beth, je t'en prie! haleta-t-elle. Tu ne peux pas rentrer chez toi maintenant. C'est trop dangereux! Reviens à Sea Oaks.

L'adolescente hésita. Dès qu'elle était sortie de la demeure des Devereaux, une bourrasque l'avait presque jetée à terre et elle avait compris quelle erreur elle commettait. Mais elle avait pris sa décision, et elle ne changerait pas d'avis. Elle ne pourrait supporter de rebrousser chemin et d'endurer les moqueries des autres élèves.

Et Julie. Cette pimbêche venue de nulle part qui lui avait volé toutes ses amies, qui dansait mieux qu'elle ne le pourrait jamais, et qui avait tourné la tête de Kerry Sanders. Non, il n'était pas question qu'elle rentre à Sea Oaks maintenant. Ni jamais. Elle braqua sur Marguerite un regard venimeux.

— Je ne viendrai pas avec vous! cria-t-elle pour couvrir le mugissement de la tempête. Jamais! Je vous déteste! Et je déteste Julie! Je m'en vais, et personne ne m'en empêchera!

Marguerite voulut la saisir, mais Mary-Beth l'esquiva de nouveau.

— Je vous hais! cracha encore l'adolescente. Je vous hais toutes, et je ne veux plus jamais vous revoir!

Immobile au milieu de la route boueuse, pétrifiée par ces

paroles incroyables, la hanche en feu, Marguerite regardait Mary-Beth disparaître dans la tourmente.

Pour ne jamais revenir.

Mais elle ne pouvait pas agir ainsi. Elle n'en avait pas le droit. Comment osait-elle se détourner ainsi de Marguerite? C'était impossible. Il devait exister un moyen de la faire revenir. Il le fallait!

De nouveau elle s'enfonça dans la tempête en chancelant contre les rafales de vent. Elle devait rejoindre Mary-Beth avant que celle-ci n'atteigne la digue. Si elle n'y parvenait pas...

Elle chassa cette idée de son esprit. Elle était incapable d'imaginer qu'une de ses élèves puisse la quitter pour toujours.

Horrifiée, Mary-Beth regardait la mer démontée. D'énormes vagues déferlaient constamment sur la digue avec une violence inouïe. Elle sentit sa détermination fléchir. Jamais elle ne pourrait passer. Le vent semblait avoir encore gagné en force, et des bourrasques imprévisibles menaçaient de la projeter dans les flots tourbillonnants.

Un éclair zébra le ciel, et Mary-Beth hurla de peur. Elle reçut la détonation du tonnerre comme un choc physique.

A présent, les mains pressées sur les oreilles, l'adolescente sanglotait. Elle n'aurait jamais dû quitter Sea Oaks, elle aurait dû au moins accepter de rentrer avec Marguerite... Mais il était trop tard. Elle ne pourrait jamais regagner la maison dans la tourmente; elle se sentait déjà épuisée. Il fallait qu'elle trouve un abri au plus vite pour attendre la fin de la tempête.

A une cinquantaine de mètres, elle le savait, se dressait un bouquet de pins. Sans doute les arbres étaient-ils fouettés par les rafales de vent, mais si elle parvenait à les atteindre ils la protégeraient un peu de la fureur des éléments. Les bras levés devant son visage, elle avança vers les arbres pas à pas, d'une démarche titubante.

Après un temps indéfini, elle put enfin se coller à un des troncs; la protection qu'il offrait contre les éléments était certes dérisoire, mais bienvenue. Le souffle court, le cœur battant, elle se laissa aller contre l'écorce.

Ici les embruns se mêlaient à la pluie, et la jeune fille sentait le goût du sel sur sa langue et ses lèvres. Du moins avait-elle gagné de haute lutte une relative sécurité.

Un nouvel éclair illumina le paysage. Au-dessus d'elle retentit une détonation monstrueuse, dix fois plus forte que celle d'un fusil. Elle leva les yeux. Dans un craquement apocalytique, le tronc contre lequel elle s'appuyait se fendit brusquement en deux sur toute sa longueur. Mary-Beth fut projetée sur le sol. Immédiatement elle sentit la boue s'infiltrer dans ses vêtements, poisser sa peau d'une caresse glacée.

L'adolescente pleurait sans retenue en se démenant pour se remettre debout. Elle se précipita vers le pin le plus proche et se colla contre le tronc. Elle n'était plus seulement menacée par la tempête. Les arbres représentaient également un danger.

Autour d'elle, des branches s'écrasèrent au sol avec fracas. Si l'une d'elles la touchait...

Il fallait qu'elle s'éloigne, qu'elle trouve un autre abri.

En chancelant, elle s'écarta du bouquet d'arbres. Des lambeaux de mousse arrachés par le vent la giflèrent. De nouveau elle leva le rempart dérisoire de ses bras pour se protéger.

Brusquement, avec l'instinct de la bête traquée, elle sentit une présence.

Elle se figea et tenta d'écouter, mais la tourmente broyait tous les bruits dans un maelström assourdissant.

– Au secours! cria-t-elle, mais sa voix lui parut ridicule dans la puissance du tumulte. Je vous en prie! Aidez-moi!

Soudain, elle crut voir une forme surgir de la tempête. Tout d'abord, ce ne fut qu'une silhouette imprécise. Mary-Beth hurla sa détresse, et la présence sembla hésiter avant de se diriger enfin vers elle.

Mary-Beth tomba sur les genoux. La fatigue et la peur l'avaient exténuée. Mais dans un instant elle serait sauvée. Qui que ce soit, son sauveteur la rejoindrait dans quelques secondes, et elle serait tirée d'affaire.

Elle haletait toujours et fit un effort pour calmer sa respiration. La panique qui l'avait saisie commençait à refluer.

Elle releva la tête, s'attendant à voir un visage familier se pencher sur elle.

Sans comprendre, elle vit l'énorme quartier de roc brandi au-dessus d'elle par deux bras tremblants. Pétrifiée, elle regarda sa mort en face.

Elle ne sut jamais si le dernier son qu'elle perçut était le craquement sec d'une branche arrachée par la tempête ou l'horrible bruit de son crâne qui se brisait.

Julie tressaillit comme un nouvel éclair déchirait le ciel. Le roulement de tonnerre qui suivit fit trembler la maison. Elle s'efforça de ne pas montrer la peur qu'elle ressentait. A côté d'elle, Jennifer Mayhew ne semblait absolument pas affectée par la tempête.

– Que font-ils? dit Julie. Ils devraient déjà être revenus, non?

Pour la jeune fille, une éternité s'était écoulée depuis que sa tante, suivie peu après de son père, était sortie chercher Mary-Beth. En réalité, une demi-heure à peine était passée.

Mais Jennifer ne montrait aucune inquiétude.

– Ne t'en fais pas, ils vont bien. Les tempêtes sont monnaie courante dans la région. Attends un peu que la saison des cyclones arrive! Là, c'est vraiment impressionnant!

Tammy-Jo Aaronson semblait pourtant assez peu rassurée.

– Si ça empire, nous allons finir par être englouties!

Elle jeta un regard nerveux vers les ombres qui baignaient la majeure partie du salon.

– J'aimerais que la lumière revienne. Je déteste ce genre de situation.

Les deux autres adolescentes pouffèrent de rire.

– Tu as peur que miss Helena vienne te chercher? lança Allison Carter d'une voix moqueuse.

– Pourquoi dis-tu cela? fit immédiatement Julie.

Elle ne se souvenait que trop bien des propos de Ruby, un matin, alors qu'elle prenait son petit déjeuner.

Allison eut un sourire malicieux.

– Tout le monde est au courant de la légende des Devereaux. Leurs fantômes reviennent toujours, et il paraît que c'est encore pire durant les tempêtes. Ils sortent du cimetière et se mettent à rôder dans la maison.

Jeff, qui était sagement assis sur le canapé, contempla Allison avec effroi.

– Qu'est-ce... qu'ils veulent?

La jeune fille se tourna vers lui et répondit, dans un murmure rauque :

– Les petits garçons comme toi. Et on ne sait jamais quand ils vont apparaître. En fait... (elle laissa son regard errer sur les coins de pénombre) ils sont peut-être déjà là; ils attendent que tu t'approches d'eux et...

– Ça suffit! s'exclama Tammy-Jo Aaronson d'une voix apeurée.

Ses amies ricanèrent nerveusement de sa réaction et elle crut bon d'ajouter, avec un rire forcé :

– Oh! vous êtes vraiment débiles!

Soudain elle se figea. En face d'elle, la porte-fenêtre venait d'être secouée brutalement par une main invisible.

Jeff glissa du canapé et vint se serrer contre sa sœur.

– Qu'est-ce que c'est? bredouilla-t-il.

Un autre éclair illumina brièvement l'extérieur. Pendant une fraction de seconde, une silhouette se découpa devant la porte-fenêtre.

Une des adolescentes poussa un petit cri étranglé, et Jeff étreignit un peu plus sa sœur. Alors, tandis que le roulement du tonnerre s'atténuait, une voix s'éleva du dehors.

– Julie, ouvre-moi, ma chérie, ou je vais me noyer!

C'était Marguerite, et cette constatation chassa la tension qui régnait dans le salon. Julie se précipita jusqu'à la porte-fenêtre qu'elle ouvrit. Son imperméable dégouttant d'eau, sa tante pénétra dans la pièce.

— La porte d'entrée est fermée, expliqua-t-elle, et j'ai oublié ma clef. Vous ne m'avez pas entendue sonner?

Julie considéra une seconde sa tante avec étonnement avant d'émettre un petit rire nerveux.

— Comment aurions-nous pu vous entendre? L'électricité est toujours coupée! La sonnette ne fonctionne donc pas. Mais où sont Papa et Mary-Beth?

— Je n'ai pas réussi à faire revenir Mary-Beth, répondit Marguerite. J'ai essayé de la raisonner, mais elle n'a rien voulu entendre. Quant à ton père, pourquoi l'aurais-je vu? Il n'est pas ici?

— Non, il est sorti pour vous chercher. Il s'inquiétait de vous savoir dehors par ce temps et...

La porte d'entrée s'ouvrit, et le mugissement du vent déferla dans la maison; puis elle fut refermée et Kevin apparut à la porte du salon. Ses vêtements étaient trempés et maculés de boue. Il dévisagea sa sœur un moment, tout en reprenant son souffle.

— Ah, tu es là! réussit-il enfin à dire. Bon Dieu! J'ai l'impression d'avoir fait dix fois le tour de l'île! Où étais-tu?

— Sur la route, bien sûr! Mais Mary-Beth a refusé de revenir. Elle a dit qu'elle voulait retourner chez elle.

— Par ce temps? s'exclama son frère, incrédule. Mais, bon sang! Personne ne pourrait traverser la digue maintenant, elle est complètement inondée!

Les adolescentes échangèrent des regards anxieux.

— Mais alors... où est-elle? demanda enfin Allison. Si elle n'est plus sur l'île et qu'elle n'a pas pu traverser...

Comprenant soudain où menait ce raisonnement, la jeune fille se mordit les lèvres.

— Allons, intervint Marguerite en voyant le malaise se propager chez ses élèves. Inutile de nous mettre dans tous nos états. Kevin n'a pas pu fouiller vraiment l'île entière, il n'en a pas eu le temps. Et elle a peut-être réussi à traverser... Nous... eh bien, il ne nous reste plus qu'à attendre la fin de la tempête, n'est-ce pas? Alors nous saurons ce qui s'est passé.

— Moi, je parie que je sais! lança Jeff en fixant son père. Je suis sûr que les fantômes l'ont attrapée. Ils sont venus et ils l'ont emportée.

Perplexe, Kevin observa son fils en fronçant les sourcils.

— Et qu'est-ce qui te fait penser cela?

Jeff désigna Allison Carter.

— Elle a dit que les fantômes des Devereaux apparaissaient quand il y avait une tempête.

L'adolescente répondit d'un rire un peu bruyant.

– C'était juste une blague, dit-elle en se tournant vers Kevin. Je vous assure, Mr. Devereaux, je plaisantais...

– Et si c'était vrai quand même? insista Jeff. Si Grand-Mère était revenue pour attraper Mary-Beth? Si elle l'avait tuée?

Un silence gêné ponctua l'intervention du gamin.

– C'est très méchant de ta part de dire cela, jugea enfin Marguerite de cette voix sèche qui faisait frissonner l'enfant. Tu devrais avoir honte de seulement penser des choses pareilles!

Jeff affronta un moment le regard sévère de sa tante, puis il éclata en larmes et s'enfuit dans l'escalier.


# 12


Un calme étrange régnait sur l'île Devereaux. Partout, le paysage était jonché de branchages arrachés et de débris divers éparpillés par le vent. La mer était encore gonflée des séquelles de la tempête, et des vagues imposantes battaient la plage avec régularité. Mais le ciel avait retrouvé un bleu serein, à peine teinté de gris au nord, là où disparaissait rapidement la perturbation. Les bourrasques avaient été remplacées par une brise assez forte qui commençait à faiblir. L'habituelle chaleur estivale reprenait possession de l'île, et sous les rayons du soleil la pluie s'évaporait déjà en brumes diaphanes.

Quand Alicia Mayhew était venue chercher les adolescentes, une demi-heure plus tôt, elles attendaient depuis quatre longues heures la fin de la tempête. A son arrivée, l'électricité avait fini par être rétablie, ainsi que le téléphone.

Kevin avait rattrapé la mère de Jenny sur la véranda, alors qu'elle s'apprêtait à partir. Il lui avait demandé si elle avait vu Anne dans le village, ou au moins le break Dodge.

– Non. Mais si j'avais été à sa place, je ne serais pas restée près de la côte...

Elle avait secoué la tête avec incrédulité en repensant à l'intensité de la tempête qui avait obligé les habitants de Devereaux à se barricader chez eux la majeure partie de la journée.

– Nous avons déjà subi des grains dans la région, mais celui-là était vraiment fort. J'espère que Mary-Beth est saine et sauve.

Kevin parvint à sourire.

– D'après ce qu'a dit Marguerite, elle a dû s'en tirer sans dommage. Mais elle était hors d'elle pour je ne sais quelle raison, et il est peu probable qu'elle revienne ici.

Alicia hocha la tête, compréhensive.

– Elle trouve toujours un prétexte pour donner libre cours à son mauvais caractère! Et cette fois, je soupçonne que cela a un rapport avec votre fille. Mary-Beth s'était entichée de Kerry Sanders depuis des mois, et il n'a plus d'yeux que pour Julie depuis qu'il l'a rencontrée!

Elle jeta un coup d'œil à sa voiture où les adolescentes s'impatientaient.

– Eh bien, je crois que je ferais bien de remplir mon rôle de taxi! dit-elle en descendant lentement les marches de la véranda. Appelez-moi dès que vous aurez des nouvelles d'Anne, voulez-vous? J'aimerais savoir ce qu'elle pense de nos petits coups de vent locaux!

– J'ai bien peur que la tempête n'ajoute à ses arguments. Anne est déterminée à partir d'ici au plus tôt, et après cette journée je dois reconnaître que je ne peux lui donner tort.

Alicia Mayhew s'arrêta, surprise.

– Repartir dans le Nord? Vous n'êtes pas revenus pour vous installer ici?

– Cela semble plutôt compromis. Mais il y a tout de même un tas de bonnes raisons pour que nous restions. En fait, tout dépend d'Anne...

– Je vois, fit Alicia. Elle considère que Devereaux est un trou perdu, et sa population un peu attardée culturellement; c'est bien ça?

Malgré sa gêne, Kevin ne put qu'acquiescer.

– Oh, je ne peux l'en blâmer, le rassura aussitôt la mère de Jenny. L'évaluation était exacte il y a encore peu de temps, mais les choses ont changé, heureusement... Pourquoi ne lui parlerais-je pas? J'arriverais peut-être à la convaincre de faire un essai?

– Je vous en serais reconnaissant, approuva Kevin.

La sonnerie grêle du téléphone retentit alors dans l'entrée.

– Il faut que j'aille répondre. C'est peut-être Anne.

Après un geste d'adieu, il rentra précipitamment dans la maison pour décrocher le combiné, tandis qu'Alicia Mayhew se hâtait vers sa voiture.

– Allô?

– Kevin? fit aussitôt une voix féminine. Muriel Fletcher à l'appareil. Mary-Beth est toujours là?

Kevin sentit une soudaine angoisse monter en lui. L'adolescente aurait dû se trouver chez elle depuis des heures. Marguerite, qui avait décroché l'un des postes à l'étage, prit alors la parole:

– Muriel? Vous voulez dire que Mary-Beth n'est pas encore rentrée?

– Non. Elle est chez vous, n'est-ce pas?

– N-non, balbutia Marguerite, et Kevin décela l'anxiété de sa sœur dans sa voix. Elle... eh bien, elle a refusé de rester à Sea Oaks. Elle était énervée, et elle a décidé de rentrer chez vous à pied.

– A pied? hoqueta Muriel. Dans cette tempête? Mon Dieu, Marguerite! Comment avez-vous pu la laisser partir par un temps pareil?

– J'ai tout fait pour l'en empêcher, Muriel, dit Marguerite d'une voix tremblante. Mais ça n'a servi à rien. Elle a mis son manteau et est sortie. Alors je l'ai suivie pour essayer de la raisonner, mais elle ne m'a pas écoutée. Elle... elle s'est enfuie à mon approche, Muriel.

– Oh mon Dieu! gémit Muriel.

La chose n'avait certes rien d'étonnant. Sa fille montrait souvent un caractère emporté, au point que Muriel elle-même avait des problèmes pour se faire obéir.

– Je l'ai cherchée, continua Marguerite. Mais quand je suis arrivée à la digue, elle avait disparu... (Puis, sur un ton à l'optimisme quelque peu forcé :) Mais à ce moment, la tempête commençait à s'éloigner. Elle avait sans doute déjà traversé. Sinon, elle serait retournée à Sea Oaks, n'est-ce pas?

Muriel réfléchit une seconde, essayant d'imaginer les réactions de sa fille.

– Non, cela m'étonnerait. Si elle était vraiment fâchée, elle sera restée dehors plutôt que de retourner chez vous : ç'aurait été admettre qu'elle avait commis une erreur.

– En tout cas, je suis sûre qu'elle n'a rien, insista Marguerite. Elle s'est peut-être tout simplement rendue chez une de ses amies...

Muriel Fletcher marqua une seconde d'hésitation avant de répondre, d'une voix troublée :

– Oui, peut-être... Je vais leur téléphoner... Kevin, vous êtes toujours là?

– Oui?

– Pourriez-vous jeter un coup d'œil dans l'île? Je sais que c'est beaucoup demander, mais...

– Allons! protesta aussitôt Kevin. Bien sûr, je le ferai. Je vous rappelle d'ici une heure.

Il raccrocha. Un moment plus tard, il entendait le pas irrégulier de sa sœur qui descendait du premier étage. Arrivée en bas, elle posa sur son frère un regard empreint de culpabilité.

– Je n'aurais jamais dû la laisser partir, Kevin. S'il lui est arrivé malheur, ce sera de ma faute. Je n'aurais jamais dû la laisser partir...

– Allons, Margie, fit son frère, utilisant inconsciemment le surnom d'enfance de sa sœur. Nous n'avons aucune preuve qu'il lui soit arrivé quoi que ce soit. Je vais sortir et jeter un coup d'œil dans l'île et...

Le bruit d'une portière qu'on claque l'empêcha de finir. Quelques secondes plus tard, des pas lourds firent grincer le bois de la véranda; la sonnette de l'entrée retentit au moment où Kevin ouvrait la porte.

Le visage lugubre et les yeux sombres, Will Hempstead se tenait devant lui. Immédiatement, Kevin sut que quelque chose de grave s'était produit.

– C'est au sujet d'Anne, Kevin, dit le chef de la police. Ce n'est pas facile à dire... Je... eh bien, son corps a été rejeté sur une plage au nord de la ville. Nous ne savons pas... exactement ce qui s'est passé, mais...

La voix d'Hempstead parut se dissoudre dans un brouillard soudain. Ce n'était pas possible. Anne n'était pas morte. Non. Elle était simplement partie s'isoler un peu. Et elle allait revenir. Elle allait revenir d'ici quelques minutes, et sa colère aurait disparu. Elle lui sourirait et elle lui dirait qu'elle avait bien réfléchi, et...

Mais elle ne revenait pas. Il lui était arrivé quelque chose, et elle ne reviendrait jamais vers lui, ou les enfants. Jamais.

Il se laissa tomber sur le siège près de la porte et enfouit son visage dans ses mains. Les premiers sanglots d'un immense chagrin lui déchirèrent la poitrine.


Les créatures de la nuit elles-mêmes semblaient s'être murées dans le silence.

Il n'y avait plus le moindre souffle d'air, et les derniers rouleaux engendrés par la tempête s'étaient apaisés depuis longtemps. L'écho feutré d'un léger ressac bruissait dans l'obscurité. Maintenant seul dans cette chambre qu'il avait partagée avec Anne, Kevin s'était assis près de la fenêtre et scrutait les ténèbres. Son esprit restait engourdi, hermétique à la terrible réalité. Il ressentait un besoin étrange de parler à sa femme, de l'appeler comme si elle se trouvait dans la salle de bains. Par deux fois, il avait cru entendre un bruit et il s'était retourné vivement. Mais la porte ne s'était pas ouverte, et Anne n'était pas entrée dans la pièce.

Anne n'entrerait plus jamais dans cette chambre.

La police avait reconstitué le déroulement probable du drame. Anne n'avait même pas franchi la digue. La tempête avait fait basculer le break depuis l'étroit passage dans les flots, et elle s'était retrouvée prise au piège. Pourtant, elle avait presque réussi à en sortir. Presque...

Les paroles de Will Hempstead résonnaient encore à ses oreilles : « Nous avons retrouvé le break. Elle a essayé de s'en échapper. Mais d'après les marques relevées sur son corps, il semble que la ceinture de sécurité se soit entortillée autour de sa cheville et qu'elle n'ait pu s'en libérer à temps. C'est tellement stupide! Si foutrement stupide! »

Kevin aurait presque souhaité ne pas avoir entendu ces explications. D'une certaine façon, il lui aurait peut-être été plus facile de la croire morte sur le coup, assommée avant de se noyer. Mais savoir qu'elle avait lutté jusqu'à l'ultime instant, qu'elle avait été si près du salut...

Il frissonna et tenta d'endiguer la crise de larmes qu'il sentait monter en lui. Mais en vain. Alors il s'abandonna à la douleur et pleura sans bruit, pendant de longues minutes.

Peu à peu, pourtant, la vague de son chagrin reflua. Il ouvrit la fenêtre et s'emplit les poumons de l'air lourdement parfumé de l'île Devereaux.

C'est cette odeur si particulière qui déclencha l'avalanche des souvenirs. Il se remémora soudain l'époque insouciante de son enfance, avant la mort de son père. Alors la vie lui paraissait merveilleuse. Puis son père était tombé du haut de la grange et s'était brisé le cou. Kevin n'avait pas sept ans. Et tout avait changé.

Sa mère avait brusquement réservé toute son attention à Marguerite. Et Kevin ne pouvait pas lui en tenir rigueur – plus maintenant, avec la compréhension de la vie qu'il avait acquise. Après tout, Marguerite ressemblait tant à leur mère. Elle avait la même beauté, la même grâce, le même talent...

Marguerite avait envahi toute l'existence d'Helena. Celle-ci était si déterminée à lui offrir la carrière qu'elle n'avait pas eue qu'elle s'était totalement détournée de Kevin. Au point de le reléguer dans une école militaire pour ne plus le voir.

Il y avait passé neuf mois interminables chaque année. Pendant les trois mois d'été, il était envoyé dans une colonie du Maine.

Il ne rentrait à Sea Oaks que pour Noël.

Après ces années d'éloignement, il aurait dû cesser de considérer Sea Oaks comme son foyer. Mais il lui suffisait d'emplir ses poumons de l'air tiède de l'île Devereaux pour savoir qu'il était ici chez lui.

C'était sa mère qu'il avait détestée, non cet endroit.

Il aurait tant voulu qu'Anne comprenne cette nuance. La haine qu'il avait exprimée pour son foyer ne visait pas l'île, la ville ou la maison.

Uniquement sa mère.

Et sa mère était morte, à présent.

*Anne aussi.*

Il ne lui restait plus que Sea Oaks. Sea Oaks et son rêve. Ce rêve qu'il avait espéré voir partager par Anne, qu'il avait imaginé construire avec elle.

Peu à peu, alors qu'il laissait errer son regard sur l'obscurité qui nappait l'île, il comprit que sa décision était enfin arrêtée. Sans la présence de sa femme, il n'avait plus d'autre choix. On avait besoin de lui ici, où se trouvaient ses racines, ses enfants et sa sœur.

Il resterait à Sea Oaks et il essayerait d'y survivre.

Mais, il le savait, Anne ne le quitterait jamais. Pas plus que le fardeau de cette terrible constatation : après vingt ans de bonheur, leurs derniers moments ensemble avaient été pleins de colère et d'amertume.

– Je suis désolé, murmura-t-il à la nuit. Oh, Anne, je suis tellement désolé. Si seulement...

Mais il n'acheva pas sa phrase. Désormais, il devrait vivre avec l'implacable réalité, et un vide infini en lui-même.

Marguerite marchait très lentement dans le couloir. Elle ne voulait pas troubler le silence de la maison. Elle fit halte devant la porte de la chambre qu'occupait son frère et tendit l'oreille. Aucun bruit. Elle allait frapper doucement pour s'annoncer quand elle perçut un sanglot étouffé. Elle suspendit son geste.

Que pourrait-elle lui dire? Comment soulager la peine terrible qu'il devait ressentir?

C'était impossible.

Sa main descendit vers sa hanche et Marguerite s'éloigna. Pendant l'après-midi, la douleur s'était atténuée, et elle boitait moins. C'était à cause de la tempête, bien sûr. Sa hanche la faisait toujours moins souffrir après une tempête.

Elle arriva devant la chambre de Jeff et s'arrêta. Elle écouta un moment puis entra sans frapper. Le garçon était allongé dans son lit, ses yeux grands ouverts fixés sur le plafond. Elle s'approcha du lit et se pencha pour lui caresser la joue.

Il détourna le visage.

– Je suis désolée, mon chéri, murmura Marguerite en s'asseyant avec peine au bord du matelas. Je suis vraiment désolée de ce qui est arrivé.

Jeff braqua sur elle un regard sauvage, brillant de larmes.

– C'est pas juste! dit-il d'une voix enrouée. Pourquoi Maman est morte? C'est pas juste!

– Je sais, fit-elle encore d'une voix douce, en approchant sa main du gamin. Je comprends ce que tu ressens, et je veux que tu saches...

Mais Jeff se détourna une fois encore de sa tante et ramena les couvertures sur lui en se roulant en boule.

– Laissez-moi tranquille! s'écria-t-il, sa voix étouffée par les couvertures. Vous n'êtes pas ma mère! Alors allez-vous-en!

Marguerite retira vivement sa main, comme si elle venait de se faire piquer par quelque animal venimeux. Elle resta immobile une seconde, assise au bord du lit, indécise. Puis elle se leva en soupirant. Après un dernier regard à la forme sous les draps, elle sortit de la chambre en refermant la porte sans bruit.

Elle fit quelques pas et atteignit enfin la chambre de Julie. Elle resta un instant à l'écoute, avant de frapper très légèrement le bois de la porte. Il y eut un moment de silence, puis la voix de l'adolescente, claire mais tendue :

– Ou-oui. Entrez.

Marguerite ouvrit lentement la porte. Les yeux rougis par les larmes, sa nièce était assise sur son lit, adossée à une pile d'oreillers.

Marguerite se figea, clouée sur place par une émotion intense.

Elle est comme moi, songea-t-elle. Elle ressemble tant à la jeune fille que j'étais à son âge.

Elle fit un pas, puis un autre, jusqu'à la hauteur de sa nièce. Elle sentit les bras de Julie passer autour de son cou, et la tête de l'adolescente se presser contre sa poitrine.

– Que vais-je devenir? sanglota Julie. Oh, tante Marguerite! Que va-t-il se passer! Je suis tellement désemparée et... tellement seule. Je ne pourrai pas le supporter, tante Marguerite, je ne pourrai pas...

– Calme-toi, ma chérie, lui murmura sa tante à l'oreille. Tout va s'arranger. Je vais prendre soin de toi, ma chérie. Je vais prendre soin de toi si bien que plus jamais tu ne te sentiras seule. Oh non, plus jamais...

Peu à peu, elle sentit le corps de la jeune fille se détendre dans ses bras, et ses sanglots s'espacer. Marguerite la berça pendant quelques minutes, et elle chantonna une douce mélodie.

Elle resta là de longues heures, bien après que Julie se fut réfugiée dans le sommeil. Elle ne se lassait pas de la contempler. Parfois elle caressait d'une main légère la joue de l'adolescente, ou elle écartait du bout des doigts une mèche rebelle.

Tout allait s'arranger, se répétait-elle silencieusement quand les premières lueurs de l'aube chassèrent les ténèbres. Elle prendrait soin d'eux tous. De Kevin et de Jeff.

Et de Julie.

Elle s'occuperait de Julie comme Helena s'était occupée d'elle.

Oui, tout allait s'arranger maintenant...

# 13

Pendant les quinze jours qui suivirent, une singulière torpeur s'abattit sur Sea Oaks. On eût dit que la mort d'Anne avait extirpé de la vieille demeure toute force vitale. Un engourdissement glacé avait envahi Kevin. Durant les premiers jours qui suivirent les funérailles – discrètes, car peu de gens à Devereaux avaient eu le temps de connaître Anne – il s'était surpris à ne rien faire pendant de longs moments. Il commençait quelque travail de peu d'ampleur, comme ôter les mauvaises herbes d'une partie du jardin, et prenait soudain conscience que des heures entières s'étaient écoulées. Des heures qu'il avait passées dans un univers inaccessible aux autres, où sa femme était toujours présente, près de lui. Mais il ne pouvait jamais l'atteindre. Ces moments lui étaient très pénibles, car ils le laissaient encore plus désespéré, plus conscient de l'absence d'Anne. Il reprenait alors mécaniquement la tâche qu'il s'était assignée.

Au fil des jours, il comprit qu'il devait à tout prix se sortir de cette léthargie insidieuse. Il devait arrêter de se condamner pour la dispute qu'il avait eue avec sa femme juste avant son départ. Car il avait maintenant la charge entière de ses enfants, de Marguerite et de Sea Oaks. Un peu plus chaque jour, il se força à tourner le peu d'énergie qu'il sentait en lui vers l'extérieur.

Après deux semaines, sa blessure s'était un peu refermée. Il prit conscience des changements qu'il avait imprimés à Sea Oaks sans vraiment s'en rendre compte. Les pelouses autour de la maison, si longtemps laissées à l'abandon, avaient repris un aspect net. Les massifs avaient retrouvé leur ordonnancement harmonieux. Il avait également poncé la peinture écaillée des revêtements extérieurs, et le lieu était prêt à accueillir les peintres qui devaient venir dans une ou deux semaines. Il était temps de commencer les travaux intérieurs. Inconsciemment, il les avait retardés. Non qu'il n'eût pas de plan précis. Dans son esprit, chaque rénovation était clairement définie. Les modifications qui toucheraient le deuxième étage, par exemple, où il vivrait avec Marguerite et les enfants, n'attendaient que d'être couchées sur le papier. A cet effet, il avait d'ailleurs pris contact avec un architecte de Charleston, la veille. Jusqu'alors, pourtant, il avait toujours ajourné la moindre réfection intérieure. Quand il errait dans l'immense demeure, il lui semblait entendre la voix de sa mère, qui le mettait en garde : « Ceci est ma maison. Tu n'as aucun droit de la modifier. Elle doit rester telle que je l'ai laissée. »

Les contraintes imposées par la situation – les chambres que lui, Marguerite et ses enfants occupaient, ainsi que les suppliques de sa sœur pour qu'il épargnât la nursery – lui avaient trop longtemps servi d'excuse. Il aurait pu débuter les travaux dans les trois autres chambres, dont les murs nécessitaient un nettoyage aussi important que la façade extérieure. Quelquefois, tandis qu'il déambulait dans l'antique demeure, il doutait de pouvoir mener à bien toutes les transformations qu'il avait prévues.

Pourtant, de longues conversations avec Sam Waterman lui avaient prouvé que son projet était tout à fait réalisable. Ils avaient réussi à établir un plan de financement solide, dont la seule condition indispensable était sa présence à Sea Oaks. Il avait même dû signer un acte de résidence certifié. Tout ce qu'il possédait en dehors de la propriété était maintenant frappé d'un droit de rétention, et ses biens serviraient de garantie pendant dix ans. En retour il avait le droit de vendre des options sur les terrains, qui deviendraient effectives après une décennie. Cela lui fournirait plus d'argent que n'en exigeaient les travaux et lui laisserait une somme suffisante pour attendre les premiers profits. Après avoir tout calculé, il eut même la surprise de découvrir que la rentabilité de son projet serait bien plus rapide que ce qu'il escomptait au départ. Puisque l'île lui appartenait en propre, sans aucune hypothèque, quatre chambres occupées sur les neuf que compterait Sea Oaks assureraient le fonctionnement de l'hôtel. Chaque location supplémentaire représenterait un bénéfice net.

Sa décision était prise : dans deux semaines, les entreprises qu'il avait contactées commenceraient les travaux.

Et ce matin il devait expliquer ses plans à Marguerite. Remettre cette discussion était devenu impossible.

De même, il devrait s'occuper de ses enfants. Il savait qu'il les avait beaucoup négligés depuis la mort de leur mère. Parce qu'il lui fallait panser ses propres plaies, il les avait abandonnés à leur douleur. Il s'était montré injuste, mais il n'avait pu agir autrement. Son propre chagrin l'avait annihilé. Pourtant il était conscient de la manière dont chacun avait réagi à la tragédie qui les frappait.

En une nuit, Julie avait semblé mûrir de façon incroyable. Dès le matin des funérailles, elle avait montré une force nouvelle. Sans que personne le lui ait demandé, elle avait pris en charge son frère. Elle lui donnait son bain chaque jour; vérifiait que sa chambre restait en ordre et la rangeait le cas échéant tout comme sa mère l'avait fait. Le jour de l'enterrement, elle était restée près de son frère et lui avait tenu la main tout au long de la cérémonie. Quand le gamin avait succombé aux larmes, elle s'était agenouillée pour le réconforter. La nuit suivante, alors que Kevin regagnait sa chambre, il avait vu sa fille sortir de celle de Jeff. Elle l'avait simplement bordé, avait-elle dit, et lui avait lu une histoire. Avec un sourire forcé, elle avait ajouté presque timidement qu'elle avait agi ainsi autant pour son frère que pour elle-même. Elle s'en sentait mieux. Souvent, pourtant, il avait lu dans ses yeux le chagrin qu'elle essayait si courageusement de cacher, lorsqu'elle lisait un livre ou regardait la télévision. En une occasion, alors qu'ils se trouvaient tous deux dans la bibliothèque, il avait tenté d'aborder le sujet de la disparition d'Anne, mais elle l'avait arrêté après quelques mots.

— Je ne veux pas en parler, avait-elle dit. Pas encore. Dans quelques jours, peut-être. Mais si nous discutons de Maman maintenant, je vais pleurer; et si je pleure, je ne pourrai plus m'arrêter. Et Jeff s'y mettra aussi, et je ne pourrai plus prendre soin de lui. (Leurs regards s'étaient rencontrés, et la jeune fille avait ajouté :) Je dois prendre soin de lui, Papa. C'est ce que Maman aurait voulu.

A présent, tandis qu'il montait à l'étage pour aller voir Marguerite, Kevin comprenait qu'Anne aurait également désiré qu'il s'occupe de Jeff. Et il ne l'avait pas fait. Mais il n'arrivait pas à parler à son fils. Comment lui expliquer qu'il avait laissé Anne partir dans la tempête qu'il savait dangereuse? Qu'il l'avait abandonnée à une mort presque certaine? Jeff le détesterait – peut-être autant que Kevin se détestait lui-même, et il ne pouvait supporter cette idée. C'est pourquoi, récemment, il s'était surpris à éviter son fils. Et il l'avait vu se refermer sur lui-même. En fait, ces derniers jours, Jeff n'avait presque pas parlé à son père; il l'avait simplement averti, quand il sortait de la maison, de sa destination et de ce qu'il comptait faire. « Mais tout cela va changer, songea Kevin en frappant à la porte de la chambre de sa sœur. Les travaux vont vraiment commencer, et nous allons tous entamer une nouvelle existence. Et ça va marcher! »

— Entre, dit Marguerite d'une voix douce.

Kevin poussa la porte. Assise près de la fenêtre, sa sœur lisait, toujours vêtue de sa longue chemise de nuit. Elle tourna la tête vers lui et eut un sourire d'excuse.

— J'aurais dû m'habiller depuis des heures, mais il fait si chaud... Et puis, je n'ai rien à faire que je ne puisse remettre à demain, et je me suis dit que...

— J'ai bien peur de devoir te parler de choses qui ne peuvent être remises à plus tard, coupa Kevin en s'asseyant au bout du lit. C'est au sujet des rénovations. Elles doivent débuter dans deux semaines.

– Dans deux semaines? répéta Marguerite d'une voix blanche. Mais je croyais... Enfin, je pensais que rien ne commencerait avant plusieurs mois.

Le visage de Kevin trahissait son embarras.

– Je ne peux pas attendre des mois; et il y a un petit problème...

Il lui exposa les transformations qu'il avait prévues pour le rez-de-chaussée et le deuxième étage.

– Le problème, c'est l'étage où nous sommes, Marguerite, expliqua-t-il enfin. Je ne te demande pas d'abandonner cette chambre, du moins pas pour l'instant, mais je dois te prévenir que les autres pièces vont être rénovées.

Sa sœur cligna des yeux, le regard fixe.

– Mais les travaux peuvent commencer par la chambre rose, ou la verte...

– Ou la nursery et les appartements de Mère, enchaîna Kevin, décidé à en finir sur ce sujet. Non, Marguerite, je ne peux pas me permettre de faire transformer les chambres une par une. La dépense serait astronomique. Ce qui signifie qu'il va falloir déménager toutes les affaires de Mère. Quant à la nursery...

Sciemment, il ne termina pas sa phrase. Sa sœur avait pâli, et son corps s'était tendu. Depuis le décès de leur mère, Marguerite s'était toujours refusée à aborder le sujet de la nursery. Mais il ne pouvait plus reculer ce moment.

Un instant, Marguerite resta silencieuse. Puis elle grimaça comme une brûlure intense envahissait sa hanche droite et se propageait dans toute sa jambe. Oui; il était temps pour elle de parler. Malgré la douleur, elle se mit debout et prit une profonde inspiration avant de se lancer.

– Je sais que tu t'es posé beaucoup de questions sur cette pièce, dit-elle en évitant le regard de son frère. Je l'avais refaite. Je... je crois que je gardais encore l'espoir de me marier et d'avoir un enfant. La nursery était peut-être pour moi une façon d'entretenir cet espoir. Un jour, je me suis mise à la nettoyer. J'avais simplement l'intention de la repeindre, mais je n'ai pas pu m'arrêter. J'ai confectionné des rideaux, j'ai amené des meubles. Enfin, j'ai préparé la nursery...

Les larmes aux yeux, elle osa enfin croiser le regard de son frère.

– Et Mère a tout détruit. Elle a dit que ce n'était qu'un rêve idiot et que je devais l'oublier. Un jour, elle a saccagé la nursery... (Elle maîtrisait à grand-peine le tremblement de sa voix.) Elle a cassé les meubles, lacéré les capitonnages, brisé les tableaux... Et elle a fermé la porte à clef et m'a interdit d'y remettre les pieds.

– Et tu as obéi? fit Kevin sans cacher son incrédulité.

– Je... je ne pouvais pas faire autrement, balbutia-t-elle. J'ai dû penser que je pourrais tout remettre en état quand Mère serait morte... (Elle se tut un instant, avant de reprendre, avec une gaieté forcée :) Mais j'ai presque cinquante ans, n'est-ce pas? Je ne me marierai jamais, et je ne peux plus avoir d'enfant, bien sûr. Et je ne suis pas folle. Alors tu peux faire ce que tu veux de la nursery. Il est temps que je renonce à ces chimères!

Kevin déglutit péniblement.

– Je ne sais pas trop ce que je pourrais te dire...

Sa sœur leva une main pour l'arrêter.

– Alors ne dis rien. Je me sens suffisamment ridicule comme cela! C'est fini, je ne me marierai jamais, et tout ici va changer; il est grand temps que je change aussi!

Ils s'entre-regardèrent de nouveau, et Kevin crut voir dans les yeux de sa sœur une lueur étrange, de peur ou de désespoir il n'aurait pu le dire. L'impression ne dura qu'une fraction de seconde.

– Et pour la chambre de Mère? finit-il par demander.

Marguerite n'hésita qu'un instant avant de hocher la tête :

– Je vais m'en occuper, promit-elle. Dès aujourd'hui.

Kevin s'attarda quelques minutes dans la chambre de sa sœur. Il sentait qu'il aurait dû trouver les mots pour la réconforter, mais il en fut incapable. Désemparé, il finit par sortir après l'avoir simplement embrassée.

Marguerite resta immobile un long moment. Elle sentait encore le baiser qu'avait déposé son frère sur sa joue. D'un geste inconscient, elle passa une main sur sa peau pour l'effacer. Sa hanche n'était plus qu'un foyer de souffrance, mais elle trouva la force de tituber jusqu'à sa porte qu'elle ouvrit. S'appuyant d'une main contre le mur du couloir, elle clopina jusqu'aux appartements de maître. Elle entra d'abord dans le petit salon. Elle effleura des doigts l'acajou poli des meubles et s'arrêta quelques secondes devant une magnifique boîte à musique en bois de rose. Enfant, elle aimait soulever le couvercle ouvragé pour observer le petit disque de métal tandis qu'une douce mélodie s'égrenait de la table d'harmonie. Elle faillit l'ouvrir mais arrêta son geste et se détourna au dernier moment, les yeux embués. Elle pénétra dans la chambre. Par pur automatisme, elle rangea quelques affaires qui traînaient sur la commode et disposa les bibelots comme l'aurait fait sa mère. Enfin elle entra dans la grande penderie d'Helena et s'immobilisa devant l'alignement des robes suspendues. Toutes étaient démodées depuis des lustres, mais sa mère avait toujours refusé de s'en séparer.

Soudain, sans trop savoir pourquoi, elle en prit une et la décrocha de son cintre.

Elle se rappelait très bien de cette robe, une de celles que préférait sa mère. Une toilette de soirée, qu'Helena mettait quand Marguerite n'était qu'une petite fille. Elle était de soie vert émeraude coupée dans le biais, si bien qu'elle épousait le corps en plis voluptueux qui tombaient jusqu'au sol.

La tenant contre elle, Marguerite se tourna vers le grand miroir et observa son reflet.

Même avec un demi-siècle d'écart, la ressemblance était frappante. Dans la glace, elle voyait l'image d'une femme qui aurait pu être sa mère, quelques dizaines d'années plus tôt.

Elle ôta sa chemise de nuit et glissa la toilette de soirée sur son corps.


Dans le couloir, immobile devant la porte entrouverte, Jeff regardait avec une fascination apeurée la scène incompréhensible qui se déroulait dans les appartements de sa grand-mère. Il n'aurait pu dire depuis combien de temps il était là. En fait, il n'avait eu aucune intention de s'attarder là. Il se dirigeait vers le rez-de-chaussée, pour honorer un important rendez-vous avec son compère Toby Martin, quand il avait remarqué la porte entrebâillée. Une curiosité bien naturelle l'avait poussé à venir jeter un coup d'œil.

Il avait découvert tante Marguerite, debout devant un miroir, tenant une vieille robe verte contre elle. Puis elle l'avait enfilée, s'était tournée et retournée devant la glace pour se contempler sous tous les angles. Finalement, toujours inconsciente de la surveillance dont elle était l'objet, tante Marguerite s'était assise devant la coiffeuse et avait entrepris de se brosser les cheveux; elle les avait entortillés en une sorte de chignon qu'elle avait truffé d'épingles à cheveux.

Jeff lui trouvait maintenant un air très étrange, et il commençait à regretter sa curiosité quand une main se posa sur son épaule.

Il sursauta violemment et faillit crier de surprise. Mais la large main de Ruby le bâillonna. D'une poussée, la domestique lui fit accomplir une volte-face.

— Que fais-tu ici, jeune homme? demanda-t-elle à voix basse.

Elle écarta sa paume du visage de Jeff.

— R-rien! bafouilla le gamin. Je faisais rien de mal, je voulais juste...

— Espionner ta tante, termina pour lui la vieille domestique d'un ton sévère. Ta mère ne t'a pas appris à ne pas faire ce genre de choses?

Jeff essaya de se dégager.

— C'est pas vrai! J'ai juste vu la porte ouverte, et je me suis approché pour voir ce qui se passait.

Ruby scruta le visage de l'enfant un long moment, puis elle ôta la main de son épaule.

— C'est bon. Maintenant file en bas, et à l'avenir occupe-toi de ce qui te regarde!

Jeff sentit un réel soulagement l'envahir en comprenant qu'il ne serait pas puni. Sans se faire prier, il détala dans le couloir et dévala l'escalier.

Mais Ruby ne s'éloigna pas de la porte entrebâillée. Ses yeux sombres restèrent fixés sur la femme assise devant la coiffeuse. Les mains de Marguerite voletaient tandis qu'elle arrangeait sa chevelure à la manière qu'avait affectionnée Helena, tant d'années auparavant.


Kevin repoussa sa chaise de la table de la cuisine et se leva. Il versa les reliefs de son petit déjeuner dans le broyeur. Puis il rinça son assiette et la déposa dans l'énorme lave-vaisselle flambant neuf installé la veille, au grand dam de Ruby.

— Je ne vois pas l'utilité d'un machin pareil, avait maugréé la vieille domestique. Il y a plein de gens dans le coin qui seraient prêts à faire la vaisselle, s'ils étaient payés correctement.

A présent que Kevin l'utilisait, elle préférait regarder ailleurs.

— Je dois aller en ville pour voir Sam, annonça Kevin. Quelqu'un veut venir?

Jeff secoua la tête négativement.

— Moi et Toby, faut qu'on arrange notre cabane.

— Des copains doivent venir, enchaîna Julie. On a rendez-vous sur la plage. Il y aura Jenny, et Kerry, et je ne sais pas qui d'autre...

— Sur notre plage? s'étonna Marguerite.

— Il ne fallait pas? demanda l'adolescente avec une certaine appréhension. Je veux dire, après la mort de Grand-Mère, vous aviez assuré que...

— Bien sûr, coupa sa tante. Ce n'est pas ce que je voulais dire. Tu sais que tes amis sont les bienvenus. Simplement... (Elle hésita, et ses yeux cherchèrent Kevin pour un soutien que son frère ne parut pas comprendre.) Eh bien, je me demandais s'il était bien raisonnable de revoir Kerry aussi rapidement, après ce que...

Elle ne savait pas comment terminer, mais son frère prit la parole.

— Je crois que ça lui fera du bien, trancha-t-il. Nous avons tous besoin de nous occuper, de voir des gens, et si Julie peut se distraire avec ses amis, je pense qu'elle ne doit pas manquer cette occasion.

— Mais c'est peut-être un peu tôt... insista Marguerite.

Julie posa sur son père un regard implorant.

– Non, ce n'est pas trop tôt, décida celui-ci. Les choses ne sont plus vraiment pareilles, mais... la vie continue. (Il adressa un sourire chaleureux à sa fille.) Amuse-toi bien, et si tu veux inviter Kerry à dîner, ne te gêne pas. Voir des têtes nouvelles nous ferait à tous le plus grand bien...

– Et moi, je peux inviter Toby? demanda aussitôt Jeff d'une voix pressante.

Pour la première fois depuis la mort d'Anne, Kevin éclata de rire, à sa propre surprise.

– Bien sûr! Tu peux inviter qui tu veux.

Il consulta sa montre et se dirigea vers la porte.

– Si je ne pars pas maintenant, je vais être en retard.

Mais Marguerite l'arrêta avant qu'il sorte.

– Kevin, je... j'ai réfléchi. Au sujet des appartements de Mère. Je me rappelle très bien ce que je t'ai dit ce matin mais... j'ai changé d'avis.

Le visage de son frère s'assombrit.

– Tu as changé d'avis? Mais je pensais que nous étions d'accord. Marguerite, j'ai besoin des chambres.

– Je le sais. Mais je ne peux pas te laisser celle de Mère. Pas encore. Je... ce n'est pas possible. (Elle hésita une seconde, puis ajouta :) J'ai décidé de m'installer dans la chambre de Mère, Kevin. Tu peux prendre ma chambre, et la nursery. Cela te fera cinq pièces à l'étage; je suis certaine que c'est suffisant pour l'instant, n'est-ce pas?

Son frère l'étudia avec attention avant de répondre :

– Tu n'es pas forcée d'abandonner ta chambre. Du moins pas maintenant; et je croyais que nous avions décidé ensemble...

– Mais je veux l'abandonner! insista Marguerite. Je m'installerai dans la chambre de Mère pour quelque temps. Cela me permettra de trier ses affaires et de voir ce qu'on peut en faire. Ainsi, quand le deuxième étage sera prêt, je le serai aussi! Tout ira bien, tu verras!

Kevin réfléchit un instant avant de hausser les épaules.

– Comme tu voudras... (Puis il se rappela quelque chose.) Et pour la chaise-ascenseur? Rien ne s'oppose plus à ce qu'on l'enlève, n'est-ce pas? L'installation est hideuse, et le générateur que Mère avait fait installer dans le placard pourrait être branché à la cave pour alimenter la chaudière en cas de panne d'électricité.

– Eh bien... ce sera comme tu veux, répondit sa sœur avec une imperceptible réticence.

Kevin partit, bientôt imité par Julie qui monta à l'étage pour prendre ses affaires de plage.

Jeff réussit l'exploit de caler le reste de son sandwich dans sa bouche. Satisfait, il glissa de sa chaise et se dirigea vers la porte. Avant qu'il l'ait atteinte, pourtant, Marguerite le rappela.

— Où croit-on aller ainsi, jeune homme?

La froide sévérité du ton figea le gamin. Il se retourna lentement, en avalant une énorme bouchée pour répondre.

— Dehors. Je dois voir Toby à notre cabane.

— Vraiment? Eh bien, je crains qu'il ne lui faille attendre un peu. Tu as un petit travail à faire avant, n'est-ce pas?

Jeff fixa sur sa tante un regard plein d'incompréhension.

— Euh... quoi?

— Tu peux débarrasser la table, et aider Ruby à faire la vaisselle.

Jeff cligna plusieurs fois des yeux, un peu perdu. De quoi parlait donc sa tante? Jamais il n'aidait à débarrasser la table du petit déjeuner! Pour le déjeuner, oui, bien sûr, mais Ruby s'occupait toujours seule de la vaisselle du matin!

— Il peut partir, miss Marguerite, dit alors la domestique. Il n'y a pas grand-chose à laver, et je peux...

— Non! coupa sa tante d'un ton brusque sans quitter l'enfant des yeux. Il est temps qu'il apprenne certaines petites choses. Il a été trop gâté, et je ne...

— Je ne suis pas gâté! s'écria Jeff, soudain offusqué. Et d'abord, vous n'êtes pas ma mère! Vous n'avez pas le droit de me commander!

Marguerite se leva d'un bloc, les yeux brillants de colère.

— Comment oses-tu me parler sur ce ton? siffla-t-elle. Comment oses-tu?

Elle avança vers le gamin, mais celui-ci battit vivement en retraite.

— Approchez pas, hein! cria-t-il. Vous êtes folle! Je le sais, je vous ai vue ce matin! Vous êtes folle!

D'un bond, il atteignit la porte qu'il repoussa. Sautant les quelques marches du perron, il s'enfuit sur la pelouse jusqu'à un bosquet de pins drapés de mousse où il disparut.

Marguerite resta un long moment devant la porte vitrée. Enfin elle s'en détourna et gagna l'office d'un pas raide. Les yeux voilés par l'anxiété, Ruby l'observa tandis qu'elle s'éloignait en boitant dans l'enfilade des pièces.

Peut-être se trompait-elle, se disait la vieille domestique en desservant la table, peut-être sa maîtresse était-elle simplement à bout de nerfs.

Pourtant, elle ne pouvait s'empêcher de penser que quelque chose n'allait pas du tout. Elle ne se trompait pas. Non, Marguerite n'était pas seulement épuisée nerveusement.

Il y avait autre chose.

Julie était allongée sur le sable, Kerry à côté d'elle. La journée était très calme. Tous les adolescents qui étaient venus sur la plage connaissaient de près ou de loin Mary-Beth Fletcher et, bien que chacun s'interrogeât sur ce qui avait pu lui arriver, nul n'avait abordé le sujet.

Les rayons du soleil chauffaient le corps de Julie. Elle n'en ressentait plus aucune faiblesse, mais un bien-être diffus. Prudente, elle avait néanmoins protégé sa peau déjà hâlée d'un film d'huile de noix de coco. Autour d'elle s'élevaient les voix enjouées des autres adolescents. Une heure plus tôt, elle s'était elle-même étonnée en éclatant de rire : Kerry s'était élancé pour rattraper un frisbee, l'avait raté et avait terminé son saut la tête dans le sable.

Sentant quelqu'un s'agenouiller près d'elle, Julie releva la tête et plissa les yeux dans le soleil pour découvrir Jennifer Mayhew.

— J'adore cette plage! s'exclama joyeusement son amie. Elle est propre, elle est grande, et il n'y a personne à part nous!

Julie gloussa de rire.

— Alors profites-en! J'ai entendu mon père discuter avec Mr. Waterman l'autre jour, et ils parlaient de construire un terrain de golf, des bungalows et un tas d'autres trucs du même genre!

Kerry s'assit, l'air songeur.

— Ton père croit vraiment que ça va marcher? demanda-t-il avec le plus grand sérieux. Le mien dit qu'il ne comprend pas pourquoi des gens auraient envie de venir ici. Je veux dire, il n'y a que des marécages.

Julie eut une grimace insouciante.

— Si mon père pense que ça va marcher, c'est que ça va marcher! Et puis vous, vous avez grandi ici, et personne n'aime vraiment l'endroit où il a grandi. Ou alors il faut de l'imagination... Mais regardez cette plage : elle est superbe! Et quand les travaux seront finis à Sea Oaks, ce sera encore mieux!

Kerry se leva souplement.

— Je l'espère, affirma-t-il. Comme tout le monde ici, d'ailleurs. Au moins, ton père essaie de faire quelque chose de cet endroit. Ta grand-mère semblait s'en moquer éperdument.

Une ombre passa sur le visage de Julie.

— Je ne crois pas. Je pense plutôt qu'elle voulait justement que tout reste inchangé, parce qu'elle n'a jamais compris que les choses évoluent, de toute façon. Elle allait jusqu'à traiter Ruby comme si elle était encore une esclave. Je ne sais pas pourquoi Ruby n'est pas partie, d'ailleurs!

— Pour la même raison, plaisanta Kerry. Ruby ne s'est pas encore rendu compte qu'il n'y avait plus d'esclaves!

– Tu es horrible! s'exclama Julie en lançant une poignée de sable vers le garçon. Si je croyais que tu le penses vraiment, je ne te parlerais plus!

Elle se leva d'un bond et partit à la poursuite de Kerry qui dévalait la plage vers la mer. Mais il se laissa rattraper.

– Allons nous baigner, proposa-t-il. Et cette fois, fais gaffe aux vagues! Je n'ai pas envie que ta tante me refasse les gros yeux!

Dans de grandes gerbes d'éclaboussures, ils entrèrent dans l'eau et s'éloignèrent suffisamment pour nager. Malgré le calme évident de la mer, Julie s'assura qu'elle avait encore pied. Elle touchait à peine le fond, et les algues lui caressaient doucement les chevilles. Elle fit la planche un moment, les yeux fermés. Quand Kerry remonta à la surface juste à côté d'elle, elle poussa un grand cri avant d'éclater de rire. Il la saisit et l'entraîna sous l'eau. D'une ruade, elle se dégagea de son étreinte. D'un crawl puissant, il prit la fuite et elle le poursuivit en nageant avec grâce. Il se laissait visiblement rejoindre et elle allait le toucher quand elle sentit quelque chose heurter sa jambe sous l'eau.

Elle poussa un cri de surprise, et Kerry fit aussitôt demi-tour.

– Que se passe-t-il?

– Je ne sais pas, répondit Julie. Quelque chose m'a bousculée sous l'eau. Un poisson, peut-être?

– Une tortue, plutôt! lança le garçon. Elles viennent pour brouter les algues, ou pour pondre sur la plage. Si une autre te cogne, essaye de l'attraper!

– Tu es cinglé! Si elle me mord?

Kerry partit d'un grand éclat de rire.

– Les tortues ne mordent pas! Elles tentent juste de s'éloigner, et si tu les soulèves hors de l'eau elles continuent à agiter leurs pattes! C'est marrant à voir!

Mais Julie se méfiait toujours.

– Je te préviens, si c'est encore une de tes blagues...

Le léger choc se répéta contre sa jambe. Sans réfléchir, elle plongea les mains et toucha ce qui venait de la percuter mollement.

Ses doigts se refermèrent sur quelque chose d'assez mou. Elle fronça les sourcils en essayant de tirer la chose vers le haut. Pendant un moment, elle n'y parvint pas. Puis elle sentit la résistance céder et ce qui l'avait bousculé creva la surface de l'eau.

Il ne s'agissait pas d'une tortue de mer, mais Julie sut exactement ce que c'était.

Le cadavre de Mary-Beth Fletcher.

Le visage boursouflé avait été lacéré par les créatures marines. Ce qui restait de la chevelure n'était plus qu'une masse gluante qui semblait s'accrocher aux mains de Julie.

Les deux yeux avaient disparu, et les orbites vides fixaient sur Julie un horrible regard d'outre-tombe. Un ver sortit en gigotant des profondeurs du crâne et tomba dans l'eau.

Avec un hurlement suraigu, Julie voulut repousser le corps, mais les cheveux de Mary-Beth s'étaient entortillés autour de ses doigts et elle ne put se libérer. Alors qu'elle sentait son estomac se révolter et que ses cris devenaient hystériques, Kerry apparut à côté d'elle. Il tira sur les mèches qui enserraient les mains de Julie et repoussa brutalement le cadavre ballotté grotesquement par les vagues.

Julie ne sut jamais comment elle avait regagné la plage.

# 14

Le petit salon contigu à la chambre d'Helena luisait doucement dans la faible lumière que laissaient passer les rideaux tendus devant les fenêtres. Marguerite souriait en contemplant le résultat de son travail. Chaque meuble avait été parfaitement ciré, et toute trace de poussière avait disparu. Elle avait fait de son mieux pour masquer les endroits les plus abîmés du canapé de style victorien en disposant ces châles qu'affectionnait tant sa mère. Cacher l'état du papier mural, en revanche, lui avait posé un problème insoluble. En cherchant bien, elle dénicherait peut-être dans un magasin de Charleston un papier peint aux motifs semblables. Malgré cela, pour la première fois depuis bien des années ces appartements avaient retrouvé l'aspect qu'elle leur connaissait dans son enfance.

Ce petit salon avait toujours été la pièce préférée de sa mère, et maintenant que Marguerite lui avait redonné son confort d'antan, elle comprenait pourquoi. La lumière y était pour beaucoup. L'orientation des fenêtres ne laissait pénétrer qu'indirectement les feux du couchant, si bien que le bois de rose et l'acajou des meubles paraissaient illuminés de l'intérieur. De plus, la température ici était toujours plus agréable que n'importe où dans la maison. Mais l'impression de bien-être qui imprégnait cette pièce tenait d'autre chose, d'une atmosphère indéfinissable, comme préservée du temps. Ici, Marguerite pouvait presque croire que Sea Oaks n'avait pas changé...

*Au-dehors, les champs de coton en pleine floraison s'étendaient sur toute l'île et sur le continent, à perte de vue ; autour d'elle la maison vibrait d'animation, tandis que les domestiques s'affairaient aux derniers préparatifs du bal.*

*Sans doute y aurait-il de la musique jusque tard dans la nuit...*

*Elle voyait la salle de bal, ses magnifiques lustres de cristal rutilants au-dessus des innombrables amis de la famille Devereaux qui allaient danser jusqu'à l'aube. Puis on servirait un petit déjeuner dans la salle à manger, et chacun se délecterait d'omelettes, de melons et de fraises.*

*Elle entendait déjà la mélodie mélancolique des violons...*

Marguerite fut brusquement tirée de sa rêverie. Ce n'était pas la musique d'un orchestre qu'elle percevait.

Elle tendit l'oreille et le même son plaintif lui parvint.

Une sirène.

Elle alla jusqu'à la fenêtre, écarta le rideau et se pencha au-dehors. Au loin, une ambulance sortait du village, suivie de près par l'unique voiture de patrouille de la ville. Les deux véhicules s'engagèrent sur la digue et le bruit des sirènes se fit plus fort.

Le cœur de Marguerite s'emballa lorsqu'elle pensa à Julie. La jeune fille était partie passer l'après-midi sur la plage avec des amis.

Dont ce garçon...

Elle ne se souvenait que trop bien de ce qui s'était passé la dernière fois que Kerry Sanders avait accompagné Julie à la plage.

Alarmée, Marguerite sortit en hâte dans le couloir et marcha aussi vite que le lui permettait sa jambe, jusqu'à l'escalier.

— Kevin! cria-t-elle. Où es-tu? Il est arrivé quelque chose!

Quand elle atteignit le palier du premier étage, Kevin était déjà dans l'entrée et levait vers elle un visage anxieux. Joe Briggs, l'entrepreneur qui s'occupait des rénovations, se trouvait à côté de lui. Mais Marguerite ignora ce dernier.

— Une ambulance arrive! annonça-t-elle d'une voix tremblante. Il est arrivé quelque chose à Julie! Je le sens!

Elle commença à descendre les marches en se tenant à la rampe. Mais son frère et l'entrepreneur s'étaient déjà précipités dehors quand elle arriva enfin au rez-de-chaussée. Elle entra dans la salle à manger pour sortir par une porte-fenêtre. Ruby émergea de la cuisine.

— Que se passe-t-il? interrogea la domestique. Où courent-ils?

— La plage! haleta Marguerite. Aidez-moi, Ruby. Il est arrivé un malheur là-bas. Une ambulance arrive, et la voiture de Will et... C'est Julie, je le sens! Il faut que j'aille là-bas! Vite!

— Allons, calmez-vous, miss Marguerite, dit la vieille servante en rejoignant sa maîtresse. Rien n'est arrivé à Julie. Kerry Sanders est avec elle. Il serait d'abord venu ici!...

L'une aidant l'autre, les deux femmes sortirent et prirent la direction de la plage.

A présent le hurlement de la sirène emplissait l'air surchauffé. L'ambulance et la voiture de police fonçaient en caho-
tant sur les anciens chemins laissés à l'abandon depuis l'arrêt
des cultures de coton.

Marguerite sentit la peur la submerger quand la sirène se tut
brusquement.

*Trop tard! Julie est déjà morte...*

– Vite! s'écria-t-elle.

Ébahie, la vieille domestique vit alors sa maîtresse se mettre
à courir. A chaque mètre, sa jambe blessée menaçait de la trahir, mais elle continuait à se ruer de toute la vitesse dont elle
était capable vers les véhicules. En marmonnant, Ruby fit ce
qu'elle pouvait pour la rattraper.

Elles arrivèrent enfin sur la plage. Marguerite repéra aussitôt
le groupe d'adolescents agglutinés autour de Will Hempstead.
Puis elle vit Julie, recroquevillée sur le sable. Kevin se trouvait
près d'elle et lui tenait la main. Marguerite reconnut également
Kerry Sanders; impuissant, il observait la jeune fille qui sanglotait, une serviette de bain sur la tête pour cacher son visage.
Mais où étaient donc les ambulanciers?

Ils n'étaient pas avec Julie. Marguerite fouilla des yeux les
environs et finit par distinguer leurs blouses blanches.

Un peu à l'écart, ils tiraient des flots une forme humaine
indistincte.

Il ne s'agissait donc pas de sa nièce.

Marguerite inspira profondément puis souffla, soulagée. La
tension quitta son corps et les battements de son cœur se cal-
mèrent.

Quelques instants plus tard elle avait rejoint sa nièce et se
laissait tomber sur le sable. Elle prit l'adolescente dans ses bras
et caressa ses cheveux.

– Ma chérie, murmura-t-elle. Ma pauvre chérie... Que
s'est-il passé?

Incapable de répondre, Julie secoua la tête et ses sanglots
redoublèrent. Tout son corps était parcouru d'un tremblement
incoercible, et elle ramena ses jambes contre son buste, sans
pour autant cesser d'étreindre sa tante avec une force terrifiée.

– C'est Mary-Beth Fletcher, expliqua Kevin d'une voix tendue. Ils l'ont retrouvée. Elle était dans l'eau, et son corps a
bousculé Julie et...

Il ne put terminer, et Kerry Sanders le remplaça.

– Julie l'a fait remonter à la surface, miss Marguerite, dit
l'adolescent en évitant de la regarder. Je croyais que c'était une
tortue de mer, et elle a essayé de l'attraper.

Les yeux de Marguerite s'agrandirent d'horreur.

– Mon Dieu! souffla-t-elle en resserrant ses bras autour des
épaules de sa nièce. Tout va bien, ma chérie. Je suis là, et je ne

141

permettrai pas qu'on te fasse du mal... (Sans cesser de bercer Julie comme une enfant, elle tourna un regard sombre vers Kerry Sanders.) Quant à vous, partez! Rentrez chez vous! Allez-vous-en!

Frappé autant par la dureté de la voix que par les mots, l'adolescent hésita un instant avant de se lever et de s'éloigner. Kevin le rejoignit et posa une main sur son épaule.

— Il ne faut pas lui en vouloir, dit-il. Elle était très inquiète pour Julie.

Mais Kerry secoua la tête.

— Ce n'est pas ça, Mr. Devereaux. Elle a agi de la même façon quand j'ai ramené Julie chez vous, le jour où une vague l'avait renversée. On aurait dit qu'elle m'accusait; peut-être n'avait-elle pas tout à fait tort cette fois-là. J'aurais dû surveiller un peu plus votre fille, mais... que pouvais-je faire, aujourd'hui? Je ne savais pas que Mary-Beth était...

Sa voix se brisa et il laissa sa phrase en suspens.

— Allons, Kerry, personne ne vous accuse, lui assura Kevin. Dès qu'elle se sera remise de son émotion, je suis sûr que Marguerite comprendra son erreur.

— Non, rétorqua l'adolescent avec amertume. Elle m'aimait bien, avant l'arrivée de Julie. Mais maintenant tout a changé, et elle se comporte comme si elle me détestait. Je n'ai pourtant rien fait pour mériter cela, Mr. Devereaux.

— Et je te le répète, personne ne t'accuse. Tu ferais mieux de rentrer chez toi, maintenant. Viens nous voir demain, ou après-demain; tu verras, tout sera redevenu comme avant.

Mais Kerry ne rentra pas chez lui. Il rejoignit ses amis, un peu plus loin sur la plage, qui regardaient les hommes en blouse blanche enfermer le cadavre de Mary-Beth Fletcher dans un grand sac en plastique avant de le déposer dans l'ambulance. Ce n'est qu'une fois cette opération macabre terminée qu'ils se tournèrent vers Julie. Ils lui firent une piqûre pour contrecarrer le choc nerveux qu'elle avait subi. Ensuite ils la placèrent sur un brancard et la ramenèrent à Sea Oaks.

Alors que les ambulanciers quittaient la plage, suivis de près par Marguerite, Kerry se pencha vers Jennifer Mayhew.

— Qu'est-il arrivé à Mary-Beth? Quelqu'un le sait?

— J'ai entendu Will Hempstead parler avec le conducteur de l'ambulance. Il disait qu'il serait sans doute impossible de définir les causes du décès. Il a ajouté... (Jenny fit un effort pour ne pas céder à l'émotion) que le corps était resté trop longtemps dans l'eau et que le... le cadavre était trop abîmé pour qu'on sache ce qui s'était passé.

— Merde! souffla Kerry pour cacher son émotion, avant de se reprendre. Allons, nous ferions aussi bien de partir d'ici.

Alors qu'ils se dirigeaient vers la voiture de l'adolescent, Will Hempstead les retint un moment.

– Dites-moi, comment se fait-il que Bobby Hastings soit venu jusqu'en ville pour me téléphoner? Il aurait pu m'appeler de Sea Oaks.

Kerry garda un silence gêné, et c'est finalement Jennifer qui répondit au policier :

– Il avait peur, avoua-t-elle. Nous avions tous peur, et Julie pleurait sans cesse, et Bobby ne savait pas quoi faire...

– Et moi, j'avais peur d'aller voir miss Marguerite, lança soudain Kerry, les yeux fixés au sol. J'avais peur qu'elle s'énerve après moi et qu'elle m'accuse. Et j'avais raison. C'est pour ça que j'ai dit à Bobby d'aller vous prévenir.

– Tu avais peur de miss Marguerite? répéta Hempstead, dubitatif. Mais c'est idiot! Elle adore les jeunes, et depuis toujours!

Kerry lui fit face.

– Les filles, oui. Elle adore les filles, Mr. Hempstead. Mais elle ne m'aime pas, moi!

Puis l'adolescent tourna les talons et repartit vers sa voiture, suivi une seconde plus tard par Jenny Mayhew.


– Moi, je te parie que c'est tante Marguerite qui l'a tuée! dit Jeff.

Retranché dans sa cabane en compagnie de Toby Martin, il savourait le Coca-Cola tiède et les cookies desséchés qu'il avait habilement subtilisés le matin même dans la cuisine. Ils avaient entendu le hurlement des sirènes et avaient couru jusqu'à la plage pour voir de quoi il retournait. Fascinés, ils avaient épié les ambulanciers qui sortaient le cadavre des flots, puis l'un d'eux les avait chassés. Ils s'étaient alors résignés à flâner aux alentours, dans l'espoir de ne rien manquer. Jeff avait bien tenté de parler à son père, mais Kevin l'avait écarté lui aussi. Quant aux amis de Julie, ils avaient totalement ignoré les deux gamins. Après le départ de l'ambulance, Jeff et Toby avaient réintégré leur cabane près du garage. Depuis, ils essayaient d'éclaircir le mystère qui entourait la mort de Mary-Beth Fletcher.

A présent, Toby regardait Jeff avec des yeux ronds.

– Miss Marguerite ne ferait de mal à personne, assura-t-il. Alors pourquoi elle aurait tué Mary-Beth?

– Parce qu'elle est folle, répliqua Jeff en prenant un autre biscuit. Je l'ai vue ce matin, dans la chambre de Grand-Mère. Elle a fait un truc drôlement bizarre : elle s'est habillée comme Grand-Mère et elle a coiffé ses cheveux d'une drôle de façon!

Toby fronça les sourcils.

– Bah! Elle jouait peut-être à se déguiser. Ma sœur le fait tout le temps.

Jeff salua cette hypothèse d'une grimace.

– Ouais, mais ta sœur n'a que cinq ans! Tante Marguerite est une grande, et les grands ne jouent pas à se déguiser; ou alors c'est parce qu'ils sont fous. Et tu as vu comment elle était avec Julie?

– Eh bien! Elle s'occupait de ta sœur, c'est tout! Parce qu'elle pleurait...

Cette fois, Jeff poussa un soupir très expressif.

– Elle faisait comme si c'était elle notre mère. Elle a fait pareil avec moi, ce matin! Elle me donnait des ordres et tout ça!

– Et qu'est-ce que tu as fait?

Jeff haussa les épaules en affichant un air blasé.

– Je lui ai dit que c'était pas ma mère et qu'elle n'avait pas à me donner des ordres!

– Woah! souffla Toby, très impressionné par le sang-froid de son ami. Et alors? Qu'est-ce qu'elle a fait?

– Rien, lâcha Jeff, laconique.

Mais il se garda bien de préciser qu'il n'avait pas attendu la réaction de sa tante.

– De toute façon, ajouta-t-il, moi je te dis qu'elle est folle! Et je suis sûr qu'elle a tué Mary-Beth Fletcher!

Toby considéra son camarade de jeu avec scepticisme. Il aimait beaucoup Jeff, et depuis son arrivée ils étaient devenus les meilleurs amis du monde. Mais il connaissait miss Marguerite depuis plus de temps qu'il ne pouvait s'en souvenir, et elle ne lui avait jamais semblé folle. Lorsque lui ou un autre enfant la rencontrait dans le village, elle offrait toujours un Coca ou une friandise; souvent, elle s'asseyait avec eux et leur parlait comme on parle à des grands. La mère de Toby disait souvent que miss Marguerite devait être bien seule dans cette grande maison, et le gamin se sentait triste pour elle.

– Et pourquoi elle aurait tué Mary-Beth, d'abord? finit-il par dire.

– Comment je le saurais? répliqua Jeff, exaspéré. Personne ne sait pourquoi les fous font des trucs bizarres. Euh... c'est pour ça qu'ils sont fous, voilà!

– Alors je crois que vous êtes les deux enfants les plus fous que je connaisse! fit Ruby de l'extérieur de la cabane.

Jeff et Toby se figèrent, une expression de culpabilité sur leur visage, tandis qu'ils cherchaient désespérément des yeux un endroit où cacher les biscuits et les cocas.

La tête de la vieille domestique apparut à l'entrée de la cabane, et elle les observa d'un regard soupçonneux.

– Voilà donc où sont passés mes biscuits et mes cocas! dit-elle. Eh bien, j'ai des boîtes bien fraîches dans la cuisine, et si vous pouvez rester assis tranquillement pendant une demi-heure, je pourrais peut-être vous préparer d'autres biscuits. Ceux-là auraient dû être donnés aux oiseaux il y a deux jours... Sortez donc de votre trou, tous les deux!

Elle se redressa, et les deux enfants s'extirpèrent de leur cabane. Ils n'étaient pas sûrs de ne pas écoper d'une punition pour leur larcin, mais Ruby se contenta de les prendre par la main et de les emmener vers la maison.

Un quart d'heure plus tard, alors que la domestique glissait la première plaque de cookies au chocolat dans le four, la porte donnant sur la salle à manger s'ouvrit et Marguerite entra.

– Je croyais vous avoir demandé de préparer un peu de thé glacé pour... commença-t-elle avant de s'arrêter en voyant les biscuits. Pour l'amour du ciel, Ruby! s'exclama-t-elle sèchement. Julie ne peut pas manger des biscuits maintenant! Il lui faut quelque chose de frais! Je vous avais dit de lui préparer du thé glacé!

– Il est dans le réfrigérateur, répondit placidement la domestique. Je n'ai pas l'impression qu'elle en voudra avant de s'être réveillée, de toute façon, et j'ai là une paire de gamins affamés qui ne sont pas endormis, eux!

Marguerite remarqua enfin les deux garçons qui attendaient sagement, assis à la table de la cuisine. Quand elle les vit, Jeff l'aurait juré, une lueur de colère passa dans son regard; mais son expression changea immédiatement et elle leur sourit.

– Oh, bien sûr! Nous ne voudrions pas les laisser mourir de faim dans notre cuisine, n'est-ce pas?

Elle s'approcha et fit mine de déposer un baiser sur la joue de son neveu, mais celui-ci se recula.

– Tu m'en veux toujours? demanda-t-elle.

– N-non, bégaya Jeff, sans parvenir à cacher à son ami la peur qu'il éprouvait.

– Eh bien, je l'espère, dit sa tante en lui passant une main dans les cheveux. Je sais que je n'aurais pas dû te parler comme je l'ai fait, mais je crois que j'étais un peu énervée.

Mal à l'aise, Jeff gigota sur sa chaise pour échapper à la caresse de Marguerite.

– C'est pas grave, marmonna-t-il. Et Julie, elle pleure toujours?

– Non; elle dort. C'est pourquoi Toby et toi ne devez pas faire de bruit. Vous ne voulez pas l'empêcher de se reposer, n'est-ce pas?

Jeff lança un coup d'œil à son ami.

– On ne fait pas de bruit! Et puis, quand Julie dort, c'est comme si elle était morte. Impossible de la réveiller!

Marguerite pâlit et ses lèvres se serrèrent.

— Il ne faut pas dire des choses pareilles! décréta-t-elle d'une voix dure. Après ce qui s'est passé...

— Allons, miss Marguerite, il ne le pensait pas vraiment, intervint calmement Ruby. Vous devriez remonter auprès de Julie. Dès qu'elle se réveillera, appuyez sur l'interphone. J'amènerai le thé glacé et un ou deux biscuits...

Pendant quelques secondes, Marguerite sembla prête à s'emporter, mais elle y renonça. Dès qu'elle fut sortie de la cuisine, Jeff se tourna vers Toby, tandis que Ruby reprenait sa tâche.

— Tu vois? chuchota-t-il. D'abord elle est toute gentille, et puis elle s'énerve. Elle est cinglée, je te dis!

Ruby fit volte-face et considéra le gamin d'un regard peu amène.

— Je n'ai rien dit tout à l'heure parce que je n'aime pas surprendre les conversations des autres. Mais que je ne t'entende plus dire que miss Marguerite est folle, tu m'as bien compris? Je ne veux pas de ça!

Les yeux ronds, Jeff sentit son visage s'empourprer de honte. Tout penaud, il hocha la tête. La domestique reprit alors son travail sans plus de commentaire.

Jeff n'arrivait pas à trouver le sommeil. Depuis qu'il s'était mis au lit, la maison entière lui semblait habitée de bruits étranges. Une légère brise soufflait, et le garçon avait essayé de se convaincre qu'elle poussait les branches des arbres contre les fenêtres et les murs. Mais il savait que les sons alarmants qu'il avait perçus provenaient de l'intérieur de Sea Oaks.

Il était certain d'en avoir reconnu quelques-uns.

Sa tante marchait dans le couloir et s'arrêtait devant chaque porte pour écouter, avant de repartir. De cela, il était sûr, à cause de sa démarche caractéristique.

Que voulait-elle?

Un peu plus tôt, quand elle avait fait halte devant sa chambre, il s'était caché sous les couvertures, terrorisé à l'idée qu'elle allait entrer. Mais elle s'était éloignée, et après un moment il avait tenté de s'endormir. Pourtant il l'entendait toujours; elle allait et venait de son pas singulier dans le couloir, et parfois il semblait au gamin qu'elle ouvrait puis refermait une porte avec précaution.

A présent, mille bruits indéfinissables peuplaient l'obscurité; tous lui paraissaient si forts qu'il finit par plaquer ses mains sur ses oreilles pour ne plus les entendre.

Mais il les entendait toujours.

Il avait alors compris que ce n'était qu'un tour de son imagination enfiévrée, comme lorsqu'il s'éveillait brutalement d'un cauchemar et qu'il croyait voir les monstres de son rêve avancer vers lui dans sa chambre.

Maintenant il percevait les battements de son propre cœur, qui semblaient dominer les autres bruits. S'il ne pouvait plus les entendre, comment saurait-il si ce qui les produisait n'entrait pas dans sa chambre?

La porte.

L'avait-il fermée à clef?

Il se glissa hors de son lit et traversa silencieusement la chambre. Lentement, il tourna la clef dans la serrure.

Tous les bruits inquiétants semblaient s'être soudain dissous dans un grand calme.

Un peu rasséréné, il regagnait son lit quand un mouvement au-dehors attira son attention.

Avant même de s'approcher de la fenêtre, il sut ce que c'était.

Le fantôme de sa grand-mère était revenu.

Inconsciemment, il retint sa respiration en scrutant les ténèbres. La lune dispensait une faible lueur laiteuse, mais il discerna sans mal la forme blanche qui évoluait dans le cimetière.

Qu'allait-il faire?

La réponse lui vint presque instantanément : Ruby.

La domestique saurait quelle attitude adopter. La première fois qu'il avait vu le spectre, elle avait été la seule à ne pas douter de ses dires. Cette nuit aussi, elle le croirait.

Il retourna jusqu'à la porte. L'oreille collée contre le battant, il écouta longuement. Le couloir était plongé dans un calme absolu. D'une main tremblante, il fit tourner la clef dans la serrure. Avec un claquement sec, le pêne quitta la gâche. Il attendit encore plusieurs secondes, tous les sens en alerte.

Aucun bruit.

Il ôta alors la clef, se courba et colla un œil devant le trou de la serrure.

Une lueur ambrée baignait le couloir, et l'enfant comprit qu'on avait laissé une veilleuse allumée. Il n'aurait donc pas à affronter des ténèbres totales.

Inspirant à fond, le gamin ouvrit la porte et sortit dans le couloir; un rapide coup d'œil dans les deux sens et il courait vers l'escalier. Avant d'avoir eu le temps de penser à ce qu'il faisait, il était au rez-de-chaussée et traversait comme une flèche l'enfilade de pièces jusqu'à la cuisine.

Il frappa doucement à la porte de Ruby. Aucune réponse. Il recommença, un peu plus fort cette fois. Enfin il entendit sa voix.

– Qui est là? Que se passe-t-il?

– C'est moi. Jeff! murmura-t-il. Je peux entrer?

Il perçut les bruits de quelqu'un qui sortait de son lit, puis des pas assourdis et la porte s'ouvrit. Les yeux embrumés de sommeil, Ruby le regarda avec étonnement.

– Qu'est-ce qui ne va pas? Que fais-tu ici?

– C'est... c'est Grand-Mère! balbutia le gamin. Elle est encore dans le cimetière!

La domestique cligna des yeux et hocha la tête. Elle sortit de sa chambre, dont elle referma soigneusement la porte, et prit d'autorité la main de Jeff dans la sienne. Elle l'entraîna dans la cuisine, puis dans la salle à manger. S'approchant d'une des portes-fenêtres, elle écarta le rideau. La vieille domestique et le jeune garçon scrutèrent la nuit.

La forme spectrale errait toujours dans le cimetière. Les bras tendus, elle se dirigeait lentement vers la crypte des Devereaux.

– Qu'est-ce qu'elle veut? chuchota le gamin.

– La jeune fille, répondit Ruby en remettant en place le rideau. Ils ont retrouvé Mary-Beth Fletcher aujourd'hui, et elle vient prendre son âme...

Elle guida l'enfant vers le salon et l'escalier.

– Et maintenant, tu vas retourner au lit. Elle ne te fera aucun mal; ce n'est pas à toi qu'elle en veut. Donc tu vas te recoucher et ne plus y penser. D'accord?

– Mais... si elle entre dans la maison? fit Jeff d'une voix plaintive tandis qu'ils commençaient à gravir les premières marches. Je ne peux pas dormir avec vous cette nuit?

– Elle ne pénétrera pas ici, assura la domestique. Tu n'as donc pas besoin de dormir avec moi; tu es un grand garçon, n'est-ce pas?

Jeff se mordit la lèvre et laissa Ruby le remettre dans son lit.

– Je peux garder une lumière? quémanda-t-il. S'il vous plaît, Ruby?

La domestique hésita quelques instants avant d'acquiescer.

– Je n'y vois aucun inconvénient, commenta-t-elle.

Elle alla jusqu'à la penderie, en entrouvrit la porte et alluma l'ampoule qui pendait du plafond. Une clarté rassurante se répandit dans la chambre.

– Ça va, comme ça?

– Oui.

Elle retourna ensuite auprès du garçon et s'assit dans le siège près de la table de chevet.

– Je crois que je vais rester un peu ici, annonça-t-elle d'un ton détaché. Aucune raison de retourner tout de suite me coucher, maintenant que je suis complètement réveillée...

Soulagé de ne pas être seul mais peu désireux de l'avouer, Jeff ne dit rien. Ruby se mit alors à fredonner une douce mélodie. L'enfant ferma les yeux et se laissa bercer par la chanson à peine esquissée.

Quelques minutes plus tard, la respiration de Jeff était profonde et régulière. Assurée que l'enfant avait enfin sombré dans un sommeil bienfaisant, Ruby se leva sans bruit. Elle éteignit la lumière et referma la penderie, puis elle sortit de la chambre.

Pendant un instant, elle garda une immobilité parfaite. Puis elle parcourut silencieusement le couloir jusqu'à la chambre de Marguerite et s'arrêta devant la porte close, cette fois pour écouter.

Aucun bruit.

Alors elle redescendit au rez-de-chaussée. Dans l'obscurité de la maison familière, elle se déplaçait rapidement, sans hésitation. Dans la salle à manger, pourtant, elle fit une nouvelle halte pour regarder par l'une des portes-fenêtres.

La silhouette fantomatique était toujours dans le cimetière. Sous la pâle clarté de la lune, elle évoluait selon un rythme étrange; on eût dit qu'elle dansait quelque valse macabre.

Enfin Ruby regagna sa chambre, mais elle éprouva de grandes difficultés à se rendormir. Plusieurs fois, elle s'éveilla en sursaut de rêves singuliers, sortis d'un passé lointain. Un passé qu'elle avait espéré définitivement révolu.

# 15

Le lendemain matin, Julie reposait dans son lit, sous un simple drap. Elle n'était pas certaine de connaître la cause de l'étrange torpeur qui engourdissait son esprit. Était-ce la chaleur étouffante? Les pilules prescrites par le docteur? Deux fois pendant la nuit, elle s'était réveillée brusquement avec l'image du spectre de Mary-Beth flottant devant elle dans l'obscurité de sa chambre, ses orbites vides braquées sur elle. Julie avait dû faire appel à toute sa force de caractère pour ne pas hurler de terreur. La deuxième fois, juste avant l'aube, elle avait failli se précipiter dans la chambre de sa tante. Mais elle avait réussi à se raisonner; une telle réaction était puérile, et elle n'y céderait pas. Elle était donc restée dans son lit et avait fini par se rendormir alors que les premiers rayons du soleil déchiraient le voile de la nuit.

A présent, le corps couvert d'une fine pellicule de sueur, elle était allongée dans la chaleur moite du matin. Au-dehors un oiseau chantait, et des pas résonnaient de temps à autre dans la maison. Son père était venu la voir un peu plus tôt, puis sa tante, mais aucun des deux n'était resté plus de quelques minutes. Les adultes lui avaient conseillé de se rendormir. Mais il faisait trop chaud pour cela, et Julie ne tenait pas à rêver à nouveau de Mary-Beth. Malgré la température, le simple fait de repenser à son cauchemar suffisait à la faire frissonner.

Quand elle entendit une voiture remonter l'allée, elle consulta automatiquement le réveil posé sur la table de chevet. Dix heures moins cinq.

Bien sûr. C'était le jour du cours de danse, et les élèves arrivaient.

Elle repoussa le drap, s'assit dans le lit, puis elle posa les pieds sur le sol et ressentit aussitôt un fort étourdissement. Prudente, elle se rallongea un moment. Elle faisait une nouvelle tentative quand on frappa une série de coups légers à la porte.

– Julie? fit la voix de Jennifer Mayhew. Tu es réveillée?

– Entre, répondit Julie, d'une voix dont la faiblesse l'étonna.

Jenny pénétra dans la pièce. Elle était déjà en tenue de danse.

– Tu as une mine terrible! constata-t-elle avec une mimique gênée.

– Je ne me sens pas très bien, admit Julie en esquissant un sourire d'excuse. J'ai entendu la voiture, et je me suis dit que je devrais m'habiller, mais je ne tiens pas debout!

– Tu es malade?

– Je crois que c'est à cause des pilules que m'a données le Dr Adams. Elles m'abrutissent et me donnent envie de dormir tout le temps, mais dès que je ferme les yeux je rêve de Mary-Beth... Et il fait tellement chaud... Tout le monde est là pour le cours?

– Nous ne sommes que trois. Allison Carter, Tammy-Jo et moi. Charlene a déclaré qu'elle ne pourrait jamais remettre les pieds sur l'île. Hier soir, elle est venue me voir chez moi, et elle s'est comportée comme si c'était la fin du monde!

– Mary-Beth était sa meilleure amie, rappela Julie.

– Mais elle ne l'a même pas vue! Dès que tu t'es mise à crier, elle a perdu les pédales! Quand ils ont sorti le corps de Mary-Beth de l'eau, c'est tout juste si elle n'a pas pris ses jambes à son cou. A la voir, on aurait cru que c'était elle qui avait découvert le cadavre, et non toi!

Julie frissonna au souvenir de ces macabres instants, et Jenny se sentit rougir de honte d'avoir parlé avec une telle légèreté. Mais elle n'eut pas le temps de s'en excuser. Marguerite entra dans la pièce à cet instant précis.

– Il est dix heures, annonça-t-elle à Jenny. Tu devrais déjà être en haut! (Puis, souriant à sa nièce :) Et toi, tu devrais dormir.

– Il fait beaucoup trop chaud, plaida Julie. Pourrais-je vous accompagner pour assister au cours?

– Il n'en est pas question, répliqua Marguerite fermement.

Le Dr Adams exige que tu gardes le lit toute la journée. Demain, si ton état s'est amélioré...

– Mais je ne suis pas malade! J'ai simplement eu peur, c'est tout. Et ces pilules me rendent toute chose!

– Si le Dr Adams les a prescrites, c'est qu'il y a une bonne raison, rétorqua sa tante avec une sévérité soudaine que Julie ne lui connaissait pas.

Après un regard autoritaire à l'adresse de Jennifer, Marguerite sortit de la chambre.

– Je reviendrai te voir dès la fin du cours, promit Jenny.

Julie se retrouva seule.

Cinq minutes plus tard, elle perçut les échos assourdis du piano, à l'étage supérieur.

Bien que toutes les portes-fenêtres donnant sur le balcon aient été largement ouvertes, la chaleur qui régnait dans la salle de bal était presque insupportable. Aucun souffle d'air n'agitait le velours fané des tentures. A la barre, les trois adolescentes faisaient de leur mieux pour suivre le rythme de l'échauffement, mais Jenny commençait à craindre un évanouissement. Et la chaleur pas plus que l'absence de Julie n'expliquaient l'ambiance étrange dans laquelle avait débuté le cours.

C'est la disparition tragique de Mary-Beth Fletcher qui créait ce malaise. La semaine précédente, elle avait déjà manqué le cours, mais alors on pouvait croire qu'elle était encore en vie, même si personne ne le pensait vraiment. Depuis hier, la terrible réalité avait frappé.

Marguerite n'avait fait aucune allusion à la morte. En compagnie de Jenny, elle était entrée dans la salle de bal où attendaient ses deux autres élèves. Elle avait clopiné jusqu'au piano et s'était assise pour attaquer aussitôt la musique d'échauffement. Mais Jenny aurait juré que Marguerite jouait sur un tempo plus rapide qu'à l'accoutumée, car l'adolescente avait du mal à suivre l'enchaînement des cinq positions.

– Le bras droit un peu plus bas, Jennifer! lança le professeur.

Avec grâce, la jeune fille pivota pour effectuer la quatrième position. Elle sentit le tiraillement familier dans sa jambe tandis que son pied droit avançait d'exactement trente centimètres dans l'alignement du gauche.

– Bien! Cinquième position!

Le pied droit de Jennifer glissa pour toucher le gauche, et son bras droit s'éleva au-dessus de sa tête en une courbe délicate.

– Jambes tendues! rappela sèchement Marguerite. Gardez les jambes tendues!

– Mais il fait trop chaud! se lamenta Allison Carter.

Elle baissa les bras et ses jambes reprirent une posture plus aisée.

– Il fait encore plus chaud sur une scène! rétorqua Marguerite sans cesser de jouer. La danse est pour moitié une question de volonté. Si vous ne développez pas votre volonté, vous ne serez jamais de vraies danseuses!

Tammy-Jo Aaronson abandonna sa position et alla s'écrouler sur une chaise.

– Je n'ai jamais voulu devenir une vraie danseuse, bougonna-t-elle en s'épongeant le visage avec une serviette. Je venais juste pour apprendre les bases et m'amuser. Mais ça ne m'amuse plus du tout!

Marguerite cessa de jouer et rabattit le couvercle du clavier avec un claquement sec. Surprise, Jennifer Mayhew fit un faux pas et sentit une brûlure dans le tendon d'Achille de son pied gauche. Elle s'assit sur le sol et entreprit de masser vigoureusement sa cheville endolorie.

– S'amuser? répéta Marguerite d'une voix stridente.

Elle se leva et avança de quelques pas vers les trois jeunes filles. Celles-ci échangeaient à présent des regards inquiets.

– Qui vous a dit que la danse était un amusement? La danse de salon peut-être, et pour certains se trémousser sur du rock'n'roll est sans doute très amusant! Mais le ballet n'a rien d'un amusement! C'est un art qui demande des années de discipline et d'apprentissage! Des années! Croyez-vous que je m'amusais à votre âge? (Elle se tut une seconde, les yeux étincelants.) Non, bien sûr! Mais je savais pourquoi j'endurais cela! Mes jambes étaient douloureuses, mes chevilles, mes hanches... Mais jamais je ne me suis plainte! Jamais!

Son tendon d'Achille oublié devant la colère soudaine de Marguerite, Jenny se releva prestement pour se rapprocher de ses deux amies qui paraissaient tout aussi effrayées qu'elle.

– A votre âge, je travaillais sans relâche! poursuivait Marguerite d'une voix de plus en plus aiguë. Peu importait la chaleur qu'il faisait, ou la fatigue que je ressentais! Je continuais à danser, parce qu'il le fallait! Je devais le faire!

– Eh bien moi, je ne dois pas forcément le faire! lança Tammy-Jo dans un demi-sanglot. Je ne veux pas devenir une danseuse, et je ne l'ai jamais voulu! Je ne suis venue ici que pour être avec mes amies. Et regardez ce qui est arrivé: Mary-Beth est morte, et Charlene ne veut plus assister aux cours! Et je la comprends! Ça n'a plus rien d'amusant, et moi aussi je vais rentrer chez moi!

Marguerite se figea, le visage exsangue.

– Mais tu ne peux pas...

– Elle peut faire ce qu'elle veut, rétorqua Allison Carter, et moi également. (Le visage sombre, elle se tourna vers Jenny.) Je pars avec Tammy-Jo. Il fait trop chaud, je suis fatiguée, et je n'ai aucune envie de rester ici.

Elle délaça ses chaussons, les ôta et les fourra dans son sac. Puis elle remit ses tennis et enfila son T-shirt sur sa combinaison de danse. Tammy-Jo Aaronson se rhabilla en même temps qu'elle. Alors qu'elles se dirigeaient vers la porte, Allison se retourna vers Jenny.

— Tu viens avec nous?

— Je... je ne sais pas... balbutia la jeune fille, partagée entre ses amies et son professeur.

Marguerite tremblait de la tête aux pieds, en proie à une rage folle. Elle tendit une main vers Jenny, mais celle-ci recula en voyant la lueur étrange qui habitait ses prunelles.

— Je suis désolée, dit-elle, la gorge nouée. Mais je crois que je vais aller avec elles. Ce sont mes amies, ajouta-t-elle comme pour s'excuser. Je dois les suivre...

Les larmes lui brûlaient les yeux tandis qu'elle se changeait rapidement. Honteuse de ce qu'elle était en train de faire, elle se hâta hors de la salle de bal et rattrapa ses deux amies dans l'escalier. Quand elles arrivèrent au palier du premier étage, Jenny jeta un coup d'œil indécis à la porte de Julie.

— On devrait peut-être lui dire au revoir, non?

Mais Tammy-Jo secoua la tête.

— Moi, je veux sortir d'ici tout de suite. Charlene avait raison, je le savais : nous n'aurions pas dû venir aujourd'hui.

Les trois adolescentes se hâtèrent de descendre l'escalier et de sortir de Sea Oaks.


Immobile au centre de l'immense salle de bal, Marguerite regardait fixement les chaises vides où ses élèves étaient encore assises quelques instants auparavant.

— Non, souffla-t-elle. Vous ne pouvez pas m'abandonner... Vous n'avez pas le droit...

Elle sentit un picotement lui monter aux yeux, et la pièce devint floue. Étourdie, elle ferma les yeux et les pressa fortement pour contenir les larmes qui menaçaient. Quand elle les rouvrit quelques secondes plus tard, sa vision s'était curieusement éclaircie.

Tout avait changé.

*Les portes-fenêtres ouvertes laissaient entrer une brise légère et fraîche, et les magnifiques tentures d'un blanc éclatant ondulaient doucement. La pièce était inondée de lumière, et des couples dansaient autour de Marguerite.*

Mais il n'y avait pas de musique.

Comme emportée par une transe, elle alla jusqu'au vieux

phonographe et mit un disque sur le plateau. Un moment plus tard l'antique haut-parleur égrena en crachotant une mélodie vieillotte. Pour Marguerite, la salle de bal s'emplit de la musique d'un orchestre.

Lentement, seule dans ce qui lui semblait être une pièce pleine de monde, elle se mit à danser.

Jeff jeta un regard maussade sur le sous-sol faiblement éclairé. Il avait l'impression de se trouver dans cette cave depuis des heures, à aider son père dans le déblaiement des rebuts entassés là. La chaleur extérieure avait pénétré ici aussi, et Jeff respirait avec difficulté.

— Pourquoi on reste ici? demanda-t-il avec une grimace renfrognée. Je déteste cet endroit!

— Je croyais que tu aimais l'île Devereaux, remarqua son père. La première fois que j'ai parlé de nous installer ici, tu étais d'accord...

— C'était avant, rétorqua Jeff. Quand Maman était là, c'était bien. Mais plus maintenant! (Sa voix se mit à trembler, et il se frotta les yeux des deux poings.) Il fait trop chaud, et Maman est morte, et je déteste cette maison! Je veux rentrer chez nous!

Kevin reposa la caisse de vieilles hardes qu'il voulait remonter au rez-de-chaussée et s'accroupit face à son fils.

— Eh, champion! dit-il gentiment. Je sais combien c'est dur pour toi. Ta mère me manque beaucoup, à moi aussi. Elle manque à tout le monde, tu sais. Mais on n'y peut rien. Même si nous retournions dans le Connecticut, ça ne la ferait pas revenir.

Le gamin renifla et s'essuya les yeux d'un revers de manche.

— Je sais, bougonna-t-il. Mais ça n'empêche que je déteste cette maison!

Il allait ajouter autre chose quand la porte de la cave s'ouvrit et la voix de Ruby retentit.

— Will Hempstead est ici, et il voudrait vous parler.

L'irritation gagna Kevin, et il faillit dire à la domestique que le policier n'avait qu'à repasser plus tard. Mais il se ravisa et se redressa en ébouriffant les cheveux de son fils.

— Que penses-tu de cela? lui dit-il en se forçant à parler d'une voix légère. Juste au moment où nous en avions assez d'être ici, Mr. Hempstead vient nous rendre visite! Allons voir ce qu'il veut.

Il commença à gravir l'escalier. Jeff, un peu rasséréné à l'idée de quitter le sous-sol, le suivit en traînant les pieds.

Hempstead les attendait dans la bibliothèque. Quand il les vit entrer, il posa sur eux un regard empreint de gravité. Kevin

154

fit de son mieux pour ne pas montrer l'anxiété qui venait de l'envahir.

— Bonjour, Will, fit-il en tendant la main. Qu'est-ce qui vous amène?

Le policier lui serra la main rapidement.

— Je me suis dit que je devrais passer pour vous communiquer les résultats de l'autopsie pratiquée sur Mary-Beth Fletcher...

Il se tut en regardant le petit garçon et ne reprit que lorsque Kevin eut envoyé son fils jouer à l'extérieur. Mais les deux hommes ne remarquèrent pas que Jeff avait laissé la porte entrebâillée.

— L'autopsie n'a pas donné grand-chose, en fait. Le corps est resté trop longtemps dans l'eau et... vous l'avez vu vous-même. Bref, le rapport conclut à un accident. Si la tempête était assez forte pour précipiter un break Dodge hors de la digue, une jeune fille n'avait guère de chance de traverser.

— L'affaire est donc close, conclut Kevin.

L'officier de police hocha la tête.

— J'aimerais qu'elle le soit. Mais dans ce genre d'histoire... Eh bien, je crains qu'il n'y ait des bruits qui courent.

— Comment cela? s'étonna Kevin.

Hempstead semblait assez mal à l'aise. Il se dandinait lourdement, d'un pied sur l'autre.

— Sur le compte de Marguerite, j'en ai peur. Certaines personnes disent que votre sœur a été la dernière à voir Mary-Beth. Et comme elles s'étaient querellées...

— Allons donc! Marguerite a simplement essayé de la dissuader de partir pendant la tempête. Je ne vois pas pourquoi les gens iraient raconter que...

— Dans les petites villes, coupa Hempstead, on ne peut jamais savoir quelles rumeurs vont naître. Et c'est la raison pour laquelle je suis ici. Au cas où vous entendriez des commérages, je veux que vous sachiez à l'avance qu'ils ne seront pas fondés. Il n'y a aucune preuve que quelqu'un ait agressé Mary-Beth Fletcher, et Marguerite est de toute façon insoupçonnable. Elle a toujours été d'une grande gentillesse avec les enfants, et l'hypothèse de sa culpabilité ne serait qu'une rumeur aussi ridicule que méchante. Mais on n'y coupera pas. Les commères vont sauter sur l'occasion, n'en doutez pas...

Kevin acquiesça, l'air pensif.

— Vous voulez en parler à Marguerite? proposa-t-il. Elle est au premier.

— Non, je ne crois pas. Il est inutile de l'ennuyer avec cette histoire.

Les deux hommes sortirent de la bibliothèque, et Kevin fronça les sourcils en voyant son fils s'éloigner furtivement.

Mais il ne dit rien et raccompagna Will Hempstead jusqu'à la voiture de patrouille. Ils échangèrent encore quelques mots, puis le chef de la police repartit vers la ville.

Dès que le véhicule noir et blanc se fut éloigné, Jeff apparut sur la véranda.

– On peut pas aller à la plage, P'pa? ronchonna-t-il. Pourquoi on travaille tout le temps?

Kevin fit un clin d'œil à son fils.

– Parce que sinon, nous mourrons tous de faim. Allez! On en a presque fini avec la cave. Dès que nous aurons nettoyé, nous arrêterons. Ça te va?

Jeff suivit sans enthousiasme son père au sous-sol.

– Moi, je crois qu'ils ont raison, les gens, fit le gamin alors que Kevin poussait de vieux cartons vers le pied de l'escalier. Je parie que c'est tante Marguerite qui a tué Mary-Beth Fletcher.

Il plaqua aussitôt ses mains sur sa bouche en se rendant compte qu'il venait de reconnaître implicitement avoir espionné son père. Celui-ci le contempla un moment, le visage fermé.

– Mis à part le fait que tu ne devrais pas écouter aux portes, peux-tu m'expliquer ce qui te fait dire une chose pareille?

Le gamin leva vers son père un regard voilé.

– Parce qu'elle est folle! Elle est folle et elle a tué Mary-Beth... et Maman aussi!

– Jeff!

Mais l'enfant ne pouvait plus s'arrêter.

– C'est vrai! s'écria-t-il. J'ai vu tante Marguerite dans la chambre de Grand-Mère, et elle faisait des trucs vraiment bizarres! Quand tu es là, elle fait semblant de bien m'aimer, mais c'est pas vrai! Quand vous n'êtes pas là, toi ou Julie, elle me crie après et elle veut me donner des ordres, comme si c'était elle, ma mère! Elle est folle, et je suis sûr qu'elle a tué Mary-Beth et Maman! Et je suis sûr qu'elle veut me tuer aussi!

Sans réfléchir, Kevin leva la main et gifla son fils.

– Que je ne t'entende plus jamais parler de la sorte! Ta tante t'aime beaucoup, et elle n'a jamais fait de mal à personne!

– C'est pas vrai! hurla le gamin qui pleurait en pressant une main sur sa joue. Elle me déteste, et elle va me tuer!

Devant la menace d'une nouvelle gifle, Jeff recula d'un pas. Mais il perdit l'équilibre et tomba à la renverse. Sa tête heurta durement une des poutres qui soutenaient le plafond et il poussa un cri de douleur.

Sa colère soudain évanouie, Kevin se précipita et souleva son fils dans ses bras. Jeff criait toujours; du sang s'écoulait abondamment d'une coupure à l'arrière de son crâne.

Son enfant serré contre sa poitrine, Kevin fonça vers l'escalier en appelant Ruby. La domestique arriva à la porte de la cave alors qu'il en sortait. D'un coup d'œil elle évalua la situation.

– Emmenez-le chez le Dr Adams, dit-elle. Tout de suite. Je vais lui téléphoner pour le prévenir que vous arrivez.

– Il... il est tombé, balbutia Kevin. Je l'ai frappé, Ruby, et il s'est cogné le crâne en tombant.

La vieille domestique accueillit ces explications d'un froncement de sourcils.

– Plus tard. Pour l'instant, amenez-le en ville pour qu'on le recouse. Et ne vous en faites pas : les coupures à la tête saignent toujours beaucoup, mais elles sont rarement graves. Et maintenant, allez-y!

Elle poussa Kevin jusqu'à la porte puis alla téléphoner.

Kevin installa son fils dans la Chevrolet de Marguerite qu'il fit démarrer en trombe.


Julie s'éveilla d'un sommeil agité. Elle entendit le vrombissement d'un moteur de voiture qu'on mettait en marche. D'abord elle crut qu'il s'agissait de Mrs. Mayhew ramenant ses amies à Devereaux. Mais, se levant et chancelant jusqu'à la fenêtre, elle vit son père au volant de la Chevrolet de Marguerite. L'automobile s'éloigna à vive allure vers la digue, et le bruit du moteur décrut rapidement. Alors la jeune fille perçut une mélodie assourdie provenant de la salle de bal.

Le cours de danse s'était sans doute prolongé, et ses amies étaient toujours au deuxième étage.

Elle passa son peignoir et sortit de la chambre. Elle tenait un peu mieux sur ses jambes, à présent, mais son esprit était encore brumeux. Elle dut s'appuyer contre le mur pour attendre qu'un début d'étourdissement s'estompe, puis elle avança lentement vers la cage d'escalier.

Elle gravit les marches une à une et dut faire plusieurs pauses pour reprendre haleine. Enfin elle atteignit le petit palier. La porte à double battant donnant sur la salle de bal était fermée, mais la musique lui parvenait distinctement.

D'une main, Julie repoussa un battant et entra. Elle s'attendait à voir Jennifer, Tammy-Jo et Allison travailler quelque enchaînement sous les indications attentives de leur professeur. Mais l'immense pièce était déserte à l'exception de Marguerite.

Au centre de la salle de bal, sa tante évoluait lentement au son de la musique, les yeux clos et les bras levés au-dessus de la tête. Elle effectuait des glissades, des pirouettes et des révérences que sa jambe droite raidie par l'accident rendait grotesques.

Julie étouffa à moitié un cri de surprise. Elle voulut sortir sans bruit, mais Marguerite avait ouvert les yeux et la fixait en souriant.

– Viens, dit-elle d'une voix qui résonna dans la vaste pièce. Viens danser avec moi.

Elle glissa jusqu'à l'adolescente, un bras tendu, et lui prit la main.

— Première position...

Julie joignit immédiatement ses talons, pieds tournés vers l'extérieur, et arrondit ses bras devant elle en un arc gracieux, les épaules basses.

Marguerite voulut faire de même, mais sa jambe estropiée refusa d'obéir et Julie n'eut que le temps de la saisir par le bras pour lui éviter une chute certaine.

— Vous ne devez pas...

— Oh si, je dois! souffla sa tante. Je dois danser. C'est tout ce que j'ai... Tout ce que j'ai jamais eu...

Elle fit une seconde tentative pour imiter la pose de son élève. Une douleur fulgurante traversa sa hanche, et ses yeux s'emplirent de larmes.

— Non, tante Marguerite, insista Julie. Vous allez vous faire mal. Mais où sont les autres? Jennifer m'avait promis...

— Elles vont revenir... murmura Marguerite en se courbant dans une parodie brisée de révérence. Je le sais; elles ne peuvent pas m'abandonner.

L'esprit de l'adolescente luttait contre l'engourdissement dû au sédatif. Où étaient parties ses amies? Et pourquoi? Que s'était-il passé? Et que signifiait la scène étrange qui se déroulait sous ses yeux?

Une main se posa sur son épaule. Elle se retourna et rencontra le regard soucieux de Ruby qui s'était approchée sans bruit.

— Vous ne devriez pas être ici, dit à voix basse la vieille femme. Vous devriez être dans votre chambre, à vous reposer.

Julie secoua la tête pour chasser le brouillard qui anesthésiait encore son esprit.

— Mais que se passe-t-il? Où sont mes amies?

Ruby guida doucement la jeune fille vers la porte.

— Elles sont parties. Le cours est terminé pour aujourd'hui, et elles sont rentrées chez elles.

— Mais... tante Marguerite... Ruby, qu'a-t-elle? Elle agit si bizarrement...

La domestique leva un doigt devant ses lèvres. Elles avaient atteint le palier, et Ruby referma la porte avec précaution, puis elle aida Julie à descendre l'escalier.

— Ne vous inquiétez pas pour elle; tout va s'arranger. Mais il faut la laisser seule un moment.

— Mais pourquoi se conduit-elle de cette façon? insista l'adolescente.

Ruby eut un soupir las.

— Ces derniers temps ont été très durs pour elle, expliqua-t-elle avec tristesse. Elle est comme vous: elle vient de perdre sa mère. Et il y a la disparition de Mary-Beth. Miss Marguerite a mis tellement d'espoirs dans chacune de ses élèves. En perdre une d'une manière aussi horrible...

Elles étaient arrivées à la chambre de Julie. Ruby la guida jusqu'au lit et l'aida à se coucher. Puis elle arrangea le drap.

– Ne vous en faites pas pour elle, dit-elle en tapotant la main de la jeune fille. Elle va se remettre, tout comme vous. Et maintenant, il faut dormir. Quand vous vous réveillerez, vous aurez tout oublié.

Elle attendit quelques minutes. Le sédatif fit une nouvelle fois effet. Julie glissa rapidement dans le sommeil et Ruby quitta la chambre. Mais elle ne descendit pas à la cuisine. Sans bruit, elle remonta au deuxième étage et ouvrit de quelques centimètres un des battants de la porte.

Inconsciente de la surveillance inquiète dont elle était l'objet, Marguerite valsait péniblement au centre de la salle de bal. Elle gardait les yeux fermés et avait levé les bras à mi-hauteur pour accompagner les mouvements d'un invisible cavalier.

La sensation de malaise qu'elle avait cachée à Julie submergea Ruby. Tandis qu'elle redescendait l'escalier, la vieille domestique s'efforçait de ne pas penser aux conséquences de ce qu'elle venait de voir.

Mais cette crise serait peut-être moins grave. Peut-être cette fois ne serait-il pas nécessaire d'enfermer Marguerite.


# 16

Julie se réveilla tard dans l'après-midi. Son corps était poisseux de transpiration et son esprit encore vague. Elle roula sur elle-même pour regarder le réveil posé sur la table de chevet et eut la surprise de constater qu'il était presque six heures. Il lui semblait n'avoir dormi que quelques minutes, alors que sept heures s'étaient écoulées. L'effet des pilules paraissait maintenant s'être dissipé, et son esprit reprenait rapidement son acuité coutumière. Elle resta allongée encore un peu, jusqu'à se sentir pleinement éveillée. Puis elle se leva et s'approcha de la fenêtre. Elle repéra son père, près de la vieille grange. Torse nu, il maniait avec vigueur une grande faux pour déblayer la végétation sauvage qui avait envahi l'enclos. Julie le héla. Il leva les yeux vers la fenêtre et lui fit signe de la main en souriant.

– Comment te sens-tu? lui cria-t-il.

– Très bien! répondit-elle sur le même ton. Je prends une douche et je descends.

Sans attendre les protestations obligées de son père, elle s'écarta de la fenêtre et se rendit dans la salle de bains. Elle se débarrassa de sa chemise de nuit, ouvrit le robinet d'eau froide, prit une profonde inspiration et entra dans la douche. Le jet glacé éclaircit instantanément son esprit des dernières brumes du sommeil. Alors elle se souvint de ce qui s'était passé le matin.

Jenny Mayhew était là, ainsi que d'autres élèves, mais elle ne se rappelait pas ce dont elles avaient parlé. Un peu plus tard, elle était montée au deuxième étage.

Il s'y passait des choses étranges.

Ses amies étaient parties, et Marguerite dansait seule dans la salle de bal. Mais son attitude était des plus singulières, et Julie avait eu l'impression que sa tante ne savait plus exactement qui elle était.

Tout en se savonnant avec énergie, l'adolescente fronça les sourcils et fit un effort pour fouiller sa mémoire. Mais elle n'y trouva rien de plus. Toute cette scène semblait à demi-onirique.

Son visage se détendit en un sourire. Bien sûr! C'était un rêve! Tante Marguerite ne pouvait pas danser ainsi, et elle l'aurait certainement reconnue si Julie était montée la voir. Sans doute était-ce un effet secondaire des sédatifs.

Elle sortit de la douche et se sécha soigneusement avant de retourner dans la chambre. Là elle se vêtit d'une paire de jeans et d'une vieille chemise empruntée à son père.

Quand elle entra dans la cuisine, Ruby était occupée aux préparatifs du dîner. Les effluves d'un plat cajun flottaient dans l'air, et Julie alla soulever le couvercle de la marmite pour découvrir l'appétissante soupe à l'okra qui mijotait. Ruby la regarda d'un air désapprobateur.

— Que faites-vous debout? Vous devriez être au lit!

— Je ne suis pas malade, répondit Julie. Je me sens bien, et j'ai décidé de ne plus prendre les pilules du Dr Adams. Elles me donnent des étourdissements et des cauchemars!

Elle ouvrit le vaisselier.

— Il est peut-être l'heure de mettre la table? proposa-t-elle.

— Elle ne se mettra pas toute seule, approuva Ruby. Mais ne mettez que trois couverts. Votre tante ne descendra pas pour le dîner.

Julie se rembrunit.

— Quelque chose ne va pas?

— Aujourd'hui, on dirait que rien ne va, fit la domestique en levant les yeux au ciel. Vous au lit depuis hier, votre frère qui s'est cogné la tête, et maintenant miss Marguerite qui doit rester couchée, à cause de sa jambe.

Le visage de Julie s'assombrit un peu plus; elle repensa au rêve qu'elle avait fait dans la journée.

160

– Que s'est-il passé?

Ruby secoua la tête d'un air désolé en lavant des radis dans l'évier.

– Je crois que vous avez le droit de savoir, puisque vous étiez là-haut. Miss Marguerite s'était mise dans la tête de danser. Elle sait pourtant qu'elle ne doit pas faire ce genre de choses, mais parfois il est impossible de la raisonner. Dans ces moments, elle se montre aussi butée que l'était sa mère...

Un frisson désagréable parcourut le dos de l'adolescente. Ainsi elle n'avait pas rêvé. Mais pourquoi sa tante ne l'avait-elle pas reconnue?

– Ruby, est-ce que... est-ce que tante Marguerite a... un autre problème que sa hanche?

La domestique se tourna enfin vers la jeune fille, le regard vide.

– Pourquoi cette question?

– Eh bien... ce matin, quand je suis montée au deuxième, il m'a semblé que quelque chose n'allait pas. Tante Marguerite avait l'air... étrange. Elle m'a parlé, mais j'ai eu l'impression qu'elle ne me reconnaissait pas, comme si j'étais quelqu'un d'autre.

Ruby garda le silence quelques instants, puis elle retourna vers l'évier.

– Je suppose que la douleur est trop forte pour elle, par moments. Mais, à votre place, je ne m'en ferais pas trop. Elle se remettra.

– Je devrais peut-être monter la voir.

– Non. Laissez-la plutôt se reposer. Quand sa hanche commence à la faire souffrir, elle préfère être seule. Je lui apporterai un plateau tout à l'heure. Et demain elle sera en pleine forme.

La porte donnant sur le jardin s'ouvrit et Kevin entra dans la cuisine en s'essuyant le torse de son T-shirt roulé en boule. Il s'arrêta net en voyant sa fille et la considéra d'un œil critique. Mais il prit le parti de sourire.

– Eh bien! Heureux de t'accueillir au royaume des bien-portants! As-tu vu ton frère?

– Non, pas encore. Ruby m'a dit qu'il s'était cogné la tête?

– Pas vraiment, grogna son père avec un petit rictus. Il est tombé dans la cave et s'est coupé la peau du crâne. Il y a du sang partout, en bas. Tu ne l'as pas entendu hurler?

– Non.

– Eh bien, tu dois être la seule personne dans tout le comté! Mais il va bien, maintenant. (Il fit un clin d'œil.) Bien sûre, j'ai dû le soudoyer en promettant de l'emmener au cinéma ce soir.

Le visage de Julie s'éclaira.

– Je pourrai venir avec vous?

– Es-tu sûre de te sentir assez bien? demanda Kevin, hésitant. Le Dr Adams a dit que tu devais te reposer, tu sais.

– Mais je vais très bien! s'exclama Julie avec force. Ce n'est pas comme si j'avais été malade! Et je déteste ces pilules!

Sans transition elle changea de tactique et afficha son sourire le plus charmeur. Immédiatement, elle vit que ses chances d'avoir gain de cause augmentaient.

– S'il te plaît, Papa? implora-t-elle.

– Bon, d'accord, lâcha Kevin.

Il se dirigea vers la salle à manger mais s'arrêta avant de sortir de la cuisine.

– A propos, quand Jeff descendra, n'oublie pas de t'extasier sur la taille de son bandage. Et ne le crois pas s'il te dit que je l'ai passé à tabac!

– Pourquoi dirait-il ça? s'étonna Julie. Tu ne nous as jamais frappés!

– Mais cette fois-ci, je me suis laissé aller à lui donner une gifle, reconnut son père avec un soupir. Pas bien forte, mais il a trébuché et s'est cogné. A l'entendre, on pourrait penser qu'il est un enfant martyr!

Julie pouffa de rire.

– Je lui raconterai le jour où tu m'avais donné une fessée parce que j'avais cassé ta nouvelle canne à pêche. Il verra qu'une gifle n'est pas grand-chose!

– Eh bien, je te remercie, dit Kevin avant de sortir de la cuisine.

Deux heures plus tard ils partaient tous trois au cinéma dans la vieille Chevrolet de Marguerite. Jeff arborait fièrement une nouvelle casquette de base-ball qui cachait son bandage.

– Vous êtes sûre que ça ira? s'était enquis Kevin avant de sortir. Si Marguerite ne se sent pas bien...

– Ne vous inquiétez pas, avait répondu Ruby avec assurance. J'ai pris soin de miss Marguerite depuis sa naissance, et je crois pouvoir m'occuper d'elle aujourd'hui encore. Partez tranquilles et passez une bonne soirée.

Elle attendit à la porte que la voiture ait disparu, puis elle revint dans la cuisine et finit de préparer le plateau pour sa maîtresse.

Assise devant la coiffeuse, Marguerite examinait son reflet dans le miroir. Elle avait ramené sa chevelure en arrière puis l'avait enroulée sur son crâne; un gros peigne en écaille de tortue la maintenait en place. Elle s'était également maquillée. Un trait noir bordait ses paupières, et ses cils étaient allongés de mascara. Le rouge à lèvres éclatant ressortait encore plus sur son visage lourdement poudré de blanc. Elle avait ajouté une mouche sous le coin droit de sa bouche.

Satisfaite de son œuvre, elle prit le coffret à bijoux de sa mère et en inventoria posément le contenu. Elle connaissait tous les bijoux depuis sa plus tendre enfance. Petite fille, elle regardait souvent Helena choisir la parure qu'elle porterait pour la soirée.

En de rares occasions, quand Marguerite s'était montrée très, très sage, sa mère la laissait essayer un bijou. Elle se souvenait encore du triple collier de jais qu'elle aimait tant. A chaque fois qu'elle avait pu en orner son cou, elle était restée pétrifiée d'admiration devant les reflets sombres des pierres.

Mais sa mère lui avait toujours ôté le collier après ces quelques trop courts instants de ravissement.

A présent, personne ne pourrait plus l'empêcher de le porter aussi longtemps qu'elle le désirerait.

Elle le trouva au fond du coffret et retira avec précaution les broches et les boucles d'oreilles qui s'y étaient accrochées. Les doigts tremblants, elle le passa autour de son cou et verrouilla le fermoir avec une aisance étonnante pour quelqu'un qui n'avait pas porté ce bijou depuis quarante ans.

On ouvrit la porte, et Marguerite sentit monter en elle une colère subite. Dans le miroir elle vit Ruby, immobile sur le seuil de la chambre, les yeux agrandis par la surprise.

– Que venez-vous faire ici? lança-t-elle sans se retourner.

Ruby avança d'un pas dans la pièce.

– Je vous ai amené un plateau pour votre souper. J'ai pensé que vous auriez peut-être faim.

Pendant quelques secondes, Marguerite surveilla le reflet de la domestique dans le miroir. Quand elle parla enfin, ce fut d'un ton irrité qui fit frissonner la vieille femme.

– Où est Julie? Pourquoi n'est-ce pas elle qui m'apporte mon repas?

Ruby alla déposer le plateau sur la table près de la fenêtre.

– Julie est partie au cinéma, répondit-elle en se retournant vers sa maîtresse. Avec son père et son frère.

Les yeux de Marguerite s'étrécirent.

– Elle ne m'a pas demandé la permission...

– Elle n'est pas votre fille, coupa calmement Ruby. Et que faites-vous maquillée ainsi? Vous essayez de ressembler à votre mère?

Marguerite ne répondit pas, mais son visage se crispa.

– Non, ce n'est pas ce que vous voulez, n'est-ce pas? continua Ruby d'une voix compréhensive. Vous voulez être vous-même, miss Marguerite, une femme très gentille. Vous ne voulez pas remplacer miss Helena, n'est-ce pas?

Elle s'était approchée et posa ses mains sur les épaules de Marguerite. Doucement, elle se mit à les masser.

– Pourquoi ne pas vous asseoir un peu près de la fenêtre, le temps de dîner. Je vous ai fait une soupe à l'okra. Vous aimez beaucoup la soupe à l'okra, n'est-ce pas? Allons, venez vous asseoir à la table; vous vous sentirez mieux après avoir mangé un peu...

Pendant une seconde, Ruby eut l'impression que Marguerite se détendait légèrement. Mais sa maîtresse fit soudain demi-tour sur son siège et balaya les mains de la vieille femme d'une tape hargneuse, avant de la gifler violemment.

— Comment osez-vous me parler sur ce ton? siffla-t-elle. Sur-veillez vos manières, Ruby!

Le souffle coupé, la domestique recula d'un pas et porta une main à sa joue brûlante :

— Ne refaites jamais cela, gronda-t-elle. Je prends soin de vous depuis longtemps. Mais je ne vous laisserai pas me frap-per, ni me parler de cette façon. Vous n'êtes pas votre mère, et vous feriez bien de ne pas l'oublier. Alors ne vous mettez pas en tête que Julie pourrait être votre fille. Si vous croyez que je vais vous laisser agir avec elle comme votre mère l'a fait avec vous, vous vous trompez!

Les yeux étincelant de colère, Marguerite se leva. La douleur explosa dans sa hanche, mais elle refusa d'y prêter attention. Sa main gauche se referma sur un gros flacon de parfum. D'un geste rapide, elle le jeta au visage de la domestique. Mais Ruby esquiva la bouteille qui alla s'écraser contre le mur.

Alors Ruby s'approcha. A son tour sa main s'éleva dans l'air.

— Je vous ai dit de ne pas faire ça! dit-elle, menaçante. Que cherchez-vous en agissant ainsi? Vous voulez qu'on vous enferme encore? Parce que je le ferai, si c'est nécessaire!

— Ça suffit! grinça Marguerite. Arrêtez! Et sortez d'ici! Laissez-moi tranquille! Je vais bien!

— Vous allez bien? répéta Ruby, sarcastique. Sans doute est-ce pour cette raison que vous vous êtes installée dans la chambre de miss Helena? Et que vous avez barbouillé votre visage pour ressembler à votre mère quand vous n'étiez qu'une petite fille? Et regardez votre coiffure! Exactement comme elle! Oh non, miss Marguerite! Vous n'allez pas bien du tout!

— Ne me parlez pas de cette façon! s'écria sa maîtresse en couvrant son visage de ses mains. Maman m'aimait! Sortez de cette chambre et laissez-moi tranquille!

Mais Ruby hocha la tête :

— Je ne peux pas faire ça, miss Marguerite. Jamais. Qui va prendre soin de vous? Vous allez encore avoir une de vos crises, miss Marguerite...

— Non! C'est faux! gémit sa maîtresse, apeurée.

En sanglotant elle tituba jusqu'au lit sur lequel elle s'écroula. Elle enfouit son visage dans les oreillers et ne bougea plus. Ruby vint s'asseoir à côté d'elle et lui caressa doucement les cheveux.

– C'est bien, dit-elle d'une voix redevenue paisible. Laissez-vous aller. Vous savez qu'il ne faut pas garder tout ça en vous ; vous savez comment cela se termine...

Marguerite roula sur le lit pour se mettre hors de portée de la domestique. Son visage n'était qu'un masque de fureur.

– Je n'ai rien du tout! cracha-t-elle. C'est vous! Vous qui m'espionnez tout le temps, avec l'air de croire que je suis folle! Mais je ne le suis pas!

– Allons, calmez-vous, dit Ruby d'un ton égal. Il faut vous reprendre avant que je sois obligée d'expliquer à votre frère ce qui vous arrive. Il ne sait rien de vos crises. Mais pensez-vous qu'il restera ici avec ses enfants si je lui raconte tout?

Marguerite se recroquevilla sous la menace.

– Il... il ne vous croira pas!

– Oh si, il me croira, assura froidement Ruby. Peut-être que personne ne m'aurait crue il y a vingt ans, mais les temps ont changé, miss Marguerite. Je n'ai pas pu empêcher votre mère d'agir comme elle l'a fait, mais je peux vous empêcher de devenir comme elle. Et je parlerai à Mr. Kevin si les choses se dégradent. Je lui dirai tout; si c'est nécessaire, je lui montrerai la petite pièce en bas, où miss Helena vous avait enfermée. Alors vous verrez s'il ne me croit pas! Et vous verrez s'il reste longtemps ici!

Marguerite paraissait vaincue. Elle s'effondra en sanglotant.

– Non, je vous en prie, Ruby... murmura-t-elle d'une voix brisée. Je ferai attention, je le promets. Ne dites rien à Kevin... Je vous en supplie...

Soudain elle balaya la chambre d'un regard affolé, comme si elle cherchait quelque chose.

– Pourquoi faut-il toujours qu'elles m'abandonnent? Mère m'a abandonnée; et Mary-Beth; même Anne en avait l'intention...

Elle se renversa sur le lit, le corps agité de sanglots.

Brusquement, Ruby comprit le sens réel de ces paroles.

– Vous les avez tuées, n'est-ce pas? souffla-t-elle, horrifiée. Vous avez tué Anne, et vous avez tué Mary-Beth Fletcher!

– Mais elles allaient m'abandonner! sanglota Marguerite. Je ne pouvais pas les laisser faire, Ruby. Vous ne comprenez pas? Elles n'avaient pas le droit...

Effarée, la domestique s'écarta du lit. Ainsi donc, c'est vrai. Le soupçon l'en avait effleurée, mais elle l'avait chassé aussitôt, peu désireuse d'affronter une telle idée. Pourtant, elle l'avait su.

Et elle n'avait rien fait.

Mais à présent, elle ne pouvait se voiler la face plus longtemps. Elle devait agir, trouver de l'aide, autant pour Marguerite que pour elle-même. Sinon...

– Je vais appeler le Dr Adams, décida-t-elle. Il viendra et il prendra soin de vous.

Elle se dirigea vers la porte. Dans son dos, elle entendit Marguerite bouger. Elle se retourna, mais il était déjà trop tard. Le regard halluciné, Marguerite se précipitait sur elle.

Ruby tenta d'éviter les mains tendues comme des serres, mais dans son élan Marguerite trébucha et réussit à la déséquilibrer. La vieille femme tomba lourdement sur le sol.

Aussitôt sa maîtresse fut sur elle. Elle lui griffa sauvagement le visage et lui martela le crâne de ses poings.

Ruby voulut se protéger en levant ses bras, mais c'était inutile.

Marguerite fixait sans le voir le visage ensanglanté de la domestique. Elle devait l'arrêter, ou Ruby préviendrait son frère, et Kevin emmènerait Julie loin d'elle.

Il lui volerait Julie comme sa mère lui avait volé son bébé et sa carrière de danseuse. Helena lui avait tout volé, jusqu'à ce qu'il ne lui reste plus rien.

Pendant toutes ces années, Marguerite s'était sentie totalement vide.

Elle n'avait rien.

Rien, à l'exception de ces quelques heures par semaine avec ses élèves.

Mais ses élèves aussi finissaient par l'abandonner. Elles grandissaient, et un jour elles partaient faire leur vie. Alors Marguerite se retrouvait seule avec sa mère.

Et même Helena l'avait abandonnée. Elle lui avait tout volé, puis elle l'avait abandonnée.

Mais personne n'agirait plus ainsi avec elle. Ni Ruby, ni Kevin, ni Julie.

Surtout pas Julie.

Quoi qu'il arrivât, elle garderait Julie avec elle.

Comme sa mère l'avait gardée.

Et Ruby voulait ruiner son dernier espoir. Marguerite ne pouvait le permettre. Elle devait l'empêcher...

Ses doigts se crispèrent dans la chevelure de la domestique pour assurer sa prise. Ses bras se raidirent et elle se mit à se balancer d'avant en arrière, cognant la tête de Ruby contre le sol, encore et encore.

Dans une demi-conscience, comme de très loin, elle perçut les cris de sa victime. Elle redoubla d'ardeur.

C'était comme monter un cheval à bascule : il fallait se tenir bien droite et garder les rênes tendues. Ensuite il suffisait de se balancer, et le cheval montait, puis descendait.

Montait. Descendait.

L'oscillation avait un rythme étrange, irrésistible, ponctué par le choc sourd de la tête heurtant le plancher.

Lentement, Marguerite sentit ses forces décliner. Elle finit par cesser son balancement. Elle lâcha les cheveux de la vieille femme et la regarda.

Ruby ne se débattait plus. Ses yeux étaient fermés. Pendant une seconde, sa maîtresse la crut morte. Puis elle vit sa poitrine se soulever faiblement.

Marguerite ne pouvait la laisser ainsi.

Si Kevin rentrait et la découvrait....

Il fallait qu'elle cache Ruby dans la petite pièce. Là, celle qui avait voulu la trahir serait à l'abri de son frère.

Elle se releva et d'un effort redressa le corps inerte contre un meuble, dans une position assise. Sa hanche était engourdie, et elle ne ressentait plus la douleur. Sur une chaise était posé un des peignoirs de sa mère. Elle prit la ceinture de soie et s'en servit pour ligoter ensemble les poignets de Ruby.

Saisissant à deux mains l'extrémité libre de la ceinture, elle se mit en devoir de tirer la vieille femme hors de la chambre. Dans le couloir, elle dut faire une pause pour reprendre haleine. Puis elle reprit sa progression, centimètre par centimètre. Une fois, elle crut entendre un gémissement. Mais quand elle se pencha sur Ruby, celle-ci était toujours immobile, une expression presque sereine sur son visage détendu par l'inconscience.

Elle atteignit le palier. Elle adossa Ruby contre le mur, le plus près possible de la chaise-ascenseur qu'heureusement Kevin n'avait pas encore fait démonter. Réunissant toutes ses forces, elle se courba, saisit Ruby sous les aisselles et la souleva laborieusement en la tournant vers la droite. Le corps s'affaissa sur le siège.

Marguerite utilisa l'extrémité libre de la ceinture pour attacher Ruby à la chaise-ascenseur.

Elle mit en marche le mécanisme. Avec un raclement, le moteur commença à bourdonner; lentement, la chaise-ascenseur entama sa descente. Marguerite suivait.

Arrivé en bas, le siège s'immobilisa et la machinerie s'éteignit automatiquement. Marguerite dénoua la ceinture de soie, et Ruby s'effondra sur le sol.

Elle saisit la ceinture qui liait les poignets de la domestique et la tira jusqu'à l'escalier menant au sous-sol. Au contraire du premier étage où le couloir était couvert d'un tapis, la manœuvre était ici facilitée par le parquet ciré, sur lequel le corps glissait.

Marguerite ouvrit la porte étroite. Elle approcha Ruby du bord de l'escalier, la contourna puis la poussa.

La domestique dégringola les marches en tressautant grotesquement, et le corps martyrisé atteignit le sous-sol avec un bruit mou.

Le souffle court, Marguerite descendit à son tour. Elle

enjamba la masse inerte et tira le cordon commandant l'éclairage.

Une lumière d'un blanc aveuglant inonda l'endroit. Marguerite dut abriter un moment ses yeux de l'ampoule nue. Progressivement, sa vue s'habitua et elle put regarder autour d'elle. Il ne lui fallut qu'un instant pour repérer ce qu'elle cherchait : une petite porte presque invisible, dans le coin le plus éloigné du sous-sol.

Elle tira son fardeau humain jusque-là. Puis elle s'arrêta.

Elle n'était pas venue ici depuis des années.

Depuis ces semaines – ou ces mois – qui avaient suivi l'accident, et pendant lesquelles Helena l'avait sequestrée dans la petite pièce. Jusqu'à ce que Marguerite comprenne qu'elle avait été malade et qu'elle ne devait sa guérison qu'à sa mère.

Elle entendait encore la voix d'Helena à travers la porte.

« J'aurais pu t'envoyer loin de Sea Oaks. Pour toujours. Mais je ne l'ai pas fait parce que je t'aime... et parce que ta place est à Sea Oaks... »

Ces mots résonnaient toujours dans son esprit quand elle posa la main sur la poignée de la porte. Ses doigts tremblaient.

A ses pieds, Ruby gémit faiblement.

Marguerite tourna la poignée, mais le battant refusa de s'ouvrir.

Elle vit alors le gros cadenas qui pendait du moraillon.

Traînant un peu la jambe, elle remonta au rez-de-chaussée. Le trousseau de clefs de Ruby était accroché à son clou, à l'entrée de la cuisine. Elle le prit et redescendit en boitillant dans la cave. Elle essaya les clefs une à une. Après plusieurs tentatives infructueuses, une clef glissa enfin dans le cadenas.

Marguerite ouvrit la porte.

La pièce était aussi exiguë que dans sa mémoire.

Le lit en bois, avec sa couverture de coton trop fine, occupait une grande partie de l'espace. En face, vissée au mur opposé, elle reconnut la large tablette sur laquelle, pendant toute sa maladie, elle avait mangé les repas que lui apportait Ruby, deux fois par jour.

Elle se souvenait très bien de la dureté de ce lit. Allongée, elle y avait attendu la guérison heure après heure et semaine après semaine. Elle avait attendu la fin de la douleur.

Et la douleur avait décru, elle était devenue supportable. Alors Marguerite était sortie de cette pièce pour ne jamais y revenir. Jusqu'à aujourd'hui.

Ruby poussa un autre gémissement, et ses yeux s'entrouvrirent pendant une seconde.

– Non, murmura-t-elle. Oh, non... Par pitié...

Marguerite posa sur la domestique un regard absent. Puis elle saisit ses mains et la traîna dans la petite pièce. Elle s'accroupit près de Ruby.

Elle saisit l'extrémité de la ceinture et l'enroula autour du cou de Ruby. Puis elle serra. De toutes ses forces.

Les yeux de la vieille femme s'exorbitèrent rapidement. Ses doigts se crispèrent spasmodiquement, puis se figèrent. Tout son corps se détendit...

— Tout va s'arranger, maintenant, dit Marguerite d'une voix douce en recadenassant la petite porte. J'aurai ma maison, et Julie pour prendre soin de moi. Et personne ne m'abandonnera plus. Non, plus jamais...

Une heure plus tard, Marguerite était de retour dans la salle de bal. Elle avait revêtu l'une des robes préférées de sa mère, et à son cou le triple collier de jais brillait de mille feux.

Tout en chantonnant doucement, elle se courba en une gracieuse révérence devant son cavalier.

— Je danse très bien, c'est vrai, murmura-t-elle en se laissant guider par les bras invisibles de son partenaire. Mais pas aussi bien que ma fille. Un jour, elle deviendra danseuse étoile.

Elle esquissa un sourire rêveur, et son regard se fit lointain.

— J'y veillerai... Oui, un jour Marguerite sera danseuse étoile...

# 17

La vieille Chevrolet de Marguerite quitta la digue à vitesse réduite et s'engagea en tanguant sur la route qui menait à Sea Oaks. L'automobile toussa un peu comme Kevin pressait l'accélérateur, et elle réagit avec un temps de retard.

— Il va falloir acheter une voiture neuve, soupira-t-il. Celle-ci ne va pas tarder à lâcher.

— Une décapotable, Papa? demanda aussitôt Jeff, de la banquette arrière. Ce serait super-classe!

— Je crois qu'un autre break serait plus pratique, répondit son père en souriant dans le rétroviseur.

Il reporta son attention sur la route et fronça les sourcils. La masse impressionnante de Sea Oaks se détachait sombrement sur le ciel nocturne. Une seule lumière brillait dans l'aile ouest, au premier étage.

— Pourquoi Ruby n'a-t-elle pas laissé allumé pour nous?

— Pourquoi l'aurait-elle fait? remarqua Julie. C'est la première fois que nous sortons le soir.

Deux minutes plus tard, Kevin avait éteint le moteur asthmatique de la Chevrolet et refermait le garage. Julie et Jeff étaient déjà entrés dans la cuisine. Lorsque leur père les rejoignit, le garçon fourrageait dans le réfrigérateur avec passion.

— Pas maintenant, ordonna Kevin. Il est plus de onze heures et tu as déjà mangé. C'est l'heure d'aller au lit.

— Oh, P'pa! grogna Jeff. Ruby a dit qu'elle nous préparerait une tarte. Je ne peux pas en avoir une petite part?

Kevin jeta un coup d'œil circulaire dans la pièce avant de revenir à son fils.

— Si elle avait voulu que tu goûtes sa tarte ce soir, dit-il avec une sévérité feinte, elle l'aurait laissée bien en vue, non? Maintenant, au lit!

Il donna une tape légère sur les fesses du gamin qui détala de la cuisine. Dès qu'il fut parti, Kevin sourit à sa fille.

— Et toi? Si tu arrives à trouver cette tarte, on en partage un morceau?

Julie eut une petite moue de refus.

— Je n'aurais pas dû manger cette glace. Je vais devenir grosse comme un ballon!

— A ta guise, répondit Kevin en vérifiant que la porte donnant sur le jardin était bien fermée. Si tu montes maintenant, tu peux vérifier que ton frère s'est bien brossé les dents, s'il te plaît?

— Inutile. Il ne le fait que si je suis derrière lui.

Kevin se retourna et considéra sa fille comme s'il la voyait pour la première fois.

— Et tu es derrière lui tous les soirs? dit-il, soudain ému.

Julie eut l'air étonné, puis elle acquiesça en rougissant un peu.

— Il faut bien que quelqu'un le fasse.

Kevin s'approcha de sa fille et la serra dans ses bras.

— Je sais, murmura-t-il, mais c'est moi qui devrais le faire, pas toi. Je crois bien que je n'ai pas été...

L'adolescente parla avant qu'il puisse finir.

— Je sais combien Maman te manque. Elle nous manque beaucoup, à nous aussi... Et ça ne me dérange pas de m'occuper de Jeff, je t'assure. Toi, tu dois t'occuper de nous tous, de la maison et de tout le reste. Je n'allais quand même pas te demander de t'occuper de Jeff avec moi.

— Mais tu n'as que quinze ans...

— Presque seize, rectifia-t-elle. Et depuis la mort de Maman, j'ai parfois l'impression d'en avoir le double. D'un seul coup tout a changé. Je ne peux pas continuer à me comporter comme une gamine. Mais Jeff n'a que huit ans, et quelqu'un doit le surveiller.

Une boule s'était formée dans la gorge de Kevin, et pendant un instant il crut qu'il allait pleurer.

– Merci, dit-il d'une voix enrouée.

Ensemble ils parcoururent les pièces jusqu'à la cage d'escalier.

– Je vais vérifier que les portes sont fermées en bas, dit-il. Ensuite je monterai me coucher.

Julie souhaita bonne nuit à son père, déposa un baiser sur sa joue et gravit rapidement les marches.

Kevin passa d'une pièce à l'autre sans hâte et s'assura que portes et fenêtres étaient toutes fermées. Tandis qu'il accomplissait cette tâche routinière, une sensation de malaise, d'abord ténue, grandit en lui. Quand il retourna dans la cuisine, son trouble devint une certitude.

La vaisselle de la veille, rangée en tas sur l'évier, attendait toujours d'être lavée.

Kevin contempla un moment ce désordre tout à fait inhabituel, puis il traversa la cuisine et alla frapper à la porte de la petite chambre mitoyenne qu'occupait Ruby.

Il attendit quelques instants, puis recommença, un peu plus fort cette fois.

Aucune réponse. Il tourna la poignée et ouvrit la porte.

Le lit de Ruby n'était pas défait, et la chambre était vide.

Perplexe, Kevin referma la porte, traversa le rez-de-chaussée d'un pas pressé et gravit l'escalier. Il parcourut le couloir jusqu'à la chambre d'Helena. Un rai de lumière bordait le bas de la porte. Marguerite ne dormait pas encore.

Il frappa sans hésiter au battant.

– Entre, fit la voix de sa sœur.

Il pénétra dans la chambre. Marguerite était allongée dans le lit, sous un simple drap. Elle lui sourit tandis qu'il approchait. Ses yeux pétillaient, et ses cheveux retombant en une lourde cascade ondulée autour de son visage lui donnaient un air curieusement juvénile.

– J'ai entendu les enfants qui montaient se coucher, dit-elle. Vous avez passé une bonne soirée?

– Très bonne. Et toi, te sens-tu mieux? En tout cas, tu en donne l'impression.

Le sourire de sa sœur s'agrandit et elle s'étira langoureusement dans le lit.

– Je me sens très bien, répondit-elle. La douleur dans ma hanche a quasiment disparu, ce soir, à tel point que je pourrais presque reprendre la danse! Depuis un long moment je suis allongée ici, et tout me semble merveilleux. As-tu jamais eu cette impression?

– Mais où est Ruby? s'enquit Kevin sans répondre. La cuisine n'est même pas rangée, et elle ne se trouve pas dans sa chambre.

Le visage de sa sœur prit une expression maussade.

— Elle est partie, dit-elle d'un ton ennuyé. Elle a reçu un coup de fil juste après votre départ. Un problème de famille, du moins c'est ce qu'elle a prétendu. Elle m'a monté mon souper avant de s'en aller.

— Ruby? s'étonna Kevin. Cela ne lui ressemble guère. Même quand j'étais gamin, elle a toujours été...

Marguerite le coupa d'un geste impatient.

— Eh bien, c'était il y a longtemps, n'est-ce pas? A cette époque on pouvait encore compter sur les domestiques. (Elle soupira.) Il y a des jours où je ne sais plus que faire d'elle. Elle devient de pire en pire. Partir en pleine nuit, alors que je ne me sentais pas très bien... Je te jure, Kevin, parfois je me demande si nous ne devrions pas la renvoyer pour engager quelqu'un de plus sérieux. Mère a toujours dit...

— Mère a toujours dit du mal de tout le monde, interrompit son frère. Et il n'est pas question de renvoyer Ruby.

— Oh non, bien sûr! approuva Marguerite, soudain très conciliante. Et tout le monde a le droit d'avoir des problèmes de famille de temps à autre, n'est-ce pas?

Elle tendit un bras et serra affectueusement la main de Kevin.

— Et je ne suis pas abandonnée; tu es là pour prendre soin de moi, et il y a Julie aussi.

— Et Jeff, ajouta son frère.

Marguerite eut un rire perlé.

— Oh, bien sûr : Jeff. Je ne dois pas l'oublier.

— Il ne le permettrait pas! plaisanta Kevin.

Il se pencha et ses lèvres effleurèrent la joue de sa sœur.

— En tout cas, je suis heureux de voir que tu vas mieux. Je te souhaite une bonne nuit. Quant à moi, je vais redescendre pour nettoyer la cuisine.

— Tu n'as pas besoin de le faire maintenant! protesta Marguerite. Julie peut s'en charger demain.

— Je vais le faire maintenant, insista Kevin avec fermeté. Julie a suffisamment de travail, surtout si Ruby doit rester absente plusieurs jours. Allez, à demain.

Il sortit en refermant la porte derrière lui. De nouveau, Marguerite s'étira avec délice dans son lit.

Elle se sentait vraiment très bien ce soir, décida-t-elle. En fait, elle ne s'était jamais sentie aussi bien depuis des années...

Julie n'aurait pu définir avec exactitude ce qui l'avait tirée de son sommeil. A dire vrai, elle n'était même pas sûre d'avoir dormi. Après avoir couché son frère, elle était retournée dans sa chambre, avait enfilé son pyjama avant de s'installer confortablement sur le lit. Elle avait l'intention de lire un peu, mais l'air moite de la nuit l'avait empêchée de se concentrer, et elle avait refermé son livre. Elle s'était alors allongée sur le dos et, les yeux fixés au plafond, elle avait laissé vagabonder ses pensées. Un peu plus tard, son père était entré dans la chambre et lui avait annoncé le départ de Ruby.

– Pourquoi ne m'en as-tu pas parlé avant? avait-elle dit. Je t'aurais aidé à faire la vaisselle. Je suis restée ici à essayer de me convaincre qu'il faisait frais! Mais ça ne marche pas; plus j'y pense et plus je transpire! Ruby a-t-elle laissé de la limonade dans le frigo?

Ils étaient redescendus ensemble à la cuisine et s'étaient assis à la table pour discuter un moment, jusqu'à ce que son père ne parvienne plus à étouffer ses bâillements.

– Tout le monde n'a pas fait la sieste tout l'après-midi, avait-il raillé en glissant les verres dans le lave-vaisselle.

Et ils étaient remontés se coucher.

Pendant l'heure qui avait suivi, l'adolescente était restée immobile sur son lit, essayant de trouver le sommeil.

Les stridulations des insectes semblaient amplifiées par la chaleur, mais le ressac était presque inaudible. Par deux fois elle entendit le hululement d'un hibou. Un peu plus tôt, un brusque silence avait envahi les ténèbres, puis les criquets avaient repris leur chant, bientôt rejoints par les grenouilles.

A présent Julie était parfaitement éveillée, et presque certaine qu'elle ne dormirait pas cette nuit.

Elle inspira lentement, se leva et s'approcha de la fenêtre. Le disque de la lune paraissait suspendu au-dessus de la mer, et son reflet allumait une bande argentée à la surface des eaux. Au loin, un bateau traversa le rayon de lune avant de disparaître dans la nuit.

Elle crut voir un mouvement du coin de l'œil.

Fronçant les sourcils, elle scruta les ténèbres. D'abord elle ne vit rien. Puis elle finit par distinguer une forme pâle se déplaçant derrière l'écran de branches moussues des arbres qui bordaient le cimetière.

Une illusion, se dit-elle. En effet, la chose semblait avoir disparu. Elle détourna les yeux et, de nouveau, perçut un mouvement à la limite de son champ de vision.

L'adolescente se força à regagner son lit, mais l'image imprécise de la forme blanche l'obsédait. Malgré ses efforts, elle ne put se convaincre qu'elle l'avait imaginée.

Les paroles de Jeff, affirmant avoir vu un fantôme, lui revinrent alors en mémoire.

Presque malgré elle, Julie se releva et alla jusqu'à la fenêtre.

La forme était bien visible à présent, car elle s'était écartée des arbres. Elle s'avançait dans le cimetière.

La lune illumina la silhouette qui scintilla un moment en

contournant les pierres tombales; puis elle fit halte devant la crypte des Devereaux et parut se recroqueviller contre le sol, être absorbée par la terre elle-même.

Julie sentit les battements de son cœur s'accélérer, et la chaleur lourde de la nuit fit soudain place à une atmosphère glacée. Elle resta immobile un moment, puis un frisson la parcourut et elle s'arracha au spectacle lugubre du cimetière.

Elle quitta précipitamment sa chambre et se hâta jusqu'à celle de son frère. Sans frapper elle y entra et alla secouer le garçon qui dormait paisiblement.

– Jeff! Réveille-toi!

Son frère bougea mollement avant d'ouvrir des yeux vagues.

– Qu'est-ce qu'il y a? marmonna-t-il.

– Le fantôme, murmura Julie d'une voix vibrante. Je crois qu'il est revenu dans le cimetière.

En un instant Jeff fut pleinement éveillé. Il se glissa hors de son lit et trottina jusqu'à la fenêtre. Il scruta les ténèbres avec prudence puis hocha la tête.

– C'est elle, souffla-t-il. Grand-Mère.

Julie rejoignit son frère et regarda dans la même direction. L'étrange forme spectrale se déplaçait lentement entre les pierres tombales. Elle semblait chercher quelque chose.

– Mais ce n'est pas possible, fit Julie d'une voix basse et rauque. Les fantômes n'existent pas.

– Alors c'est quoi? répliqua Jeff. Moi, je te dis que c'est le fantôme de Grand-Mère. Et si elle est là, c'est que quelqu'un est mort. C'est ce que Ruby m'a expliqué.

– Non, je ne peux pas y croire, dit Julie avec un peu plus d'assurance maintenant qu'elle n'était plus seule face au phénomène. C'est forcément autre chose...

Jeff se retourna vers sa sœur et lui lança un regard de défi.

– Si ce n'est pas un fantôme, pourquoi tu ne descends pas là-bas pour voir ce que c'est?

Prise au dépourvu, Julie déglutit avec effort.

– Je... je n'en ai pas envie.

– T'as peur, ouais!

– Et toi, tu n'as pas peur, peut-être?

Ils s'entre-regardèrent pendant quelques secondes, et Jeff finit par perdre sa superbe.

– Qu'est-ce qu'on va faire? demanda-t-il d'une petite voix.

– Allons chercher Papa, décida l'adolescente. Lui saura.

Quand ils entrèrent dans la chambre de leur père, Kevin alluma la lampe de chevet et les considéra un moment en clignant des yeux. Ses enfants se tenaient au pied du lit, pâles et les yeux agrandis par la frayeur. Julie, qui lui avait semblée si mature à peine deux heures plus tôt, avait des airs de petite fille apeurée.

– Qu'est-ce qui ne va pas? demanda-t-il.

– C'est... Grand-Mère, balbutia Jeff. Elle est revenue dans le cimetière.

Son père se rembrunit aussitôt.

– Ecoutez, je croyais que nous avions déjà discuté de ce sujet et que...

– Mais c'est vrai! intervint Julie. Je... je l'ai vue aussi. Je ne sais pas ce que c'est, mais il y a quelque chose dans le cimetière et... (Elle hésita, se sentant soudain un peu ridicule.) Eh bien, ça ressemble à un fantôme.

– Et ça n'en est pas un! enchaîna Kevin.

Avec un soupir las il se leva et enfila son peignoir.

– C'est sans doute un cerf, ou quelqu'un qui vous fait une blague. Mais ça n'est pas un fantôme.

– En tout cas, c'est pas un cerf! affirma Jeff. Viens, Papa, on peut le voir de la chambre de Julie!

Ses enfants derrière lui, Kevin traversa le couloir et entra dans la chambre de sa fille. Il se campa devant la fenêtre et observa un long moment l'obscurité.

Le cimetière était désert.

Il se retourna vers ses enfants, une expression sceptique sur son visage.

– Eh bien? fit-il en désignant la fenêtre. Venez jeter un coup d'œil et dites-moi ce que vous voyez.

A contrecœur, Jeff et Julie obéirent. La lune éclairait toujours l'île d'une lumière laiteuse, et les pierres tombales se découpaient sinistrement sur la pelouse du cimetière qui était désert.

Julie scruta les pins où elle avait repéré la forme blanche, mais elle ne vit que l'entrelacs de branches moussues et les ombres froides des arbres.

– Pourtant j'ai vu quelque chose, insista-t-elle d'une voix tremblante. J'en suis sûre, Papa. Nous avons vu tous les deux quelque chose.

– Vous avez imaginé voir quelque chose, corrigea patiemment Kevin. De toute façon, il n'y a plus rien, maintenant. Alors je veux que vous retourniez au lit. D'accord?

Déçue, Julie acquiesça en silence et se glissa dans son lit. Mais Jeff ne bougea pas. Il fixait sur sa sœur un regard implorant.

– Je... je peux dormir avec toi, cette nuit?

– Oh, pour l'amour du ciel! s'exclama Kevin, exaspéré.

Mais sa fille intervint aussitôt.

– Ce n'est rien, Papa, vraiment. Ça ne me gêne pas.

Kevin eut un geste résigné.

– Comme vous voudrez. Mais je ne veux plus de ces histoires de fantômes cette nuit, compris? A demain.

Il sortit de la pièce sans attendre de réponse. Cinq minutes plus tard il s'était replongé dans un sommeil paisible.

Dans la chambre de Julie, en revanche, les deux enfants ne dormaient pas. Les nerfs à fleur de peau, ils écoutaient les bruits nocturnes.

— Je sais qu'on ne s'est pas trompés, murmura Jeff après un long silence. On l'a vu. Et je sais ce que ça veut dire : quelqu'un est mort.

Julie ne répondit pas. Pour la première fois, elle n'avait aucune envie de contredire son frère sur ce qu'il venait de dire.

Après tout, elle aussi avait vu le fantôme cette nuit.

Kevin et Julie étaient déjà attablés dans la cuisine quand Jeff y entra le matin suivant. Il se hissa sur sa chaise et posa sur son bol de céréales un regard dégoûté.

— Où est Ruby? demanda-t-il. Pourquoi on n'a pas des œufs et des pancakes?

Kevin, qui calculait le coût probable de la réfection de cinq chambres, ne jeta qu'un coup d'œil distrait à son fils.

— Ruby est absente, expliqua-t-il. Et c'est pour cette raison que nous mangeons tous nos céréales froides sans nous plaindre.

Jeff fit une grimace très explicite.

— Beurk! Moi j'aime pas ça!

Il tapota ses céréales avec le dos de sa cuillère pendant un moment, puis il ramena le bol de sucre près de lui. Méthodiquement, il le vida sur ses céréales avant d'ajouter un peu de lait. Puis il enfourna une cuillerée du mélange dans sa bouche.

— Moi, je parie qu'elle est morte, dit-il après avoir avalé.

Interloqué, Kevin abandonna l'étude de son estimation.

— Pardon?

Jeff leva un regard grave vers son père.

— Je parie que Ruby est morte. Et c'est pour ça que Grand-Mère est revenue hier.

— Tu m'excuseras, dit Kevin d'un ton prudent, mais je ne te suis pas très bien.

Le gamin prit un air de supériorité résignée pour expliquer l'évidence de sa déduction :

— Ruby dit que les fantômes viennent toujours après la mort de quelqu'un. Grand-Mère est apparue hier, et Ruby n'est pas là. Ça veut dire que Ruby est morte.

— Eh bien, si elle te met des idées pareilles dans le crâne, il vaut peut-être mieux qu'elle ne revienne pas!

Le ton ironique employé par son père parut déplaire souverainement à Jeff.

— Comment elle pourrait revenir puisqu'elle est morte? dit-il d'un ton exaspéré.

176

Kevin inspira lentement, se leva et ajouta son bol à la vaisselle sale sur l'évier.

– Écoute, dit-il à son fils avec une pointe d'impatience. Je vais te l'expliquer pour la dernière fois, et ensuite je ne veux plus entendre ces élucubrations. Ce que tu as vu – ou cru voir – hier soir dans le cimetière n'était pas un fantôme. Ni celui de ta grand-mère, ni celui de qui que ce soit. Les fantômes n'existent pas! Quant à Ruby, un problème dans sa famille l'a forcée à partir, et je suis sûre qu'elle sera de retour aujourd'hui, ou peut-être demain. Mais elle n'est pas morte. C'est bien clair?

À l'intonation de la voix, Jeff devina qu'il valait mieux ne pas contredire son père.

– Ouais, je crois, maugréa-t-il sans grande conviction.

Satisfait de cette concession, aussi minime fût-elle, Kevin ramassa ses papiers.

– Bon. Je vais travailler dans la bibliothèque pendant un moment, dit-il à Julie en sortant de la cuisine.

Dès qu'il eut disparu, l'adolescente tendit l'éponge à son frère.

– Tu peux nettoyer la table, s'il te plaît?

Jeff obéit sans enthousiasme.

– Tu sais quoi? fit-il sans lever les yeux, d'une voix de conspirateur.

– Vas-y, répondit Julie.

Par expérience, elle savait que son frère parlerait même si elle ne voulait pas l'écouter.

– Je te parie que c'est tante Marguerite qui a tué Ruby. Je suis sûr qu'elles se sont disputées pendant qu'on était au ciné, hier. Alors tante Marguerite a tué Ruby. Et puis elle est allée l'enterrer dans l'île.

– Jeff! s'exclama Julie.

– Ce sont là des propos révoltants, Jeffrey, dit une voix glacée derrière lui.

Le garçon sursauta et fit volte-face. Horrifié, il vit que Marguerite venait d'entrer dans la cuisine. Elle fixait sur lui un regard furieux. Il hoqueta de surprise et recula de deux pas.

– Si je t'entends encore proférer de telles insanités, Jeffrey, je me verrai dans l'obligation de...

Mais Jeff s'était déjà précipité au-dehors. Il dévalait la pente vers le bouquet de pins quand la porte se referma en claquant.

Marguerite claudiqua jusqu'à la porte. Sa hanche était soudain devenue très douloureuse.

– Reviens! hurla-t-elle. Reviens ici immédiatement!

– Il ne le pensait pas, tenta de plaider Julie. Vraiment, il ne le pensait pas. Ce n'est qu'un enfant, et il invente continuellement des histoires abracadabrantes pour se rendre intéressant. Mais il ne pensait pas ce qu'il a dit.

Marguerite garda le silence un long moment. Puis elle se tourna vers sa nièce, le dos très droit. Elle souriait.

– Oui, peut-être. Mais j'ai bien peur de n'avoir jamais compris les petits garçons... (Son regard se fit très vague, et elle ajouta d'une voix singulièrement monocorde, en fronçant un peu les sourcils :) Mère avait peut-être raison. Elle disait toujours que les petits garçons ne valent pas tous les ennuis qu'ils créent. Et je ne suis pas certaine qu'elle se soit trompée... Non, je n'en suis pas du tout certaine...

# 18

– Moi, je connais un moyen de savoir, affirma Toby.

Les deux enfants déambulaient sur la plage, et Jeff venait de répéter à Toby ce qu'il avait déjà dit à son père et à Julie : il ne croyait pas un mot de l'histoire que racontait sa tante à propos de Ruby.

– Allons voir Emmaline, reprit Toby. Elle saura où est Ruby.

Jeff plissa les yeux sous le soleil en regardant son ami.

– Qui c'est, Emmaline?

– La sœur de Ruby, répondit Toby. Elle habite après Wither's Pond. Allons-y.

Ils quittèrent la plage et s'enfoncèrent dans le dédale de sentes qui couvraient l'île. Bientôt ils arrivèrent à la digue. Jeff s'arrêta, l'air incertain.

– Je devrais peut-être dire à mon père où je vais...

Toby le toisa sans cacher le dédain que lui inspirait cette réflexion.

– Eh! On ne part pas au pôle Sud! C'est juste à côté de la ville.

Jeff réfléchit un moment, puis se décida. Ils ne seraient pas absents très longtemps, de toute façon.

Après avoir emprunté la digue, Toby obliqua sur la gauche. Ils suivirent la rue principale de Devereaux, puis Toby tourna à droite, dans Atlanta Avenue. La petite ville semblait se terminer après quelques pâtés de maisons, remplacée par des fermes dispersées, et pour la plupart abandonnées. Toby quitta la rue et s'engagea sur un sentier. Ils traversèrent des bosquets de pins, puis longèrent un étang à l'eau croupissante couverte d'une épaisse mousse verdâtre. Jeff s'attarda un peu, mais lorsqu'il vit un énorme serpent glisser d'une branche pour disparaître sous l'eau stagnante il rattrapa son ami avec une remarquable rapidité. Enfin ils arrivèrent dans une petite clairière où se dressait une maison.

Pour Jeff, néanmoins, c'était tout juste une cabane faite de planches récupérées ici et là, surélevée par des pilotis à moitié pourris. Le toit était constitué de plaques de tôle ondulée, et les fenêtres manquaient cruellement de vitres. La porte était ouverte, mais aucune lumière ne paraissait briller à l'intérieur.

Jeff observa la misérable demeure avec horreur.

– Et quelqu'un vit là-dedans? s'étonna-t-il.

– Bien sûr, répondit son ami. Plein de gens habitent dans ce genre d'endroit.

Toby s'avança dans la clairière.

– Emmaline? appela-t-il. Vous êtes là?

Un long silence suivit, et Jeff scruta nerveusement les alentours. L'image du serpent disparaissant dans la mare restait très présente à son esprit, et il avait l'impression d'en voir un peu partout, qui se rapprochaient de lui.

– Vaudrait mieux partir d'ici, proposa-t-il peu glorieusement. J'aime pas ce coin.

– Pas question! répliqua Toby avec véhémence. On est venu parler à Emmaline, et c'est ce qu'on va faire.

Il s'approcha d'un pas encore de la cabane et cria, de toute la puissance de sa voix :

– Oh! Emmaline! Sortez donc!

Après quelques secondes, ils perçurent un bruit de pas traînant sur un plancher, et une vieille femme au corps tordu par l'âge apparut dans l'encadrement de la porte. Elle portait une robe de coton qui avait dû être bleue à l'origine, mais qui tendait maintenant vers un blanc grisâtre. Un tablier était noué autour de sa taille, et elle avait ceint son front d'un bandana. Ses pieds sans chaussettes ni bas étaient passés dans des mules usées.

Jeff n'aurait pu lui donner un âge précis, mais son visage était profondément ridé, et quand elle le vit elle plissa les yeux et le fixa d'un air soupçonneux.

– Qui c'est? dit-elle d'une voix rocailleuse. Qui c'est qui me crie après?

Toby lui-même recula d'un pas, avant de se souvenir que son ami l'observait. Bravement, il avança.

– C'est moi, Toby Martin.

Les lèvres de la vieille femme se serrèrent et elle leva un index tremblotant en direction du garçon.

– Attention si tu prépares un mauvais coup, mon gars! prévint-elle. Je suis peut-être vieille, mais je ne suis pas encore morte! (Son regard glissa vers Jeff.) Qui t'es, toi? Crois pas te reconnaître.

– J-Jeff Devereaux, bredouilla le gamin, très impressionné.

179

Les sourcils d'Emmaline s'élevèrent de surprise.

– Eh bien! Voilà quelque chose de pas commun! Un Devereaux qui fait tout ce chemin pour venir dire un petit bonjour à Emmaline! Qu'est-ce que tu veux, mon gars?

– On... on cherche Ruby, répondit Jeff.

Il refrénait à grand-peine une envie soudaine de tourner les talons et de mettre le plus de distance possible entre lui et la vieille femme.

– Et pourquoi venir ici? Elle n'habite pas chez moi!

Jeff déglutit discrètement.

– Tante Marguerite a dit que...

– Quelle importance, ce qu'elle a dit? coupa Emmaline. Ce n'est qu'une dingue, voilà la vérité! Et ce que pensent les gens n'y changera rien!

Les deux garçons échangèrent un regard nerveux.

– Mais elle a dit que Ruby était allée voir sa famille, réussit enfin à préciser Jeff.

Les yeux noirs d'Emmaline luirent ironiquement.

– Ruby n'a pas d'autre famille que moi, et elle n'est pas venue me voir depuis des mois!

Elle fit un geste de la main pour inviter les deux garçons à s'approcher.

– Vous pouvez aussi bien entrer, marmonna-t-elle. Si vous n'êtes pas là pour jeter des cailloux, je peux au moins vous offrir du thé ou quelque chose.

– On ferait peut-être mieux pas, murmura Toby.

Toute sa nonchalance s'était envolée à l'idée de pénétrer dans l'antre de la vieille Emmaline.

– On a peur? fit celle-ci.

Ses lèvres se tordirent en une caricature de sourire qui découvrit quelques rares dents en très mauvais état.

– N-non, mentit Toby.

– Alors, entrez donc! Si vous voulez tout savoir sur miss Marguerite Devereaux, il faut venir à l'intérieur. Je ne vais pas rester plantée sur le pas de la porte toute la journée!

Elle disparut dans l'ombre de sa cabane, laissant les deux enfants décider eux-mêmes.

– Qu'est-ce qu'on fait? demanda Jeff. Tu crois qu'elle est dangereuse?

– Ben... j'en sais rien, avoua Toby. Personne ne lui parle plus depuis longtemps... (Une détermination soudaine se lut sur son visage.) Mais si on s'en va maintenant, on ne saura jamais où est passée Ruby. Allons-y.

Un peu à contrecœur, Jeff suivit son ami à l'intérieur de la cabane. Le mobilier y était des plus simples: une table en bois brut et trois chaises bancales, et dans un coin un vieux fauteuil au tissu plus qu'usé. En s'asseyant sur une des chaises, Jeff vit une couverture en patchwork nettement posée sur un lit très simple, dans la seconde pièce. Le ménage avait été fait récemment, et malgré la pauvreté évidente du lieu la propreté qui y régnait le rendait presque accueillant.

– Je ne peux vous proposer que du thé, grogna Emmaline.

Elle posa bientôt une tasse fumante devant Jeff et s'assit en face de lui. Elle plissa les yeux en l'examinant dans la faible lumière.

– Alors c'est toi, Jeff, dit-elle. Bah, je crois que Ruby ne s'était pas trompée de beaucoup sur ton compte. Malin comme un singe, qu'elle m'avait dit, et ça a l'air de te convenir assez bien.

– Je croyais que vous n'aviez pas vu Ruby? s'étonna le garçon.

– Ce n'est pas ce que j'ai dit. Elle n'est pas venue ici. Et ça fait bien deux semaines que je ne l'ai pas vue...

– Où aurait-elle pu aller? lança Jeff avec curiosité.

– Ça, j'en sais trop rien.

Jeff se tourna vers Toby, une lueur de triomphe dans les yeux.

– Ah! Je t'avais bien dit que tante Marguerite mentait! Je suis sûr qu'elle a tué Ruby!

Il resta bouche bée, soudain horrifié de ses paroles et redoutant la réaction d'Emmaline. Mais la vieille femme ne semblait pas lui en vouloir; elle hocha lentement la tête, son visage ridé empreint de gravité.

– Je savais que ça finirait comme ça, marmonna-t-elle. Je lui avais pourtant dit et répété de se méfier de cette mielleuse de miss Marguerite, mais elle ne voulait pas m'écouter. Elle prétendait que miss Marguerite était guérie et qu'elle ne ferait pas de mal à une mouche!

– Guérie? répéta Jeff, les yeux agrandis de surprise. Elle était malade?

Emmaline eut une moue qui tordit sa bouche en une ligne amère.

– Pour autant que je sache, d'après ce que m'a dit Ruby, ta tante a été prise d'un coup de folie, il y a longtemps. C'est l'accident qui lui avait fait ça. Si c'était vraiment un accident...

Les deux enfants, fascinés, buvaient les paroles de la vieille femme.

– Vous voulez dire quand elle s'est cassé la hanche? intervint Toby.

– Il n'y avait pas que ça, rétorqua Emmaline. Elle était enceinte quand elle est tombée dans l'escalier, et elle a perdu son bébé. C'est ça qui l'a rendue folle, pas sa hanche!

– Folle? murmura Jeff avec un frisson.

Les soupçons qu'il avait formulés sur le compte de sa tante

par simple ressentiment seraient donc fondés? Il sentit son estomac se contracter à cette idée.

— Je suppose que personne ne t'en avait parlé, hein? poursuivit Emmaline sombrement. Évidemment, miss Helena ne s'en est jamais vantée. Ruby non plus, sauf à moi. Elle m'avait dit que personne d'autre ne la croirait, de toute façon. Et j'ai dans l'idée qu'elle voyait juste, sachant comment ça se passait à l'époque... Mais Ruby m'a raconté il y a déjà très longtemps ce qui s'était passé. Elles avaient enfermé ta tante.

— Tante Marguerite? souffla Jeff, qui allait de surprise en surprise. Où ça?

— Dans le sous-sol. Miss Helena ne voulait pas l'emmener à l'hôpital après sa chute dans l'escalier. Elle a dit à Ruby qu'elle préférait que sa fille meure plutôt que quelqu'un apprenne qu'elle était enceinte. Alors elles l'ont mise au lit. Mais elle a perdu son bébé et elle est devenue folle. C'est à ce moment-là qu'elles l'ont enfermée au sous-sol. Il y a une petite pièce, très difficile à voir, au fond de la cave. C'est là qu'ils l'ont bouclée en attendant qu'elle se calme.

Emmaline soupira, et son regard se fit étrangement lointain.

— Avant son accident, miss Marguerite était une vraie teigne! Un sacré caractère! Elle s'emportait pour un rien et se mettait toujours dans des situations impossibles. Mais quand elle est sortie de sa cave... (Elle se racla la gorge et se servit une tasse de thé.) Elle était devenue tout miel! Une vraie sainte-nitouche, et tout le monde s'est mis à la considérer comme l'incarnation de la gentillesse humaine! (Ses yeux s'étrécirent et elle hocha la tête.) Mais pas moi! J'ai toujours dit à Ruby que les gens ne se remettent pas comme ça de ce genre de coup! Ça leur reste sur le cœur, ça leur pourrit l'âme, et un jour ils finissent par perdre la boule. Souviens-toi de ce que je te dis, Jeff : un de ces jours, ta tante perdra la tête! Et s'il est arrivé malheur à Ruby, tu peux être sûr qu'il y a du miss Marguerite là-dessous...

Un quart d'heure plus tard, les deux enfants quittèrent la cabane d'Emmaline et repartirent vers l'île Devereaux. Pendant plusieurs minutes, ils marchèrent sans parler. Enfin Jeff rompit le silence.

— Tu l'as crue?

Toby haussa les épaules.

— Je sais pas. Il y a pas mal de gens qui pensent qu'elle est un peu fêlée. C'est vrai qu'elle en a l'air, des fois!

Jeff acquiesça, mais il restait songeur.

— Faut que j'en parle à mon père, décida-t-il alors qu'ils atteignaient les premières fermes. Mais je parie qu'il ne me croira pas. Tu viendras avec moi?

— Ah non! répondit aussitôt Toby. Moi, je retourne pas là-bas!

182

– Tu penses qu'Emmaline a raison, hein? demanda son ami Gêné, Toby ne répondit rien.

– Mais qu'est-ce que je vais faire, moi? se plaignit Jeff. Si même toi tu ne veux pas m'accompagner...

Il se tut en apercevant la vieille Chevrolet de sa tante garée devant l'unique magasin de Devereaux.

– Papa doit être en train de faire des courses! s'écria-t-il joyeusement en se mettant à courir. Viens, Toby. On va le rejoindre!

Mais Kevin ne se trouvait pas dans le magasin. Ils apprirent qu'il était monté au premier étage du bâtiment, à l'étude de Sam Waterman. Quand ils arrivèrent à la réception des bureaux de l'avoué, la secrétaire refusa de les laisser entrer.

– Ce que vous avez à lui dire peut certainement attendre, déclara-t-elle. Ce n'est quand même pas une question de vie ou de mort, je suppose?

Jeff essaya de lui faire comprendre que c'était justement le cas, mais la secrétaire se contenta de sourire et leur désigna les fauteuils entourant une petite table basse.

– Si vous voulez attendre qu'il sorte, vous pouvez vous asseoir, dit-elle avant de retourner à sa machine à écrire. Mais je n'accepterai pas de chahut, je vous préviens.

Les deux enfants s'assirent, et les minutes succédèrent aux minutes.

Kerry Sanders gara sa voiture devant la façade de Sea Oaks. Un long moment, il resta assis, à contempler avec une certaine nervosité la vieille demeure. Peut-être aurait-il dû téléphoner avant de venir. Mais s'il était tombé sur Marguerite Devereaux, elle aurait sans doute refusé de le laisser parler à Julie. Il avait donc opté pour une intervention directe. Si Marguerite lui interdisait de rencontrer l'adolescente, du moins pourrait-il sans doute se rendre compte de son état de santé. A sa grande surprise, c'est Julie elle-même qui entrouvrit la porte quand il se décida enfin à sonner.

– Salut! dit-elle joyeusement en reconnaissant son visiteur.

– Eh bien! Comment te sens-tu? demanda Kevin sans réussir à masquer son anxiété.

Julie sourit et ouvrit toute grande la porte.

– Très bien. Entre donc.

Kerry pénétra dans l'entrée et vit immédiatement Marguerite. Immobile en bas de l'escalier, elle fixait sur lui un regard de froide désapprobation.

– Je... j'ai pensé que tu aimerais peut-être aller à la plage... fit Kerry en regardant Marguerite à la dérobée.

Le visage de la jeune fille parut se fermer à ce dernier mot.

— La plage... répéta-t-elle d'une voix blanche.

— Pas celle de l'île, précisa en hâte Kevin. Celle du chenal. Tu n'y es jamais allée, n'est-ce pas? Il n'y a presque pas de vagues, et elle n'est pas très grande, mais...

— Oui, ça me plairait, coupa Julie avec un entrain nouveau. Mais d'abord, il faut que je prévienne ma tante.

Alors qu'elle se retournait, Marguerite parla d'une voix glaciale :

— Si tu te sens assez bien pour aller à la plage, tu dois te sentir assez bien pour travailler un peu la danse. Et tu n'as certainement pas de temps à perdre avec des gens de son acabit...

Les lèvres serrées, elle désigna Kerry. Celui-ci se sentit rougir mais ne répondit pas à la provocation.

— Mais il fait trop chaud pour danser! argua Julie d'un air maussade. Et le Dr Adams a bien dit que je devais me ménager... J'avais simplement l'intention de m'allonger un peu sur la plage, sans aller dans l'eau.

— Je pense quand même que tu devrais t'abstenir de cette sortie. Après ce qui t'est arrivé l'autre jour...

— C'est du passé! répliqua Julie. Et depuis je ne suis allée nulle part sauf au ciné avec papa. Je vous en prie! Juste une heure ou deux?

Marguerite parut sur le point de le lui interdire, mais elle n'en fit rien.

— Je suppose que je ne peux pas t'en empêcher, soupira-t-elle. Mais promets-moi de ne pas te baigner. Si quelque chose t'arrivait encore, je ne sais pas comment je réagirais... (Sa voix se brisa.) Promets-le-moi, je t'en prie. Je... je te considère un peu comme ma propre fille, et je me fais du souci.

— Promis! s'empressa de dire Julie, peu désireuse de risquer un nouveau revirement de sa tante.

Kerry retourna dans sa voiture pendant que Julie montait dans sa chambre pour prendre une serviette de bain. Il n'avait pas besoin de tourner la tête vers Sea Oaks pour sentir le regard hostile de Marguerite posé sur lui. Enfin Julie sortit en courant de la maison et sauta sur le siège à côté de lui. Kerry fit vrombir le moteur et la voiture s'éloigna à bonne vitesse.

— Je peux te poser une question sans que tu m'en veuilles? dit-il, les yeux fixés sur la route.

Julie se tourna vers lui, visiblement étonnée.

— Pourquoi t'en voudrais-je?

— Je ne sais pas. C'est à propos de ta tante...

— Tante Marguerite? Eh bien, qu'y a-t-il?

— Sa façon d'être... C'est bizarre. Avant, elle m'aimait bien, enfin je crois. Mais depuis que je te connais, elle a l'air de me détester. Pourtant, je n'ai rien fait. (Il lui jeta un rapide coup d'œil.) Son comportement me semble un peu curieux, quoi.

Brusquement, Julie revit sa tante comme elle l'avait surprise la veille, dans la salle de bal. Elle raconta l'incident au garçon du mieux qu'elle put.

– C'était vraiment étrange, conclut-elle. Mais j'étais à moitié endormie à cause des médicaments qu'on m'avait donnés, et je ne suis même pas sûre de l'avoir vue dans cet état... Ça n'a pas l'air très important, et pourtant je n'arrête pas d'y penser. Et il y a cette façon dont elle se comporte quand je danse. Elle a l'air de penser que je devrais devenir une danseuse étoile ou je ne sais quoi, alors que je n'en ai aucune envie!

Ils aperçurent quelqu'un qui leur faisait de grands signes sur le bord de la route, et Kerry stoppa la voiture. Jenny Mayhew s'approcha en souriant.

– J'allais justement chez toi, dit-elle à Julie. Ça va mieux?

– En pleine forme! assura Julie. Pourquoi n'êtes-vous pas passées me voir après le cours de danse, hier?

Le sourire de Jenny disparut et elle prit un air embarrassé.

– Miss Marguerite ne t'a pas dit?

– Dit quoi?

– Eh bien, nous ne sommes pas restées jusqu'à la fin du cours. Il faisait vraiment chaud, et miss Marguerite nous faisait travailler trop dur. Tammy-Jo s'est énervée, et nous sommes toutes parties avant l'heure... C'est pour ça aussi que je venais chez toi. Je voulais présenter mes excuses à ta tante.

– Pourquoi donc? intervint Kerry. S'il faisait trop chaud, c'est elle-même qui aurait dû vous laisser partir!

– Peut-être, oui. Mais elle a dit que nous ne devions pas prêter attention à la chaleur, et à la réflexion je ne lui donne pas tort. Si on a vraiment envie de danser, on ne s'arrête pas parce qu'il fait chaud...

Julie se mit à rire.

– C'est exactement ce que je viens de faire! Elle voulait que je travaille, et je lui ai répondu qu'il faisait trop chaud et que je ne devais pas me surmener. Parfois, elle agit comme si je lui appartenais! Il y a des moments où j'ai même l'impression qu'elle a déjà décidé de ma vie entière...

– Julie! s'exclama son amie sur un ton choqué. Tu es injuste envers elle. Miss Marguerite est simplement très fière de toi parce que tu danses mieux que nous toutes.

– Mais je m'en fiche! expliqua Julie, un peu irritée. J'aime bien danser, mais ça n'est pas toute ma vie! On dirait que tante Marguerite ne l'accepte pas. En fait, je me demande si je ne vais pas arrêter.

– Tu ne vas quand même pas arrêter la danse? s'inquiéta Jenny.

– Et pourquoi pas? rétorqua Julie, plus par provocation que par calcul, car elle n'y avait jamais songé sérieusement.

– Mais elle compte sur toi! Elle compte sur nous toutes. Moi non plus, je ne crois pas que je ferai carrière dans la danse, mais j'aime miss Marguerite, et je sais qu'il suffit que nous soyons là pour qu'elle se sente heureuse.

– Sauf hier, remarqua Julie. D'après ce que tu viens de dire, personne ne s'est beaucoup amusé.

– C'est la faute de Tammy-Jo, fit Jenny avec rancœur, pas celle de miss Marguerite. On venait de retrouver le corps de Mary-Beth la veille, et personne ne se sentait très en forme. Peut-être n'y aurait-il pas dû y avoir de cours du tout.

Elle s'écarta de la voiture, les yeux fixés sur Julie.

– Et si tu décides d'arrêter les cours de danse, je pense que c'est rosse de ta part.

– Hé! J'ai simplement dit que ça n'était pas impossible, rien de plus!

– Eh bien, préviens-moi quand tu te seras décidée, répliqua Jenny avec mauvaise humeur. On dirait que je vais rester seule au cours...

Puis elle tourna les talons et s'éloigna d'un pas vif vers Sea Oaks.

– On devrait peut-être retourner là-bas, proposa Julie d'une voix hésitante. Je ne voudrais pas que Jenny m'en veuille...

– Mais non! fit Kerry en remettant le moteur en marche. Marguerite l'adore; elle se remettra vite de sa mauvaise humeur.

Quelques minutes plus tard, ils étaient allongés côte à côte sur la plage du chenal.

– Alors, ce n'est pas mieux que de passer l'après-midi dans une salle de bal?

Julie poussa un soupir d'approbation. Puis elle s'assit et contempla la mer. Elle frissonna en se remémorant ce qu'elle avait vécu deux jours auparavant.

– Mais je n'irai pas me baigner. Je ne sais pas si j'en aurai jamais envie, d'ailleurs...

Marguerite était assise sous la véranda et regardait sans la voir son île. Elle n'aurait pas dû laisser Julie partir avec Kerry Sanders, mais garder la jeune fille ici, tout comme sa propre mère l'avait fait. Au même âge, Marguerite était très semblable à Julie, têtue et volontaire, et elle le payait amèrement aujourd'hui. Sa mère avait essayé de la raisonner, de l'aider, mais elle n'avait pas voulu l'écouter...

Elle vit alors une silhouette déboucher de la digue. Marguerite se leva et avança d'un pas. La douleur mordit sa hanche, cette douleur qui s'était réveillée depuis le départ de Julie. Mais à présent elle revenait...

Elle descendit les marches de la véranda et avança de quelques mètres pour accueillir l'arrivante.

Ce n'était pas Julie, mais Jennifer Mayhew.

La souffrance se propagea dans sa jambe droite, et elle massa les muscles tétanisés de sa main. Elle se souvint de la scène dans la salle de bal, la veille. Les élèves – ses élèves – l'avaient abandonnée...

Brusquement elle fit demi-tour et repartit vers la véranda.

– Miss Marguerite? Attendez!

Elle se figea mais resta dos tourné à la jeune fille qui approchait.

– Je... je suis venue vous présenter mes excuses, dit Jenny.

Le ton sincèrement désolé qu'elle employa fit se retourner son professeur. L'adolescente avait les larmes aux yeux.

– Je voulais vous dire combien j'ai honte d'être partie avec Tammy-Jo et Allison hier, et même si Julie décidait d'arrêter les cours, moi je resterais.

Elle rejoignit précipitamment Marguerite et lui passa les bras autour du cou dans un geste d'affection outré par le chagrin qu'elle ressentait. Marguerite resta aussi immobile qu'une statue.

– Julie? De quoi parles-tu?

Jenny releva les yeux.

– Je viens de la rencontrer. Elle allait à la plage avec Kerry Sanders. Elle m'a dit qu'elle allait peut-être arrêter la danse.

Le regard de Marguerite s'embrasa, mais elle continua de parler d'un ton calme.

– Je suis certaine que tu te trompes. Julie n'abandonnerait pas la danse. C'est toute sa vie.

– Mais elle a dit...

Marguerite plaqua doucement une main sur la bouche de la jeune fille.

– Je lui parlerai quand elle rentrera, et je suis sûre que nous pourrons arranger ce qui ne va pas... (Elle sourit à Jenny.) Mais puisque tu es ici, pourquoi ne pas monter dans la salle? Nous allons travailler un peu, rien que nous deux. D'ailleurs, tu as un cours à rattraper.

Jenny ne cacha pas sa surprise. Un cours, maintenant? Mais elle n'avait pas amené ses affaires de danse...

– Je ne sais pas... C'est que j'ai dit à ma mère que je rentrerais...

– Mais il le faut, trancha Marguerite. Tu as fait tout ce chemin, et moi je suis désœuvrée. Tu ne peux pas repartir maintenant. (Elle prit un ton très doux.) Oh non, tu ne peux pas.

Jenny hésitait. Pour la première fois, elle venait de remarquer l'étrange lueur qui habitait les yeux de son professeur. Bien que Marguerite la regardât, la jeune fille avait l'impression déroutante qu'elle ne la voyait pas.

— Je t'en prie, supplia Marguerite. Juste un petit moment.

Il y avait un tel désarroi dans cette demande que Jenny finit par acquiescer.

— Donne-moi ton bras, demanda Marguerite comme elles entraient dans la sombre demeure. Ma hanche me fait souffrir, ce matin.

Sa main droite se referma sur le bras gauche de Jenny et serra si fort que la jeune fille eut une grimace de douleur. Elles commencèrent à gravir lentement l'escalier. Au premier étage, Marguerite dut faire halte pour reprendre son souffle.

— Vous auriez peut-être dû utiliser la chaise-ascenseur, suggéra Jenny.

Mais Marguerite secoua farouchement la tête.

— Je ne suis pas encore mourante, répliqua-t-elle. Et si je ne suis pas capable de marcher, comment pourrais-je espérer danser?

Affermissant sa prise sur le bras de son élève, elle commença à gravir les marches jusqu'au deuxième étage.


Dix minutes plus tard, Jenny comprit qu'elle avait commis une grave erreur. Depuis qu'elles étaient entrées dans la salle de bal et que Marguerite avait mis en marche le vieux phonographe, l'adolescente ressentait un malaise grandissant.

Le regard de Marguerite s'était fait plus étrange encore. Et surtout, au lieu d'observer Jenny et de la corriger, elle dansait elle aussi. Elle évoluait avec raideur dans l'immense pièce, les bras levés à mi-hauteur et les yeux fermés. On eût dit qu'elle valsait avec un partenaire imaginaire.

La gêne de l'adolescente se transformait rapidement en une peur insidieuse. Elle prit le parti de se diriger le plus discrètement possible vers la porte. Instantanément Marguerite cessa de danser et fixa un regard singulier sur son élève.

— Ne pars pas, dit-elle. Tu ne vas pas m'abandonner maintenant?

Jenny sentit les battements de son cœur s'accélérer.

— Il le faut, murmura-t-elle. Je ne suis pas vraiment venue pour danser, aujourd'hui, je n'ai pas ma tenue, et...

— Aucune importance, coupa Marguerite. L'important, c'est que tu danses.

Sa jambe droite raidie, elle traversa la pièce jusqu'à Jenny.

— Tu vas danser avec moi, ordonna-t-elle en saisissant la main de la jeune fille. Écoute la musique, et danse. Première position!

Son invisible cavalier complètement oublié, elle força Jenny à lui obéir. Elle-même grimaça de douleur en essayant de l'imiter.

– Les pieds en dehors, Marguerite!

Ébahie, Jenny regarda son professeur. Que se passait-il? Marguerite ne la reconnaissait-elle plus?

– Deuxième position!

Montrant l'exemple, Marguerite leva les bras, mais sa jambe droite, qui n'était plus que souffrance, refusa d'obéir.

Jennifer observait avec horreur son professeur combattre les limitations de son propre corps.

– Arrêtez! s'écria l'adolescente dans un sanglot apeuré. Je vous en prie, miss Marguerite... Pourquoi faites-vous cela?

D'un mouvement fulgurant, Marguerite la gifla.

– On se tait! siffla-t-elle. Quand j'enseigne, on doit se taire!

Sa voix avait pris des accents étrangement familiers, mais pendant quelques secondes Jenny ne les reconnut pas. Puis elle se souvint.

Combien de fois avait-elle entendu cette voix résonner dans la grande demeure pour appeler, ordonner? Mais ce n'était pas celle de Marguerite.

Ce timbre acariâtre appartenait à la mère de Marguerite. A miss Helena. Et pourtant, cette voix sortait de la gorge de miss Marguerite.

– Non, murmura Jenny. Oh non... (Elle fit deux pas vers la porte.) Je dois partir. Je suis désolée, mais...

– Non! hurla Marguerite. Tu ne peux pas partir! Pas maintenant! Tu ne peux pas m'abandonner! Je te l'interdis!

Éclatant en sanglots, Jenny se précipita hors de la pièce. Alors qu'elle allait descendre l'escalier, elle entendit la voix d'Helena Devereaux derrière elle.

– Tu ne partiras pas! Je ne le tolérerai pas!

Au même moment, elle sentit deux mains pousser violemment ses épaules. Elle voulut agripper la rampe mais il était trop tard.

Elle tomba la tête la première dans l'escalier.

# 19

– Mais c'est ce qu'elle m'a dit, P'pa, je te jure! Pas vrai, Toby?

Jeff jeta un regard plein d'espoir à son ami, pensant sans doute que son témoignage emporterait la conviction de son père. Ils étaient assis dans l'arrière-salle du drugstore, et un hamburger à peine grignoté refroidissait sur la table en plastique moulé, devant Jeff.

– Pourquoi tu veux pas me croire? reprit-il.

Kevin secoua la tête avec lassitude. Il avait déjà expliqué trois fois à son fils que l'histoire d'Emmaline Carr n'était qu'un tissu d'élucubrations. Marguerite enfermée dans une pièce au sous-sol? Tout cela était assez ridicule! Pourtant il ne pouvait prendre à la légère la peur qu'il lisait dans les yeux du gamin.

– Bon. Voilà ce que je vous propose : nous allons retourner à la maison et je questionnerai ta tante à propos de cette histoire. Qu'en dites-vous?

Jeff se renfrogna visiblement.

– Toby ne veut plus aller à Sea Oaks, déclara-t-il. Il a trop peur de tante Marguerite. Et moi aussi, j'ai peur!

– Mais ça n'a aucun sens! insista son père. Ta tante t'aime beaucoup, et pour rien au monde elle ne voudrait te faire du mal, voyons.

– Oh si, elle le ferait! lança Jeff d'un air sombre. Elle n'est gentille avec moi que quand tu es là. Mais si je me retrouve tout seul avec elle, alors elle est méchante.

Kevin inspira profondément. Il savait par expérience que faire changer Jeff d'avis n'était pas tâche aisée.

– Très bien, soupira-t-il. Tu vas aller chez Toby pendant un moment, et je me rendrai à Sea Oaks tout seul. Je discuterai avec ta tante et j'essayerai de savoir où est vraiment passée Ruby.

– Et tu viendras me rechercher après? s'enquit Jeff d'une voix incertaine.

– Tu as fait tout le chemin pour aller voir Emmaline, tu dois donc être capable de rentrer seul à la maison.

Il se leva et posa vingt dollars sur la table.

– Je vous laisse payer la note, dit-il. Il devrait vous rester assez pour aller au cinéma. Ça vous va?

Les yeux rivés sur l'addition qui se montait à peine à dix dollars, les deux enfants hochèrent la tête sans un mot.

– Et sois de retour à la maison pour l'heure du repas, rappela Kevin à l'adresse de son fils. D'ici là j'aurai tiré cette affaire au clair.

Il sortit du drugstore et retrouva la chaleur lourde de l'après-midi. Du sud-ouest approchait une masse nuageuse sombre, et la température avait sensiblement baissé. Pourtant c'est avec la chemise collée au corps par la transpiration que Kevin monta dans la Chevrolet de sa sœur.

Ce doit être la chaleur, décida-t-il tandis qu'il s'engageait sur la digue. Les gens se sentent oppressés et ils finissent par imaginer n'importe quoi. Quant à cette histoire de Marguerite enfermée dans un réduit au sous-sol...

Non, vraiment, il ne pouvait y croire.

En arrivant à Sea Oaks, il trouva sa sœur assise sous la

véranda, occupée à siroter une citronnade. Elle sourit et se leva. Sa claudication était presque imperceptible.

– Tu m'as l'air en pleine forme, dit-il, et Marguerite acquiesça, l'air ravi.

– Je ne sais pas comment cela se fait, répondit-elle en regardant les nuages qui s'amoncelaient. Habituellement, ma jambe me fait souffrir dès qu'un grain se prépare. Mais aujourd'hui je me sens parfaitement bien. Je peux m'estimer heureuse, tu ne crois pas?

– J'aimerais que les gens à Devereaux aient la même réaction que toi, soupira Kevin. Au lieu d'aller inventer des histoires sur les autres.

Le sourire de Marguerite s'estompa.

– Raconter des histoires? Quelles sortes d'histoires?

Son frère hésita. Il ne savait trop comment aborder le sujet. Enfin il se décida :

– Eh bien, Emmaliñe Carr, par exemple. Apparemment, Jeff et Toby sont allés la voir aujourd'hui.

– Emmaline? fit Marguerite d'un ton mal assuré. Pourquoi sont-ils allés la voir? Tout le monde sait qu'elle est un peu... perturbée. Elle vit dans un taudis, sans eau ni électricité. Parfois je pense à elle. C'est si triste! Et, hormis Ruby, elle n'a aucune famille.

Kevin fronça les sourcils.

– Alors Ruby n'a pas d'autre famille qu'Emmaline, n'est-ce pas?

Marguerite pâlit légèrement.

– Je... Eh bien, je ne sais pas. (Puis l'impatience la gagna et elle ajouta, d'une voix nerveuse) : Kevin, à quoi veux-tu en venir? Emmaline a dit quelque chose à Jeff, c'est cela?

– J'en ai bien peur, répondit son frère.

Posément, il lui relata l'histoire racontée par Jeff quelques minutes auparavant. Peu à peu, toute trace de sourire disparut du visage de sa sœur. Quand il eut fini, elle montrait tous les signes d'une intense indignation.

– Mais c'est horrible! s'écria-t-elle. Comment Emmaline a-t-elle pu imaginer de telles choses? Je ne lui ai jamais fait aucun tort! Et elle doit avoir terrorisé ce pauvre Jeff!

– Mais où est Ruby? demanda Kevin après un court silence. Si elle n'a pas rendu visite à Emmaline, où est-elle allée?

La main droite de Marguerite monta vers sa gorge en un geste inconscient.

– Comment veux-tu que je le sache? rétorqua-t-elle vivement. Peut-être m'a-t-elle menti. En fait, ça ne m'étonnerait pas, tu sais. Elle est comme ça. Mère disait toujours qu'on ne pouvait pas lui faire confiance.

Elle se tut en voyant son frère se diriger vers la porte d'entrée.

– Où vas-tu?

Kevin s'arrêta et se tourna vers sa sœur. Le doute se lisait dans ses yeux.

– Nulle part. Je vais juste faire un tour dans la maison, c'est tout.

Il pénétra dans la grande demeure et referma la porte derrière lui. Pendant quelques secondes, il resta immobile, pour s'imprégner de l'atmosphère familière de Sea Oaks. Au début, rien ne lui parut anormal. Puis, alors qu'il entrait dans le salon, une étrange sensation s'empara de lui. Un picotement désagréable envahit sa nuque et il tourna la tête de côté et d'autre, s'attendant presque à découvrir quelqu'un en train de l'observer.

Mais le salon était désert.

Soudain il sut d'où lui venait ce sentiment. Le portrait de sa mère, toujours accroché au-dessus de la cheminée, paraissait le fixer d'un regard autoritaire. Il leva les yeux vers la toile et la contempla un long moment.

La ressemblance entre la mère et la fille était si frappante qu'il ne put réprimer un frisson. Elles auraient pu être la même personne...

Mais ce n'était pas le cas. Helena avait été dure, cruelle parfois, insensible souvent. Le cauchemar qui l'avait hanté pendant tant d'années lui revint à l'esprit. Il était enfermé dans une petite pièce où sa mère entrait pour le tuer.

*Une petite pièce.*

C'était exactement l'expression qu'avait employée Jeff en parlant d'un endroit au sous-sol où Marguerite aurait été séquestrée.

Il hésita une seconde avant de se détourner du portrait et d'aller d'un pas rapide jusqu'à la cuisine.

La vaisselle sale était empilée sur l'évier, et le couvert utilisé par Marguerite pour son repas solitaire était encore sur la table, laissant penser qu'elle s'attendait à un retour imminent de la domestique. Le regard de Kevin glissa vers la porte de la chambre contiguë.

Il avança lentement et entra dans la pièce.

Rien n'y avait bougé. Le lit n'était pas défait, et la chemise de nuit de Ruby était toujours pendue au cintre accroché à la porte de la penderie.

Mais d'autres détails attirèrent l'attention de Kevin. Des détails qu'il n'avait pas remarqués la nuit précédente.

Sur la petite table à côté de la porte était posé un plateau-repas intact. La soupe à l'okra s'était solidifiée, et les feuilles de laitue s'étaient fripées dans le saladier.

Ruby s'était préparé ce souper frugal, et elle l'avait amené dans sa chambre pour le manger tranquillement. Mais elle n'en avait pas eu le temps. Que s'était-il passé?

Kevin rejeta une théorie absurde qui commençait à se former dans son esprit et poursuivit son investigation.

Il ouvrit la penderie. Sur l'étagère supérieure, il trouva une valise couverte de poussière.

Tous les cintres portaient des vêtements, et les trois tiroirs de la commode étaient pleins. A l'évidence, rien ne manquait dans la chambre de la domestique.

Kevin se figea devant la chemise de nuit de Ruby. Ne l'aurait-elle pas prise si elle avait dû s'absenter plusieurs jours? N'aurait-elle pas pris *quelque chose*?

Et, connaissant sa méticulosité, Kevin doutait que Ruby eût abandonné son repas dans sa chambre, même si elle était partie en hâte...

L'estomac contracté par une angoisse indéfinie, il sortit de la pièce et retraversa la salle à manger et le salon. Sur le tableau, sa mère semblait le suivre d'un regard lourd de menaces. Il pressa le pas et arriva dans le vestibule. Marguerite se tenait immobile dans l'entrée. Quand elle le vit se diriger vers la porte sous l'escalier, qui menait au sous-sol, elle dit d'une voix anxieuse :

– Où... où vas-tu?

– En bas.

– Mais... il ne faut pas, Kevin, balbutia-t-elle.

De nouveau, elle avait plaqué une main sur sa gorge. Elle fit un pas vers son frère et sa main vint se crisper sur sa hanche. Sa claudication s'était brutalement accentuée.

– Je t'en prie, Kevin... Ne descends pas.

Kevin sentit son angoisse redoubler, mais il devait en avoir le cœur net.

– Il le faut, dit-il avec détermination.

Il ouvrit la porte du sous-sol et alluma l'ampoule électrique. Alors qu'il arrivait en bas de l'escalier, il entendit le pas irrégulier de sa sœur qui le suivait lentement.


L'esprit engourdi, il contempla la porte pendant près d'une minute. Elle était encore à moitié dissimulée par la masse de la chaudière, et il était aisé de comprendre pourquoi il ne l'avait pas remarquée. Deux jours auparavant, l'entassement de cartons et d'objets divers la masquait encore, et c'est lui-même qui l'avait dégagée la veille, sans pourtant la voir. Il songea qu'il l'aurait certainement découverte alors s'il n'y avait eu cet incident avec Jeff.

A présent il sentait la présence de Marguerite, immobile, derrière lui, le souffle étrangement court. Il se retourna. Le visage de sa sœur était dans l'ombre, et l'ampoule nue dessinait un halo éclatant autour de sa tête.

– Qu'y a-t-il là-dedans, Marguerite? demanda-t-il.

Il avait délibérément parlé à voix basse, mais ses mots lui semblèrent éveiller de sinistres échos dans la cave.

– Il n'y a rien, balbutia-t-elle. Je t'assure, Kevin.

– Alors ouvre cette porte. S'il n'y a rien, il n'y a rien à cacher, n'est-ce pas?

– Non, murmura-t-elle d'une voix aux accents singulièrement enfantins. Je ne veux pas entrer là. S'il te plaît, Kevin, ne m'y force pas...

Son frère sentit l'angoisse l'étreindre de plus belle.

– Pourquoi, Marguerite? Pourquoi refuses-tu d'entrer dans cette pièce?

– Je ne peux pas, gémit sa sœur. C'est là que Mère me gardait. C'est là qu'elle m'enfermait quand j'étais malade. Ne me fais pas entrer, Kevin, je t'en supplie.

Kevin inspira profondément et tourna la poignée, mais la porte ne s'ouvrit pas. Il vit alors le cadenas qui bloquait le moraillon.

– J'ai besoin de la clef, Marguerite.

Elle se mordit la lèvre et fit un nouveau pas chancelant en arrière.

– Je... je ne l'ai pas. C'est Ruby qui garde toutes les clefs. Je n'ai jamais eu le droit de les avoir.

*Mon Dieu!* songea Kevin dans un élan de compassion.

Quel calvaire leur mère lui avait-elle fait subir pour que Marguerite ait un tel comportement?

Mais il ne dit rien et, contournant sa sœur, il repartit vers l'escalier.

Dans la cuisine il se mit à fouiller nerveusement les tiroirs à la recherche du trousseau de clefs que Ruby conservait toujours à portée de main. Il entendit la porte s'ouvrir et leva les yeux pour découvrir Marguerite sur le seuil de la pièce, le regard curieusement brillant. Juste à côté d'elle, à gauche du chambranle, l'anneau de clefs était suspendu à un crochet. Il alla le prendre.

– Non, supplia Marguerite. Ne retourne pas en bas, Kevin.

Une partie de lui-même aurait voulu céder à sa sœur, remettre l'anneau en place et ne plus jamais entrer dans le sous-sol. Mais il ne pouvait agir ainsi. Il devait voir ce qui se trouvait dans cette pièce, quoi que ce fût. Il hocha la tête et dépassa Marguerite.

Il lui tournait déjà le dos quand elle prit le couteau de boucher dans l'un des tiroirs ouverts et le fit disparaître dans les replis de sa jupe.

Elle suivit Kevin dans l'escalier. La douleur dans sa hanche embrasa rapidement sa jambe en vagues insupportables. Elle descendit les marches une à une, en se tenant à la rampe.

Quand elle arriva au sous-sol, sa jambe droite était complètement anesthésiée par la souffrance.

Kevin essaya plusieurs clefs avant de trouver celle qui s'adaptait au mécanisme du cadenas. Avec un petit déclic, la tige métallique se délogea du bloc et il put l'ôter.

Pendant quelques secondes il considéra stupidement le cadenas. Derrière lui, il sentait Marguerite qui se rapprochait. Elle suivait d'un regard brillant ses doigts qui relevaient le moraillon.

D'un geste lent, il ouvrit la porte. Par-dessus son épaule la lumière de l'escalier envahit la petite pièce.

C'est Ruby qu'il vit en premier.

Adossée contre le lit, les yeux grands ouverts fixés sur lui dans un regard vitreux elle portait toujours autour du cou la ceinture en soie qui avait servi à l'étrangler.

Sur le sol gisait Jennifer Mayhew, son corps brisé par la chute dans l'escalier. Sa tête formait un angle mortel avec ses épaules, et ses bras disloqués s'étaient figés dans une posture de marionnette jetée sur le sol.

– Mon Dieu! gémit Kevin en reculant d'un pas avant de se retourner vers sa sœur. Qu'as-tu fait?

Marguerite l'affronta d'un regard halluciné.

– Ruby allait te raconter mon secret, et tu serais parti. Et Julie serait partie avec toi. Tu comprends, Kevin? Je serais restée toute seule. Vous m'auriez abandonnée.

Son frère ne pouvait détacher ses yeux du visage transformé de Marguerite. Il avança vers elle.

– Et toi aussi, tu vas tout raconter! s'écria-t-elle soudain d'une voix suraiguë. Et tu emmèneras Julie loin de moi!

Elle leva sa main droite et le couteau de boucher brilla sinistrement.

– Mais je ne le supporterai pas! Je ne permettrai pas que tu me prennes Julie!

Elle se précipita sur lui. Paralysé par l'épouvante qui l'avait saisi, Kevin vit l'éclair de la lame qui décrivait un arc de cercle vers sa poitrine et ne fit rien pour l'éviter.

L'acier s'enfonça dans son torse, mais pendant une seconde il ne ressentit aucune douleur. Le sang se mit à gicler de la blessure, et une chaleur étrange lui parut émaner du couteau qui déchirait ses chairs. Ses yeux s'agrandirent d'horreur et il glissa sur les genoux avec une lenteur irréelle.

D'un geste convulsif Marguerite arracha la lame de sa poitrine, et le mouvement le déséquilibra.

Cette fois la morsure de l'acier dans son dos déclencha une

souffrance abominable dans tout son corps. Il voulut rouler sur le côté pour échapper à sa sœur, mais il n'en avait déjà plus la force.

Alors que le couteau le frappait pour la troisième fois, le rêve lui revint. Ce rêve qui le hantait dans sa jeunesse et qu'il avait refait quelques semaines plus tôt.

Ce rêve dans lequel sa mère entrait dans une petite pièce pour le tuer...

Il leva les yeux et vit sa mère se pencher sur lui.

Non. Il ne s'agissait pas de sa mère, mais de Marguerite.

Il tenta de l'appeler, mais aucun son ne monta de sa gorge. Seul un filet écarlate passa le barrage de ses lèvres.

Ses poumons s'emplissaient rapidement de sang.

Il agonisait, et il ne pouvait rien faire pour se sauver. Ses forces vitales s'amenuisaient à chaque seconde, et il comprit qu'il s'était trompé sur son cauchemar : celui-ci n'avait aucun sens caché. C'était une simple et terrifiante prémonition.

Dans sa folie, sa sœur s'était transformée en une horrible réincarnation de sa mère.

Marguerite était devenue Helena.

Tandis qu'il sentait la mort embrumer son esprit, il eut une dernière pensée. Pour ses enfants.

Elle les tuerait, comme elle l'avait tué.

Pour lui, le cauchemar prenait fin.

Pour Jeff et Julie, il ne faisait que commencer.

## 20

Alicia Mayhew consulta la petite horloge incrustée dans le tableau de bord de sa voiture, puis elle leva les yeux vers le ciel. Il était presque trois heures et elle se souvenait fort bien d'avoir précisé à sa fille d'être rentrée pour deux heures. Elles étaient attendues à Charleston, chez le frère d'Alicia, dans une demi-heure, et même si elle rencontrait sa fille dans la minute qui suivait, elles seraient certainement en retard. D'autant que le grain qui s'annonçait n'arrangerait certainement pas la conduite. Et si Jenny se trouvait prise sous la pluie...

Elle freina brusquement en apercevant Kerry Sanders et Julie Devereaux de l'autre côté de la rue. Ils venaient de sortir de la vieille décapotable et bataillaient ferme pour rabattre le toit de cuir rafistolé.

– Julie? appela-t-elle.

La jeune fille se retourna et sourit en la reconnaissant.

– Bonjour, Mrs. Mayhew! lança-t-elle avec un geste de la main.

– Avez-vous vu Jenny?

– Pas depuis ce matin. Elle se rendait à Sea Oaks pour voir tante Marguerite.

– Mais elle m'a dit qu'elle allait prendre de tes nouvelles...

– Oh, nous l'avons rencontrée en chemin, au bout de la digue, expliqua Julie. Mais c'était surtout tante Marguerite qu'elle voulait voir. Pourquoi? Elle n'est pas encore rentrée?

Alicia ne put réprimer une mimique impatiente.

– Non. Et comme nous avons un rendez-vous, je crois bien qu'il ne me reste plus qu'à aller chercher mademoiselle!

Elle remit l'automobile en marche et les premières gouttes de pluie s'écrasèrent sur le pare-brise tandis qu'elle accélérait. Dans le rétroviseur, elle vit les deux adolescents qui s'évertuaient à remonter la capote avant le gros de l'orage.

*Pourquoi les enfants ne respectent-ils jamais les horaires?* se demandait-elle en négociant le virage menant à la digue.

Tout allait s'arranger, c'était une certitude.

Assise devant la coiffeuse, Marguerite contemplait en souriant son reflet dans le miroir. Kevin ne l'abandonnerait jamais et elle n'avait rien à craindre; Sea Oaks lui appartenait, à présent. Ainsi que Julie.

Et Jeff.

Elle ne devait pas l'oublier. Pourtant, il ne faisait pas partie de son univers. Il n'avait pas sa place ici, pas plus que Kevin ne l'avait eue. Sea Oaks ne devait abriter que Julie et elle, tout comme elle n'avait été habitée que par elle et sa mère pendant toutes ces années.

Il lui faudrait donc décider du sort de cet insupportable gamin. Peut-être serait-il judicieux de prendre conseil auprès de sa mère?

Elle examina une fois de plus son maquillage dans la glace. Cela lui avait demandé presque une heure, mais elle avait réussi à épiler ses sourcils jusqu'à ce qu'ils ne forment qu'une fine ligne qu'elle avait ensuite accentuée d'un coup de crayon. Le rose appliqué sur ses joues ressortait joliment sur l'épaisse couche de poudre blafarde dont elle avait couvert son visage, et le rouge à lèvres éclatant mettait en valeur sa bouche. Sa chevelure retombait en douces ondulations autour de son visage, rehaussant l'effet presque théâtral de ses pommettes colorées.

Enfin satisfaite de son œuvre, elle alla jusqu'à la penderie et choisit une robe. D'un bel écarlate, c'était une de celles que préférait sa mère. Le corsage, avec ses épaules rembourrées et son décolleté en pointe, était ajusté par une large ceinture en cuir noir verni. Tandis qu'elle passait précautionneusement la robe, elle se remémora la dernière fois où Helena l'avait mise, plus de quarante ans auparavant.

C'était un jour très semblable à aujourd'hui. Une tempête menaçait, et sa mère attendait des amis pour le thé. Marguerite s'était glissée dans un coin de la pièce pour regarder Helena qui s'habillait. Sa mère avait fini par la remarquer et l'avait envoyée au deuxième étage pour qu'elle travaille un peu la danse.

– Nous avons un récital demain, et tu veux être parfaite, n'est-ce pas?

Tout comme Julie aurait dû travailler sa danse aujourd'hui, plutôt que d'aller traîner avec ce voyou, se dit Marguerite en s'observant dans le grand miroir de la penderie. Il faudrait qu'elle s'occupe de ce problème aussi.

La sonnette de la porte d'entrée la tira de ses méditations. Elle attendit quelques secondes, certaine que Ruby allait ouvrir, puis elle se rappela que, pour l'instant du moins, elle devrait assurer ces tâches elle-même. Après un dernier coup d'œil à la glace pour vérifier sa mise, elle se hâta vers l'escalier. La douleur dans sa hanche avait diminué de nouveau, et ce n'était plus qu'un élancement gênant. Elle descendit les marches en prenant à peine appui sur la rampe. La sonnette retentissait pour la seconde fois quand elle ouvrit la porte.

– Alicia! dit-elle avec affabilité en souriant à sa visiteuse inattendue. Quelle surprise! Voulez-vous entrer?

Alicia Mayhew regarda Marguerite avec des yeux ronds. Que signifiaient ce maquillage outrancier et cette robe? Elle n'en avait pas vu de cette coupe depuis son enfance. A l'époque, sa mère et toutes ses amies portaient ce genre de robe, à l'instar de Joan Crawford dans ses films.

– Je passais juste pour voir si Jenny était encore ici, fit Alicia en se reprenant.

Elle se rendit compte qu'elle fixait Marguerite depuis déjà un long moment et dirigea son regard vers les profondeurs de la maison. Mais Marguerite ne semblait pas avoir remarqué son trouble.

– Jennifer? répondit-elle avec une intonation étonnée. Ici?

– Oui. Je viens de rencontrer Julie et Kerry, et ils m'ont dit que Jenny était allée vous voir. Elle aurait dû rentrer à la maison il y a déjà une heure et...

Marguerite ouvrit un peu plus la porte.

– Je ne sais trop que vous dire. Je suis restée seule ici toute la journée, depuis le départ de Julie... (Elle eut le sourire d'une mère comprenant l'anxiété d'une autre.) A certains moments, je me demande quel comportement adopter. Il y a tellement de choses que Julie devrait faire, alors qu'elle ne pense qu'à sortir avec Kerry.

Préoccupée, Alicia l'écoutait à peine.

— Julie paraissait tellement convaincue que ma fille venait ici...

— Alors je crains que Jennifer n'ait changé d'avis en cours de route, dit Marguerite. Mais je suis certaine qu'elle viendra demain.

— Demain? Je ne comprends pas.

— Pour le récital, bien sûr, expliqua Marguerite. Vous voulez dire que Jennifer ne vous en a pas parlé? Mais je prépare ce récital depuis des semaines!

— Je suis désolée, mais Jenny ne m'en a rien dit. Et je ne vois pas comment elle pourrait être présente demain puisque nous devons partir à Charleston cet après-midi et ne revenir qu'après-demain.

Pendant quelques secondes, le visage de Marguerite afficha une profonde déception, mais subitement elle parut reprendre espoir et son sourire réapparut.

— Je suis persuadée qu'elle sera là demain, affirma-t-elle. Je sais qu'elle attendait avec impatience de voir le solo de Julie, et je ne peux pas imaginer qu'elle le manque. (Elle serra le bras d'Alicia dans un geste rassurant.) Revenez demain, et vous verrez que j'avais raison.

— Mais je dois la retrouver aujourd'hui!

Marguerite haussa les épaules en signe d'impuissance.

— Eh bien... peut-être s'est-elle rendue chez Tammy-Jo, ou chez Allison. Vous savez comment sont les jeunes filles. On ne peut jamais deviner ce qu'elles vont faire!

Alicia hésita, puis poussa un petit soupir résigné.

— Vous avez certainement raison, approuva-t-elle. Excusez-moi d'être venue vous déranger ainsi.

— Allons donc! Vous ne m'avez pas dérangée! répondit gentiment Marguerite. Vous savez que votre visite me fait toujours plaisir. (Elle scruta le ciel tourmenté et ouvrit un peu plus la porte.) Vous êtes sûre de ne pas vouloir entrer? On dirait qu'il va pleuvoir des cordes dans une minute.

— Non, vraiment. Je vous remercie, mais il faut que je retrouve Jenny. Nous devons partir pour Charleston.

Elle descendit les quelques marches de la véranda et regagna sa voiture, qui démarra à la première sollicitation. Avant de s'éloigner de Sea Oaks, Alicia jeta un dernier coup d'œil à Marguerite, qui l'observait toujours de la porte. Quelle mouche l'avait piquée de s'accoutrer ainsi? Et ce maquillage outrancier... Elle paraissait si étrange.

Mais Alicia n'avait pas le temps de s'interroger sur les lubies de Marguerite Devereaux. Elle devait retrouver sa fille au plus tôt. L'horloge du tableau de bord marquait presque quatre heures, et le temps se dégradait rapidement. Si elle ne mettait pas la main sur Jenny au plus tôt, il leur faudrait renoncer au trajet jusqu'à Charleston car la tempête ne le permettrait pas. Elle appuya sur l'accélérateur et l'automobile s'arracha à la boue qui se formait déjà sur l'allée.

Marguerite suivit la voiture des yeux. Elle allait retourner dans la maison quand elle remarqua sa propre Chevrolet arrêtée près du garage, les vitres baissées. La pluie chassée par le vent commençait à pénétrer dans l'habitacle, et les sièges seraient bientôt trempés. Elle rentra dans la maison et chercha dans le placard du hall où elle rangeait habituellement ses clefs.

Elles n'y étaient pas.

Alors elle se rappela les avoir données à Kevin le matin même. Mais où était son frère?

Au sous-sol, bien sûr. Dans la petite pièce, où il tenait compagnie à Ruby et à Jennifer.

Elle descendit en hâte à la cave. Deux minutes plus tard elle ressortit et trottina sans presque boiter jusqu'à la Chevrolet. Après l'avoir amenée dans le garage, elle referma la grande porte en bois.

Le premier éclair illumina le ciel, vers le sud-ouest, bientôt suivi d'un puissant roulement de tonnerre. Le vent se leva brusquement. Alors que Marguerite refermait la lourde porte de Sea Oaks, les bourrasques firent murmurer les pins moussus.


Jeff courait lourdement sur la digue, sa chemise relevée sur sa tête pour le protéger de la pluie qui tombait dru maintenant. Des coups de vent irréguliers lui rabattaient le vêtement sur le visage, l'aveuglant par instants. Mais il avait parcouru la plus grande partie du chemin, et il apercevait déjà les lumières de Sea Oaks. Il força encore l'allure mais dérapa en sortant de la digue et s'étala de tout son long dans la boue bordant la route. Il se redressa aussitôt et reprit sa course. Une minute plus tard, hors d'haleine, il claquait avec fracas la porte de la demeure familiale.

— P'pa? s'égosilla-t-il. Je suis rentré. P'pa!

Il s'adossa contre le mur, le temps de reprendre son souffle, puis il ôta ses baskets couvertes de boue et les laissa près de la porte. C'est alors qu'il prit conscience du silence inhabituel qui régnait dans la maison. Il écouta un moment, puis réitéra son appel.

Il n'y eut aucune réponse.

— P'pa? dit-il encore, beaucoup moins fort cette fois.

Il sentait s'insinuer en lui une peur indéfinie.

– Où es-tu, P'pa?

Le même silence oppressant lui répondit. Il s'avança vers l'escalier mais se figea presque aussitôt en entendant un grincement mécanique. Des rouages se mettaient en marche, et il leva les yeux vers le haut des marches, où la chaise-ascenseur allait bientôt apparaître. En effet, le siège électrique sortit de la courbe de l'escalier et descendit progressivement vers lui. Il ne pouvait détacher ses yeux de la personne qui l'occupait. Sa tante Marguerite.

Et pourtant ce n'était pas vraiment elle. La femme assise sur le siège portait une coiffure à l'ancienne mode, et son visage était couvert d'un épais maquillage. Le gamin eut un mouvement de recul en comprenant à qui sa tante ressemblait.

A sa grand-mère.

Elle n'était certes pas aussi âgée, ni aussi ridée, mais son expression était la même, et quand elle le toisa ce fut à la façon de la défunte. La chaise-ascenseur atteignit le bas de l'escalier et son occupante se leva lentement.

– Où est mon père? réussit-il à dire d'une petite voix.

– Pas ici, répondit Marguerite. Il a dû retourner en ville pour je ne sais quelle raison.

Elle fit un pas vers lui et le garçon recula encore.

– C'est même pas vrai! réussit-il à lancer crânement. Il revenait ici pour découvrir ce que vous avez fait à Ruby!

– Ruby? répéta sa tante d'une voix qui résonna lugubrement dans le hall. Allons, mon chéri, de quoi parles-tu? Je n'ai rien fait à Ruby, voyons.

– Oh si! Emmaline m'a tout raconté, et je l'ai dit à mon père. Je lui ai tout dit!

Le visage de Marguerite se crispa imperceptiblement.

– Tu lui as tout dit? Mais il n'y a rien à dire, et tu ne devrais pas raconter des histoires aux gens, Jeff. Sais-tu ce qui arrive aux méchants garçons qui racontent des histoires?

Elle fit un nouveau pas vers lui, et il s'écarta d'un bond.

– Me touchez pas, hein! s'écria-t-il. Laissez-moi tranquille!

– Allons! Calme-toi, susurra Marguerite avec un sourire froid. Tu ne crois quand même pas que je te voudrais du mal, n'est-ce pas? Tu es mon petit garçon, maintenant, et je t'aime. Alors pourquoi avoir peur?

Tout en parlant elle s'était approchée de Jeff. Elle tendit une main pour le toucher, et il sentit son cœur s'emballer.

– Non! Me touchez pas!

Cette réaction brutale surprit Marguerite. Pendant une seconde, elle se figea et l'enfant mit ce délai à profit pour lui échapper et se précipiter vers l'escalier. Il gravit les marches deux par deux, dans une fuite éperdue. En quelques secondes il arriva au premier étage. Sans ralentir il fonça vers sa chambre, y entra et referma la porte à clef. Un peu rassuré par cette barrière de bois il se jeta dans son lit et se pelotonna sous les couvertures.

Pendant quelques minutes il ne perçut que les battements de son cœur et sa respiration haletante qui revenaient peu à peu à la normale. Enfin il fut assez calme pour écouter les bruits extérieurs.

Mais Sea Oaks était retombée dans un silence lourd de menaces. Dehors, le vent sifflait rageusement et la pluie crépitait contre les vitres.

Kerry Sanders arrêta sa vieille décapotable devant la véranda de Sea Oaks. La pluie tombait sans discontinuer, et un filet d'eau coulait à travers la capote rafistolée sur le siège arrière. Le jeune homme contempla ce désastre avec une moue dégoûtée.

— J'ai comme l'impression qu'il se passera un bout de temps avant que quelqu'un accepte de s'asseoir à l'arrière, fit-il avant de se tourner vers sa passagère. Tu veux que je t'accompagne à l'intérieur?

— Non, je crois qu'il serait préférable que tu n'entres pas, répondit Julie avec une note de regret dans la voix. Tu sais comment est tante Marguerite.

— Elle va t'en vouloir, n'est-ce pas? J'aurais peut-être dû te ramener plus tôt.

— Mais non! Il n'est pas encore cinq heures, et ce n'est pas comme si j'étais restée toute la nuit dehors. De toute façon, Papa doit être revenu. Il arrangera la chose avec tante Marguerite si elle trouve à y redire.

Elle posa la main sur la poignée de la portière mais suspendit son geste pour demander :

— Tu penses que Mrs. Mayhew a retrouvé Jenny?

— Je ne sais pas. Mais on dirait qu'il se passe des trucs bizarres, quand même. Quand nous avons croisé Jenny, elle se dirigeait bien vers ici, non?

— Elle a peut-être changé d'avis, suggéra Julie. Après ce que j'ai dit de tante Marguerite...

Elle se tourna vers la maison qu'elle contempla en silence. Une seule lumière brillait dans le salon. Le reste de la demeure semblait inhabité.

— Tu es sûre que tu ne veux pas que je t'accompagne? proposa de nouveau Kerry en remarquant son hésitation. Je veux dire, si tu crains la réaction de ta tante...

— Non, décida Julie. Elle ne me fait pas peur. Elle ne se sentait pas très bien hier, voilà tout.

Pour montrer sa détermination, elle ouvrit la portière et s'apprêta à sortir du véhicule. Mais Kerry la retint par une main et l'attira vers lui. Si vite qu'elle ne put rien faire pour l'en empêcher, il l'embrassa.

Elle se cabra une seconde, mais un frisson délicieux l'envahit. Après un moment, le garçon la relâcha doucement. Quand elle le regarda, elle vit qu'il avait légèrement rougi.

– Je... je ne sais pas ce qui m'a pris, bredouilla-t-il.

Julie posa l'index sur sa bouche.

– Et moi, je suis heureuse que tu l'aies fait, dit-elle en souriant avant de sortir de la voiture. Espérons seulement que tante Marguerite ne nous a pas vus! A demain, Kerry!

Elle claqua la portière et courut d'un pas léger jusqu'à la véranda.

Aucun des deux adolescents n'aperçut Marguerite, immobile derrière une des fenêtres du salon, qui les observait d'un regard noir. Avant même que sa nièce ne pénètre dans le hall, elle avait déjà regagné le confortable fauteuil près de la cheminée où elle était assise quand elle avait entendu la voiture de Kerry freiner devant la véranda.

Julie referma la lourde porte d'entrée et fit de son mieux pour sécher ses cheveux avec sa serviette de bain. Elle renversa sa tête en arrière et démêla sa chevelure en y passant ses doigts écartés. Soudain elle se figea dans cette position, tous les sens aux aguets.

Elle percevait une subite altération dans l'atmosphère de la maison.

Sea Oaks paraissait plus vide qu'à l'accoutumée, comme privée d'une partie d'elle-même.

Elle passa la double porte ouverte sur le salon. En voyant Marguerite assise dans un fauteuil près de la cheminée, elle se détendit un peu.

– Tante Marguerite? dit-elle d'un ton presque confidentiel. Je suis rentrée.

D'abord elle crut que sa tante ne l'avait pas entendue. Puis elle la vit se lever dans la pénombre.

– Je le sais. Je t'ai vue arriver.

Julie se sentit rougir. Elle se mordit la lèvre avant de demander :

– Où est Papa? Et Jeff?

Marguerite marqua une seconde d'hésitation.

– Ton père a été obligé de repartir en ville ; quant à Jeff, il est dans sa chambre, occupé à bouder.

Sa tante approcha de quelques pas, et entra dans la zone éclairée par l'unique lampe allumée dans le salon. Julie sursauta en découvrant son visage blafard.

– Tante Marguerite! souffla-t-elle. Que... que vous êtes-vous fait? Votre visage est...

Elle faillit dire « horrible » mais elle se retint.

– Tu aimes mon nouveau maquillage? s'enquit Marguerite dans un accès de coquetterie en relevant d'un doigt une mèche rebelle sur son front. Je n'avais pas grand-chose à faire aujourd'hui, alors j'ai pensé que je pourrais essayer quelque chose de nouveau.

– C'est... différent, réussit à articuler la jeune fille. Je ne m'y attendais pas, voilà tout.

– Et je trouve que cela me va très bien, poursuivit Marguerite sans prêter attention à sa nièce. C'est ainsi que se maquillait Mère, et elle était si belle. (Sa voix prit une intonation singulière.) Oui, si belle. Et je lui ressemble tant. (Son regard se posa sur Julie.) Toi aussi, tu ressembles beaucoup à Mère... et à moi.

– Il faut que j'aille voir Jeff, dit précipitamment l'adolescente. Pourquoi boude-t-il?

Marguerite se raidit un peu.

– Je ne sais pas. Je présume que je lui ai dit quelque chose qui n'a pas eu l'heur de lui plaire, bien que je ne voie pas quoi. Mais c'est un petit garçon, et je n'ai jamais très bien compris les petits garçons. Je pense qu'il faudra que je discute de Jeff avec Kevin dès qu'il rentrera. Que vais-je faire de lui?

Julie n'entendit pas cette interrogation car elle se hâtait déjà vers le premier étage. Elle frappa légèrement à la porte de son frère.

– Jeff? C'est moi, Julie. Je peux entrer?

Il y eut un court silence, puis elle entendit son frère qui trottinait vers la porte. La serrure cliqueta et le battant s'entrebâilla sur le visage soupçonneux du gamin. En reconnaissant sa sœur, il ouvrit la porte pour la laisser entrer. Puis il la referma à clef.

– Jeff! s'exclama Julie. Que se passe-t-il? Tante Marguerite m'a dit que tu boudais. Mais pourquoi fermes-tu ta porte à clef?

– Parce qu'elle est folle! Elle a tué Ruby, et Papa aussi, et elle veut me tuer! Tu l'as vue? Tu as vu la tête qu'elle s'est faite?

Il se précipita dans les bras de sa sœur en sanglotant. Elle le souleva et le déposa sur son lit avec douceur.

– Allons! Bien sûr, je l'ai vue, dit-elle d'un ton apaisant. Elle a l'air un peu étrange, c'est vrai, mais c'est à cause du maquillage et de la coiffure qu'elle a essayés.

– Non! s'écria le gamin. Maintenant, on dirait Grand-Mère! Quand je suis rentré, elle est descendue par la chaise mécanique et elle m'a regardé d'une façon drôlement bizarre! Elle me fait peur!

– Il n'y a vraiment aucune raison! dit Julie avec une conviction qu'elle était loin d'éprouver.

Elle se rappelait le choc qu'elle avait ressenti quand sa tante était sortie de la pénombre du salon. Et Jeff n'avait pas tort : avec ce maquillage, Marguerite ressemblait effectivement beaucoup à leur défunte grand-mère.

– Et qu'est-ce que tu racontes, « elle a tué Papa et Ruby »? Ruby est allée dans sa famille, et Papa est en ville. Elle vient de me le dire.

– C'est ce qu'elle m'a dit aussi, gémit son frère. Mais c'est pas vrai! J'ai vu Papa en ville, et je lui ai tout raconté. Il a dit qu'il rentrait ici pour...

Trois coups secs frappés à la porte l'interrompirent.

– Julie? fit la voix de leur tante. Tu es là?

– Ou-oui, balbutia l'adolescente.

– J'ai besoin de toi, ma chérie. Je voudrais préparer le repas et il faudrait que tu m'aides. Et Jeff pourrait peut-être mettre la table. J'aimerais que tout soit prêt pour le retour de votre père.

Julie regarda Jeff, qui s'était recroquevillé contre les oreillers. De nouveau, elle se rappela l'étrange sentiment qu'elle avait éprouvé quelques minutes plus tôt, quand elle était entrée dans la maison.

Et pourtant, les derniers propos de sa tante étaient d'une banalité des plus rassurantes. Comment Jeff pouvait-il penser qu'elle avait tué leur père, ou même Ruby? L'imagination débridée du jeune garçon était la seule explication, bien sûr.

Elle alla jusqu'à la porte et l'ouvrit d'un geste décidé. Marguerite attendait dans le couloir, le visage anxieux.

– Je ne sais pas ce que nous ferons si ton père ne peut pas rentrer, dit-elle.

– Pourquoi ne pourrait-il pas rentrer? demanda Julie en fronçant les sourcils.

Marguerite resta silencieuse quelques secondes, puis elle désigna la fenêtre.

– A cause de la tempête, ma chérie. Si elle éclate, il n'y aura plus moyen de rejoindre l'île. Et nous serons isolés ici, tous les trois.

Comme pour donner raison à Marguerite, un éclair déchira la masse nuageuse qui pesait sur l'île, et un roulement de tonnerre titanesque fit trembler les vitres.

Le vent se mit à hurler dans les vieux chênes qui entouraient la maison.

# 21

Alicia Mayhew tressaillit quand l'éclair déchira le ciel, aussitôt doublé d'un énorme coup de tonnerre, et l'automobile tangua sur la route. Elle approcha son visage du pare-brise mais sa vision était limitée par le déluge qui commençait à inonder la chaussée. Elle discerna sur sa droite le vieux bâtiment en bois qui servait de mairie à la ville et obliqua pour se garer devant avec un soupir de soulagement. Avant d'affronter la pluie battante, elle prit son souffle comme pour plonger dans une piscine. Puis elle se précipita au-dehors, claquant la portière d'un geste rapide avant de foncer vers l'hôtel de ville. Son pied gauche glissa et elle jura en sentant une brûlure fulgurante dans sa cheville. Pourtant elle ne ralentit pas sa course et atteignit le bâtiment quelques secondes plus tard. Enfin à l'abri, elle se baissa et massa un moment sa cheville endolorie en reprenant haleine, avant de marcher doucement pour la tester. La souffrance n'augmentant pas, elle en déduisit qu'elle n'avait rien de cassé ou de luxé. Elle traversa alors le hall vers le poste de police, deux simples pièces allouées à Will Hempstead pour ses bureaux. La ville de Devereaux ne possédait aucune cellule; en cas d'incarcération, Will emmenait le prévenu à la prison de Beaufort, le chef-lieu du comté. Distraitement, Alicia se demanda ce que ferait Hempstead s'il devait boucler quelqu'un pendant une tempête.

Will était assis en équilibre précaire sur sa chaise, les pieds posés sur son bureau et le buste penché en arrière. Il accueillit Alicia Mayhew d'un large sourire.

— J'espère que vous ne venez pas me demander d'arrêter quelqu'un, lança-t-il. Même si je le voulais, je ne sais pas comment je pourrais aller à Beaufort par ce temps!

Alicia jeta un coup d'œil à l'adjoint, Frank Weaver, assis derrière son propre bureau, avant de se tourner vers Will Hempstead.

— Je viens à propos de Jennifer, expliqua-t-elle d'une voix tendue. Je ne peux pas la retrouver. Je suis très inquiète, Will : j'ai le sentiment qu'il lui est arrivé malheur.

Hempstead ôta ses pieds du bureau et reprit une position plus compatible avec ses fonctions. Son visage était redevenu sérieux.

— Que voulez-vous dire?

— Je ne sais pas comment vous l'expliquer, reconnut nerveusement Alicia.

Elle s'assit sur le bord de la chaise en face de l'officier de police. Avec toute la précision dont elle était capable, elle relata les derniers événements. Quand elle eut fini, Will consulta la pendule murale : il était près de six heures.

– Votre fille aurait donc dû rentrer à deux heures?

– Oui.

– Et vous avez commencé à la chercher vers trois heures, c'est bien cela?

– Oui.

– Vous êtes retournée chez vous, depuis? Ou vous avez téléphoné?

Alicia réprima un début d'irritation.

– Bien sûr, Will, j'ai fait tout cela. Je ne suis pas totalement stupide, et je suppose que vous le savez. J'ai appelé chez moi de presque tous les endroits où je suis passée, et Jennifer n'y était pas.

Du pouce, Hempstead désigna la tempête dont on voyait les effets par la fenêtre.

– Si elle s'est trouvée prise sous ce déluge, elle s'est peut-être abritée quelque part pour attendre une accalmie.

– Je n'y crois pas, répondit Alicia. Elle était déjà en retard avant le début de la tempête, et ça ne lui ressemble pas du tout, Will. Elle est toujours à l'heure à ses rendez-vous. (Alicia fit un effort pour contenir le tremblement de sa voix et reprit :) Si vous voulez mon avis, j'ai peur qu'il lui soit arrivé quelque chose à Sea Oaks.

– A Sea Oaks? répéta Hempstead sans cacher son étonnement. Je ne suis pas certain de bien vous suivre.

Alicia balaya d'une main impatiente les mèches humides qui retombaient sur son front. Comme tout le monde à Devereaux, elle n'ignorait pas les sentiments que Will Hempstead avait eus – et qu'il avait peut-être encore, selon certains – pour Marguerite, mais elle ne pouvait plus reculer. Elle regarda l'officier de police dans les yeux et se lança :

– Je veux parler de Marguerite, Will. Quand je suis allée la voir, elle a eu un comportement... étrange.

– Étrange? Essayez d'être un peu plus précise, proposa Hempstead d'un ton moins aimable.

– Pas dans ses propos, expliqua-t-elle, du moins je ne l'ai pas remarqué sur le moment. Elle portait une robe si vieille qu'elle a certainement appartenu à sa mère, et elle s'était maquillée d'une façon... (Elle tenta de décrire l'allure de Marguerite mais renonça, faute de mots pour traduire son impression.) On aurait dit qu'elle s'était préparée pour jouer dans une pièce de théâtre.

– Mais qu'a-t-elle dit, exactement?

– Pas grand-chose, en fait. Simplement que Jennifer n'était pas venue à Sea Oaks. Mais elle m'a assuré que ma fille serait là demain, parce qu'elle avait programmé un récital.

— Et c'est ce qui vous a paru étrange? l'interrompit Hempstead avec un scepticisme à peine voilé. Mais pour l'amour du ciel, Alicia! Marguerite est professeur de danse, et elle organise des récitals tout le temps! Combien de fois y avez-vous assisté vous-même? Cinq fois? Dix fois?

Alicia poussa un long soupir.

— Je sais tout cela, Will. Mais là, c'est différent. D'abord, Jennifer ne m'a jamais parlé de ce récital, alors qu'elle l'a fait pour tous les précédents. Pour rien au monde elle n'en manquerait un. Mais quand je lui ai proposé d'aller passer deux jours à Charleston, chez mon frère, elle ne m'a rien dit d'un récital prévu pour demain.

— Et c'est tout?

Alicia regarda le sol, gênée par avance de ce qu'elle allait dire.

— Et puis... il y a Muriel Fletcher, lâcha-t-elle.

— Ah! grogna Hempstead. Je me demandais quand vous en parleriez. Écoutez-moi, Alicia. Je sais tout ce qu'a raconté Muriel à propos du décès de sa fille, et je peux vous assurer qu'il n'y a pas l'ombre d'un indice pour corroborer ses dires. Je peux vous montrer le rapport du médecin-légiste, si vous le désirez. Tout ce dont on est sûr, c'est qu'elle s'est noyée et que sa tête a heurté rudement quelque chose. Et ce quelque chose est très probablement un rocher contre lequel elle se sera cognée quand elle a été projetée à bas de la digue par une bourrasque. Mais...

— Mais vous n'allez rien faire, termina la mère de Jennifer d'un ton sec. C'est bien cela, n'est-ce pas?

Hempstead écarta les bras, l'air navré.

— Mais que voulez-vous que je fasse, Alicia? Votre fille n'est absente que depuis quelques heures. Légalement, je ne peux pas entamer une procédure de recherche avant un délai de deux jours. Et vous n'espérez pas que j'aille à Sea Oaks dans cette tempête? Croyez-moi, Alicia, je suis désolé. Le mieux que vous ayez à faire est de retourner chez vous et de téléphoner à toutes les connaissances de votre fille. Il y a de fortes chances pour que Jennifer n'ait pas fait attention à l'heure et qu'elle se soit abritée quelque part. Elle a probablement essayé de vous joindre tout l'après-midi.

Le visage crispé, Alicia Mayhew se leva.

— Très bien, dit-elle en luttant contre la colère qui montait en elle. Je vais donc rentrer chez moi. Mais je sais ce que vous ressentez pour Marguerite Devereaux, Will. Tout le monde le sait. Et que vous soyez amoureux d'elle ne signifie pas que Marguerite n'ait pas pu faire quelque chose.

Sans un mot de plus, Alicia Mayhew quitta le bureau. Avec un soupir, Will Hempstead se tourna vers son adjoint.

– Je ne sais plus que penser, avoua-t-il. Où allons-nous si les gens commencent à s'imaginer qu'une femme telle que Marguerite est capable de blesser quelqu'un?

– Qu'allez-vous faire? demanda Weaver.

– Jeter un coup d'œil aux alentours, je suppose. Aller interroger quelques personnes; je récolterai peut-être un indice sur le lieu où se trouve Jennifer. Mais je n'essayerai pas d'aller sur l'île par ce temps. Même si je le voulais, je suis sûr que cela me serait impossible.

Avec lassitude il enfila un imperméable et sortit à son tour dans la tempête.


– N'est-ce pas joli? demanda Marguerite.

Elle s'assit au bout de la longue table de la salle à manger. Julie et Jeff étaient placés de chaque côté. Les plus beaux couverts en argent et les assiettes en porcelaine de la maison avaient été disposés avec art devant chaque convive. Au-dehors, la tempête se déchaînait sauvagement, et ce début de soirée estivale était presque aussi sombre que la nuit. Mais le grand lustre illuminait la pièce de mille feux réfractés par les verres en cristal de Waterford.

– Pourquoi il n'y a pas de couvert pour Papa? s'enquit Jeff, les yeux fixés sur sa sœur.

– Je te l'ai expliqué, il me semble, rétorqua sa tante avec une trace d'exaspération dans la voix. Puisqu'il n'est pas encore rentré, il est peu probable qu'on puisse compter sur lui avant la fin du mauvais temps. Vous ne voudriez quand même pas qu'il lui arrive la même chose qu'à votre mère, n'est-ce pas?

Jeff ouvrit de grands yeux, et même Julie eut un hoquet de peur.

– Mais pourquoi n'a-t-il pas téléphoné? demanda la jeune fille. S'il ne pouvait pas revenir, il aurait dû nous appeler, non?

– Les lignes sont peut-être coupées, suggéra Marguerite.

Instantanément Jeff sauta de sa chaise et fonça vers l'entrée. Il décrocha le téléphone.

– Ça marche! annonça-t-il en entendant la tonalité. Je vais prévenir la police.

– La police! s'exclama sa tante. Mais pourquoi ne pas...

Avant qu'elle ait pu finir sa phrase, un éclair les aveugla, immédiatement suivi d'un coup de tonnerre si fort que la maison entière parut trembler. Jeff lâcha le combiné en sursautant. Alors que le roulement de tonnerre allait decrescendo, toutes les lumières s'éteignirent, plongeant Sea Oaks dans une obscurité presque totale.

Dans la salle à manger, Julie s'était précipitée vers une fenêtre. Elle attendit l'éclair suivant pour découvrir ce qui s'était passé.

A une centaine de mètres, un arbre frappé de plein fouet par la foudre s'était écroulé sur les lignes à haute tension.

– Le courant ne reviendra pas, dit-elle à sa tante. Un arbre est tombé sur les lignes et il coupe la route.

Marguerite prit une profonde inspiration.

– Eh bien! Nous n'allons certainement pas nous en faire pour si peu, n'est-ce pas? Par bonheur, nous avons des bougies en quantité.

– Le téléphone ne marche pas non plus! annonça Jeff en revenant de l'entrée. Qu'est-ce qu'on va faire, Julie?

– Nous allons terminer notre repas, décréta Marguerite d'un ton sans réplique.

Elle trouva une boîte d'allumettes dans le tiroir du buffet et se mit en devoir d'allumer les bougies déjà fichées sur le double candélabre posé sur la table. En quelques secondes, une lumière douce et ambrée se répandit dans la pièce.

– Je trouve cette ambiance très agréable, dit leur tante en reprenant sa place. Cela me rappelle ma jeunesse. Une fois, quand j'avais ton âge, Julie, une tempête aussi forte que celle-ci a coupé les lumières alors que Mère et moi étions assises seules pour souper.

L'adolescente eut l'air étonné.

– Et Papa? Il n'était pas avec vous?

Les yeux de Marguerite s'assombrirent et un fin sourire étira ses lèvres.

– Oh, non! A cette époque, il était déjà parti. Il ne restait que Mère et moi à Sea Oaks. Après le repas, nous montions dans la salle de bal...

Elle ferma les yeux et sa voix prit un rythme étrange et lent tandis qu'elle se remémorait ces années si lointaines.

– Mère était jeune, alors, plus jeune que moi maintenant. Et elle dansait, et dansait, et moi je l'observais. Elle était si belle... Tout était si beau, alors. Avant...

Jeff jeta un coup d'œil angoissé à sa sœur.

– Qu'est-ce qu'elle a? lui murmura-t-il.

Soudain Marguerite rouvrit les yeux et braqua sur l'enfant un regard brûlant.

– Que fais-tu ici? grinça-t-elle d'une voix hargneuse. Pourquoi n'es-tu pas au pensionnat?

Jeff blêmit et une expression de frayeur envahit son visage.

– Il n'y a pas d'école en ce moment, tante Marguerite, tenta d'expliquer Julie. Nous sommes en vacances, vous vous souvenez?

Mais sa tante ne parut même pas l'entendre et continua de toiser le garçon avec colère.

– Je ne t'ai pas permis de revenir ici, siffla-t-elle. Quand je le voudrai, je t'enverrai chercher!

Apeuré par ce comportement aussi agressif qu'incompréhensible, Jeff descendit de sa chaise en tremblant de tous ses membres et se précipita hors de la salle à manger. Julie l'entendit monter l'escalier à toute vitesse.

Un long silence succéda à son départ. Puis Marguerite tourna lentement la tête vers sa nièce et la contempla en clignant plusieurs fois des paupières, à la manière de quelqu'un qui a été ébloui par une lumière trop forte.

— Où est Jeff? s'étonna-t-elle. Il ne veut pas finir le repas?

Incrédule, Julie regarda sa tante.

— Mais... vous venez de lui dire que vous ne vouliez pas de lui ici!

— Mais, ma chérie! Bien sûr que je le veux ici! C'est mon petit garçon, n'est-ce pas? Pourquoi voudrais-je l'écarter?

Julie sentit sa gorge se serrer.

— Vous lui avez demandé... pourquoi il ne se trouvait pas au pensionnat.

Marguerite ne répondit rien, et son regard se troubla de nouveau. Puis son visage s'éclaira.

— Bien sûr! Il a presque neuf ans, n'est-ce pas?

Julie hésita une seconde avant d'acquiescer. De quoi parlait donc sa tante?

— Eh bien! J'ai donc raison! reprit Marguerite d'un ton léger. Il lui faudra bientôt partir, n'est-ce pas? Il faudra que je l'envoie étudier au loin, et les choses reprendront enfin leur cours normal. (Elle sourit à Julie.) Après le départ de Jeff, il ne restera plus que nous deux, n'est-ce pas? Juste toi et moi, et les choses seront telles qu'elles doivent être.

Le visage rayonnant de quelque joie secrète qu'elle seule pouvait comprendre, Marguerite poursuivit son repas.

Dans Macon Street, Alicia Mayhew arpentait d'un pas nerveux le petit salon de sa maison. Il était maintenant huit heures, et elle n'avait toujours aucune nouvelle de sa fille.

Elle avait depuis longtemps épuisé la liste des gens à qui téléphoner. Il lui semblait avoir alerté tous les habitants de Devereaux, et tous avaient répondu la même chose.

— Je ne sais pas pour les autres camarades de Julie, avait dit Marian Phillips, la mère de Charlene, mais après ce qui s'est passé la dernière fois, ma fille ne veut plus retourner à Sea Oaks, et je dois vous avouer que je la comprends.

Paula Aaronson était allée plus loin.

— Apparemment il y a eu un problème hier, pendant le cours de danse. Tammy-Jo m'a rapporté que Marguerite avait agi d'une façon inhabituelle. C'est pourquoi les filles sont parties plus tôt.

– Plus tôt? avait répété Alicia. Mais pour quelle raison?

– Eh bien, je ne sais pas exactement. Tammy-Jo m'a juste dit que Marguerite avait eu un comportement « bizarre », c'est le mot qu'elle a employé. Mais, bien sûr, Marguerite a eu pas mal d'émotions ces derniers temps, et je suppose que Tammy-Jo a un peu exagéré.

– Savez-vous si un récital est prévu pour demain? avait demandé Alicia.

– Un récital? Euh... non. Mais attendez, je vais poser la question à ma fille. (Après un long silence, Paula était revenue au téléphone.) Tammy-Jo n'est pas au courant d'un récital, et elle dit que, s'il y en a un, elle ne s'y rendra pas, de toute façon.

– Je vois, avait soufflé Alicia.

Elle avait ensuite appelé Diana Carter. Mais la mère d'Allison n'avait entendu parler d'aucun récital, pas plus qu'elle n'avait vu Jenny.

A présent, il ne restait qu'un nom sur la liste. A contrecœur, elle composa le numéro des Fletcher. Elle reconnut la voix tendue de Muriel.

– Vous devinez certainement ce que je pense, répondit cette dernière dès qu'Alicia lui eut expliqué la raison de son appel. Et ne me répétez pas ce que vous a dit Will Hempstead, parce que je le devine déjà. Mais c'est parce qu'il est amoureux de Marguerite depuis toujours.

– Je sais. Mais cela semble si incroyable. Penser que Marguerite a peut-être...

Elle se tut, la gorge serrée, mais Muriel Fletcher finit pour elle :

– Que Marguerite l'a peut-être tuée? dit-elle d'une voix tremblante. C'est ce que j'ai pensé, tout d'abord. Et plus je réfléchis, plus je me pose de questions. Mary-Beth avait mauvais caractère, mais elle n'était pas stupide. S'il y avait eu trop de risques à traverser la digue, elle n'aurait pas essayé. Elle serait restée sur l'île.

– Mais pourquoi Marguerite aurait-elle commis une telle horreur? insista Alicia. Elle aimait beaucoup Mary-Beth. Elle aime toutes ses élèves...

– Sauf qu'elle a beaucoup changé, récemment. Will Hempstead ne veut pas me croire, mais c'est la vérité. Mary-Beth avait l'intention de laisser tomber ses cours de danse, voyez-vous. Elle ne voulait même pas y aller ce jour-là, mais ses camarades ont réussi à la convaincre. Et elle s'est disputée avec Marguerite qui voulait la dissuader d'abandonner la danse.

L'angoisse d'Alicia l'oppressait. Ce matin même, avant de partir pour l'île Devereaux, sa fille parlait justement de l'état d'esprit de ses amies.

« – Je crois que je n'y retournerais pas non plus s'il n'y avait pas miss Marguerite. Elle serait tellement malheureuse... Mais Tammy-Jo a raison : ce n'est plus aussi amusant qu'avant. Et miss Marguerite s'intéresse surtout à Julie... »

« – C'est compréhensible, avait répondu sa mère. Julie est sa nièce et elle danse mieux que vous. »

Maintenant, pourtant, cette conversation prenait une connotation inquiétante. Une hypothèse peu rassurante lui vint à l'esprit. Et si Jennifer avait changé d'avis et annoncé à Marguerite qu'elle aussi abandonnait les cours de danse?

Non! Elle repoussa cette idée avec une crainte superstitieuse.

– ... et si vous me le demandez, continuait Muriel Fletcher, je pense que Marguerite se conduit d'une façon très étrange depuis le décès de sa mère.

– Mais elle a très bien supporté le choc de sa disparition.

– Et c'est exactement ce dont je parle! Pour l'amour du ciel, Alicia! Ne trouvez-vous pas cela curieux? Marguerite a vécu pendant toute son existence en compagnie de cette horrible femme, et pendant les vingt dernières années Helena l'a traitée comme une esclave. On aurait pu penser que Marguerite serait soulagée par la mort de sa mère. Or, comment a-t-elle réagi? D'abord comme si rien ne s'était passé! Et ensuite, j'ai entendu dire qu'elle s'est mise à raconter combien Helena lui manquait et quelle mère admirable elle était!

– Mais cela n'a rien d'étonnant, voulut se rassurer Alicia. Beaucoup de gens ont la même réaction.

– Peut-être, répliqua Muriel d'une voix de plus en plus tendue. Tout ce que je sais, c'est que plus j'y pense, et plus j'ai la conviction que quelque chose ne va pas du tout chez Marguerite Devereaux. Et je suis intimement persuadée qu'elle est responsable de la mort de Mary-Beth.

Un éclair zébra le ciel, doublé d'un roulement de tonnerre monstrueux. Les lumières du salon clignotèrent un instant, et le téléphone se fit silencieux.

– Merde! jura à haute voix Alicia en raccrochant violemment.

Par expérience elle savait que le téléphone était devenu inutilisable. Elle pouvait même s'estimer heureuse d'avoir encore l'électricité. Elle alla jusqu'à la fenêtre et scruta les tourbillons gris de la tempête.

Le vent paraissait avoir encore augmenté de puissance, et la pluie redoublé d'intensité. Si Jennifer se trouvait dehors...

Les yeux d'Alicia s'emplirent brusquement de larmes. Elle venait de se rendre compte qu'au plus profond d'elle-même elle ne croyait pas sa fille exposée aux intempéries.

Elle avait le sentiment que Jennifer était bien allée à Sea Oaks. Et, pour une raison qu'Alicia ne percevait pas clairement, elle n'en était pas ressortie.

Anéantie par le chagrin, elle retourna s'asseoir sur le canapé, résignée à attendre des nouvelles de son enfant. Pourtant, elle savait déjà comment tout cela se terminerait.

On viendrait lui apprendre que sa fille – sa fille adorée – avait été retrouvée morte.

– Noon! hurla-t-elle.

Même sans la tempête qui faisait rage au-dehors, personne n'aurait entendu ce cri de pure détresse, car depuis la mort de son mari, dix ans plus tôt, Alicia n'avait plus que Jennifer au monde.

Et demain elle n'aurait plus personne.

A moins...

A moins qu'elle se soit trompée.

Elle devait s'être trompée, songea-t-elle brusquement, s'accrochant farouchement à la dernière lueur d'espoir qui lui restait. Jennifer était toujours en vie.

Et elle réapparaîtrait après la tempête.

## 22

Jeff resserra les couvertures autour de lui, mais leur chaleur ne supprima pas le frisson qui parcourait son corps. Il n'aurait pu dire depuis combien de temps il s'était réfugié dans son lit, ni quand sa sœur était venue pour tenter de le rassurer. La bougie allumée sur la table de chevet s'était déjà consumée à moitié.

Lorsqu'il s'était enfui de la salle à manger, il était persuadé que sa tante le poursuivrait. Retranché dans sa chambre, il avait collé l'oreille contre la porte pour surprendre le pas caractéristique. Après un long moment d'écoute stérile, il s'était réfugié dans son lit, son corps entier secoué de tremblements incoercibles.

Elle allait le tuer, il en était certain. Elle ne voulait pas de lui ici, et elle allait se débarrasser de lui.

Pourtant, qu'avait-il fait pour mériter un tel sort? Rien!

Un éclair illumina la chambre pendant une fraction de seconde. Puis le tonnerre écrasa Sea Oaks. Jeff se pelotonna un peu plus sous les couvertures en gémissant doucement. Pendant quelques secondes, la pluie frappa les vitres de la fenêtre avec une ardeur renouvelée. Puis elle cessa brutalement. Le calme qui succéda portait en lui un vide étrange que décuplait le vent réduit à une brise plaintive.

Alors Jeff perçut le son qu'il redoutait d'entendre depuis déjà longtemps.

Des pas irréguliers qui montaient lentement l'escalier.

S'enveloppant d'une couverture, le gamin glissa du lit et s'approcha sur la pointe des pieds de la porte. Il colla son oreille contre le bois et écouta.

Il discernait mieux le bruit, à présent, et Jeff pouvait imaginer sa tante, sa main droite crispée sur sa hanche, la gauche prenant appui sur la rampe, qui se hissait laborieusement vers le premier étage.

Il l'entendit arriver au palier, et il y eut un silence encore plus terrifiant que les échos sinistres de sa claudication. Mais le répit fut de courte durée, et une sueur glacée couvrit son corps quand les pas reprirent dans la direction de sa chambre.

Elle arrivait à hauteur de la porte, maintenant, il l'aurait juré. De nouveau, le rythme caractéristique de sa démarche cessa.

Que faisait-elle?

Il étouffa un cri d'horreur en se plaquant les deux mains sur la bouche. A quelques centimètres de ses yeux, la poignée tournait très doucement. Les yeux exorbités par la peur, Jeff recula sans bruit de deux pas.

Avait-il fermé la porte à clef?

Il fouilla frénétiquement sa mémoire, mais ne put s'en souvenir avec certitude.

La poignée tournait toujours, avec une lenteur menaçante. Le pêne quitta la gâche dans un petit claquement métallique, et le battant avança de quelques millimètres. A présent, Jeff luttait pour ne pas hurler de terreur.

La porte s'arrêta, et un très court silence suivit, avant que des mains invisibles ne secouent le battant avec colère.

— Pourquoi cette porte est-elle fermée à clef? fit Marguerite.

A travers l'épaisseur de chêne, la voix de sa tante prenait une tonalité encore plus singulière.

— Je t'ai déjà interdit de fermer cette porte à clef! grinça-t-elle. Ouvre immédiatement!

Jeff recula encore, et la couverture glissa de ses épaules. Les yeux embués de larmes, il mit autant de distance qu'il le put entre lui et la porte.

— Tu m'entends? fit la voix aigre. Ouvre!

Pour ponctuer cet ordre, Marguerite secoua la porte une fois de plus, mais toujours sans résultat. Un silence tendu suivit, puis le miracle se produisit.

D'abord, Jeff n'en crut pas ses oreilles : les pas irréguliers de sa tante avaient repris, et ils s'éloignaient!

L'enfant trottina jusqu'à la porte et colla son oreille contre le bois. Où allait-elle?

Les pas semblaient se diriger vers l'extrémité du couloir. Le cœur battant, Jeff se mit à compter les pas.

Quatre.

Un silence, et il se concentra pour surprendre le bruit d'une porte. Mais les pas reprirent après quelques secondes.

... Sept...

Un autre arrêt. Un autre silence.

... Dix...

... Quinze pas...

Une porte fut ouverte, puis refermée.

Dix mètres.

Mais c'était seulement depuis qu'il avait commencé à compter. Combien de pas avait-elle fait avant?

Non, cela n'avait pas d'importance, car il savait maintenant où sa tante s'était rendue.

Dans la chambre de sa grand-mère. Mais qu'allait-elle y faire? Et combien de temps y resterait-elle?

Il était immobile contre la porte, indécis quant à la conduite à tenir.

Les minutes s'écoulèrent, et les battements de cœur du garçon s'apaisèrent peu à peu. Mais une pensée l'obsédait.

Elle allait revenir. Il fallait qu'il sorte de cette chambre, qu'il se sauve...

Julie. Il devait rejoindre Julie.

Les doigts tremblants, il serra l'anneau de la clef. Alors qu'il allait la tourner, il entendit le bruit d'une porte qu'on ouvrait au bout du couloir.

Les pas menaçants se rapprochèrent lentement de sa porte, mais cette fois sa tante ne s'arrêta pas. Elle continua jusqu'au palier, puis Jeff l'entendit descendre laborieusement les marches.

Alors il comprit.

Elle se rendait au rez-de-chaussée pour chercher les clefs accrochées près de la porte de la cuisine. Et l'une d'entre elles ouvrirait certainement sa porte.

Les battements de son cœur s'affolèrent de nouveau, au point qu'il n'entendait plus les pas de sa tante dans l'escalier.

Maintenant!

Il tourna la clef et ouvrit la porte avec des gestes nerveux. Et il se figea.

Il s'attendait à affronter l'obscurité, or le couloir baignait dans une lumière douce. Il comprit alors le sens des haltes répétées de sa tante : sur les petites tables ponctuant le couloir, elle avait posé ces bougies qu'il voyait briller à intervalles réguliers.

Quelque peu rasséréné, il fit quelques pas en direction de la chambre de sa sœur avant de s'arrêter. Une idée venait de lui traverser l'esprit.

Malgré sa peur, il rebroussa chemin et prit la clef de sa porte, qu'il ferma derrière lui. Cela fait, il empocha la clef et courut sans bruit jusqu'à la chambre de sa sœur. Par chance, sa porte n'était pas fermée. Il entra et tourna aussitôt la clef dans la serrure.

– Jeff? Qu'est-ce que tu fabriques?

Il se retourna, le visage encore pâle. Dans la lueur ambrée dispensée par la lampe à pétrole posée sur la table de chevet, sa sœur l'observait avec étonnement.

– Elle... elle est descendue dans la cuisine! réussit à dire le garçon. Pour prendre les clefs de Ruby. Mais elle va revenir! Et elle va me tuer!

En sanglotant il se précipita dans les bras de sa sœur.

– Qu'est-ce qu'on va faire? gémit-il.

– Chhh! murmura Julie en lui caressant les cheveux. Tante Marguerite ne va pas te tuer, voyons...

– Si! Elle me déteste, et elle va me tuer!

Julie ne savait que dire pour rassurer son frère. N'avait-elle pas été effrayée elle-même, tout à l'heure, quand leur tante avait parlé si étrangement? Mais Marguerite avait ensuite paru se calmer, et l'adolescente s'était dit que tout allait – peut-être – rentrer dans l'ordre.

– Allons, Jeff. Elle ne va pas te tuer. Il nous suffit d'attendre que Papa revienne et tout va s'arranger, tu verras.

Mais le gamin n'était pas du tout convaincu.

– Papa ne reviendra pas! gémit-il. Il ne reviendra jamais parce qu'elle l'a déjà tué! Et elle va nous tuer aussi!


Harold Sanders fronça les sourcils quand on frappa pour la seconde fois à la porte. Qui donc pouvait se trouver dehors par une tempête pareille? Sa bière à la main, il approcha de la porte et l'entrouvrit à peine pour jeter un coup d'œil à l'extérieur. Frank Weaver se tenait immobile sur le perron, son imperméable dégoulinant d'eau. Harold ouvrit un peu plus le battant et l'adjoint entra.

– Bon Dieu! Que se passe-t-il, Frank? Ce n'est pas un temps rêvé pour une balade!

– On a peut-être une disparition sur les bras, Hal, répondit Weaver. J'aimerais poser quelques questions à Kerry, si tu n'y vois pas d'inconvénient.

– Kerry? répéta Hal Sanders d'un ton soupçonneux. Tu ne voudrais pas dire que mon garçon se serait mis dans le pétrin, j'espère? Parce que si tel était le cas, faudrait que tu m'expliques d'abord.

Edith Sanders sortit de la cuisine en s'essuyant les mains sur son tablier. Elle entendit les dernières paroles de son mari et réagit aussitôt.

– Ne sois pas stupide, Hal! Kerry n'a jamais eu d'ennuis de

toute sa vie, et tu le sais bien. Je suis sûre qu'il y a un malentendu.

Elle interrogea le policier du regard.

— Calmez-vous, tous les deux, dit Weaver. Ce n'est pas de Kerry qu'il s'agit. Jennifer Mayhew n'est pas encore rentrée chez elle et, pour autant que je sache, elle ne se trouve nulle part en ville. Mais on m'a dit que votre fils lui avait parlé ce matin, et il a peut-être quelque chose à m'apprendre.

Les parents du garçon perdirent immédiatement toute méfiance. Pendant qu'Edith allait chercher son fils à l'étage, Hal offrit une bière au policier.

— Ce n'est pas de refus! approuva l'adjoint.

Il ouvrait sa boîte de Budweiser quand Kerry Sanders apparut à la porte de la cuisine.

— Mr. Weaver? Que se passe-t-il? Il est arrivé quelque chose à Jennifer?

— Pour l'instant, on n'en sait trop rien, répondit le policier. Mais je peux vous dire qu'Alicia Mayhew est dans tous ses états. Elle dit que tu as parlé à sa fille, ce matin?

L'adolescent acquiesça.

— Avec Julie. Nous sortions de la digue, et elle venait à pied en sens inverse. Elle allait voir la tante de Julie.

— Vous a-t-elle donné le motif de sa visite?

Kerry répéta la conversation que lui et Julie avaient eue avec Jennifer. Quand il eut fini, il remarqua l'air troublé du policier.

— Et vous êtes sûrs qu'elle s'est rendue à Sea Oaks?

— Elle en avait l'air, en tout cas, répondit le jeune homme. Elle a dit qu'elle y allait, et quand nous nous sommes séparés, elle s'est dirigée vers l'île. Si elle n'y était pas allée, elle nous aurait certainement rejoints sur la plage, non?

— Qui peut le dire? éluda Weaver. Et Marguerite Devereaux? L'avez-vous vue en allant chercher Julie?

— Euh... oui, fit Kerry après une hésitation, je l'ai vue.

Le policier décela une certaine amertume dans ces simples mots..

— Un problème entre toi et Marguerite? lança-t-il.

La réaction du jeune homme lui prouva qu'il avait vu juste.

— Eh bien... Depuis que je sors avec Julie, sa façon d'être a changé. J'ai l'impression qu'elle me déteste.

— Dirais-tu qu'elle a eu un comportement étrange? insista Weaver, en se souvenant des propos d'Alicia Mayhew.

Mal à l'aise, Kerry déglutit avant de répondre.

— Je... je ne sais pas trop. Elle ne voulait pas que Julie m'accompagne à la plage. Elle répétait que Julie devait travailler la danse plutôt que de perdre son temps à sortir avec moi.

— Hum! grogna l'adjoint. Ce n'est pas vraiment un crime, n'est-ce pas?

218

– Que se passe-t-il au juste? s'enhardit Kerry.

– Je ne sais même pas s'il se passe quoi que ce soit, avoua le policier. Alicia prétend que Marguerite se comportait très curieusement quand elle est allée la voir. Elle lui a parlé d'un récital qui devrait avoir lieu demain, et auquel elle était sûre que Jennifer assisterait. Mais Alicia n'en avait pas entendu parler jusqu'alors, et elle affirme que tout cela l'inquiète beaucoup.

– Elle... pense que Marguerite a pu faire quelque chose à Jennifer?

– J'en ai l'impression, oui.

Pour la première fois depuis l'arrivée de son fils dans la pièce, Hal Sanders intervint :

– Alors que fais-tu ici, Frank? Pourquoi n'es-tu pas sur l'île, à la fouiller?

Weaver se retourna vers lui, le visage sombre.

– Tu plaisantes, Hal? Tu as vu le temps qu'il fait? Impossible d'aller là-bas cette nuit!

– Mais... et Julie? demanda Kerry.

– Eh bien?

– Si Marguerite a un comportement étrange...

– Si Marguerite a un comportement étrange, reprit l'adjoint, ce qui somme toute est assez peu probable, une visite à Sea Oaks pourra quand même attendre demain. De plus, Kevin est là-bas, et il est capable de s'occuper de sa sœur.

Il finit sa bière, puis écrasa la boîte dans sa main.

– Bon, je crois que je ferais bien de retourner au bureau. Will voudra savoir ce que j'ai appris.

Il remit son imperméable et ressortit dans la tempête. Harold Weaver, qui l'avait accompagné jusqu'à la porte, attendit que la voiture de police ait disparu dans la nuit avant de rentrer. Il remarqua alors l'expression soucieuse de Kerry.

– Qu'y a-t-il, fiston? dit-il en posant une main sur l'épaule de l'adolescent.

– Je n'aime pas ça, répondit Kerry. J'ai ramené Julie à Sea Oaks, cet après-midi, et j'ai l'impression que la mère de Jenny a raison : il se passe quelque chose d'étrange là-bas.

Hal donna une petite tape affectueuse dans le dos de son fils.

– Allons, tout cela peut attendre jusqu'à demain, comme l'a dit Frank. Et, de toute façon, ce n'est pas vraiment ton affaire.

– J'aimerais simplement que quelqu'un aille jeter un coup d'œil là-bas, c'est tout, insista l'adolescent.

– Mais tu as entendu Frank, répliqua son père. C'est impossible pendant la tempête.

Kerry acquiesça d'un air préoccupé, puis il remonta dans sa chambre.

Sa décision était prise.

Les flics n'iraient peut-être pas jusqu'à l'île Devereaux cette nuit, mais cela ne signifiait pas que lui ne le ferait pas.

Il prit les clefs de sa voiture dans la commode, enfila un imperméable et redescendit.

Méprisant la tempête, Marguerite ouvrit la porte de la cuisine et sortit dans les bourrasques de vent. L'obscurité était complète et la pluie avait repris. En quelques secondes elle fut trempée, ses cheveux collés au crâne et son maquillage détruit par l'eau. Des traînées rosâtres pareilles à du sang dilué marquèrent rapidement son visage. Sa hanche la faisait horriblement souffrir, et chaque pas était un calvaire. Mais elle repoussait l'idée même de la douleur hors de son esprit. Elle descendit les quelques marches du perron. Le chemin qui traversait la pelouse n'était plus qu'un ruisseau boueux, et elle sentait ses pieds nus s'enfoncer dans la terre meuble à chaque pas. Elle avait ôté la robe de sa mère pour passer un long peignoir blanc; gorgé d'eau, il alourdissait considérablement ses mouvements. Mais elle continua à progresser en pataugeant sur le chemin jusqu'à la grille du petit cimetière.

Un éclair déchira la tourmente et Marguerite chancela, les mains plaquées sur les oreilles en prévision du tonnerre, qui roula sur l'île Devereaux une seconde plus tard avant de décroître. Elle releva le loquet de la grille et pénétra dans le cimetière.

À présent elle avançait péniblement, et sa jambe droite n'était plus qu'un poids mort. À chaque pas elle risquait le déséquilibre et la chute, et elle dut prendre appui sur les pierres tombales pour continuer sa progression.

Enfin elle atteignit la crypte.

Elle fouilla un moment dans la poche du peignoir collé à son corps par le déluge avant d'extirper une grande clef. Elle l'inséra dans la fente qui marquait la lourde porte et tourna. Puis elle ouvrit le battant en poussant de tout son poids.

— Mère? dit-elle d'une voix hésitante, à l'intonation enfantine.

Elle tendit une main tremblante pour effleurer le cercueil d'Helena Devereaux.

— Je suis désolée, Mère, gémit-elle. Je ne voulais pas faire ça. Je ne voulais rien faire de tout ça. Mais j'ai été malade, Mère. J'ai encore été malade... Et cette fois, vous n'étiez pas là pour prendre soin de moi. Et puis, ils allaient m'enfermer, et m'abandonner, et je n'ai pas pu le supporter. (Ses yeux s'emplirent de larmes que la pluie balaya aussitôt.) Oh, je sais que je suis une méchante fille, la pire du monde entier. Mais ce n'est pas ma faute, je ne voulais pas être comme ça. (Elle renifla et sa main

220

caressa tendrement le cercueil.) Je ne désirais que danser, et vous plaire, Mère. Mais je n'ai pas pu, et vous m'avez abandonnée. Ils voulaient tous m'abandonner, et m'enfermer. Ils m'ont forcée à les en empêcher... Mais maintenant je ne sais plus quoi faire. Dites-moi, Mère, je vous en supplie. Que dois-je faire? (Sa voix se brisa, et elle reprit, plus sourdement :) Dites-moi, Mère. Vous seule savez... Vous seule...

Elle se tut et les bourrasques s'engouffrèrent dans la crypte en sifflant. Mais elle ne sentait ni la morsure glacée du vent ni la pluie cinglante, car elle se concentrait de toutes ses forces pour ramener sa mère à la vie des tréfonds de son esprit.

Lentement, très lentement, la personnalité de Marguerite s'effaça devant la résurrection d'Helena Devereaux.


— Regarde! s'écria Jeff.

Il se tenait devant la fenêtre, dans la chambre de Julie. Un rideau liquide déferlait continuellement sur les carreaux, et tout d'abord la jeune fille ne vit rien que des formes brouillées. Puis, à la faveur d'un éclair lointain, elle distingua la silhouette blanche dans le cimetière, près de la crypte.

— Elle est revenue! chuchota Jeff. Grand-Mère. Ça veut dire que quelqu'un est mort.

— Non, insista Julie, mais les battements de son cœur s'étaient accélérés.

Fascinés, ils continuèrent à scruter les ténèbres. Soudain l'île entière parut illuminée par un million de flashes déclenchés en même temps, et l'aveuglante lumière blanche révéla l'île dans ses moindres détails.

Dans le cimetière, la silhouette fantomatique se tourna vers eux.

Le frère et la sœur sursautèrent en reconnaissant le visage blafard de leur tante encadré par la masse compacte de ses cheveux trempés. Elle crispait sa main droite sur sa hanche et s'appuyait contre le marbre de la crypte.

La brève débauche lumineuse de l'éclair mourut et un roulement de tonnerre assourdissant déferla sur l'île Devereaux, faisant vibrer les murs et trembler les vitres. L'obscurité reprit possession du paysage.

— C'est elle! murmura Jeff. Ce n'est pas Grand-Mère : c'est tante Marguerite!

— C'était elle aussi les autres fois, souffla Julie. Il n'y a jamais eu de fantôme.

— Mais elle vient toujours là après la mort de quelqu'un.

Le gamin se tut en comprenant ce qu'impliquaient ces paroles. Un silence choqué suivit, qu'il rompit enfin d'une voix à peine audible :

– C'est bien elle qui les a tués. C'est pourquoi elle vient dans le cimetière. Elle a tué Papa.

– Non! gémit sa sœur avec désespoir. Papa n'est même pas encore rentré.

Mais les mots butèrent sur ses lèvres tandis qu'un nouvel éclair zébrait le ciel et dévoilait la porte du garage qu'une bourrasque particulièrement violente venait d'ouvrir. Ils aperçurent la calandre d'une voiture et reconnurent la vieille Chevrolet de leur tante. Le souffle coupé, ils échangèrent un regard stupéfait, car tous deux avaient immédiatement compris ce que signifiait la présence du véhicule.

Leur père était bien rentré à Sea Oaks.

Et il n'en repartirait jamais.


La femme se tenait immobile dans la tourmente. La pluie ruisselait sur son visage en une caresse délicieuse. Il était si bon de se sentir en vie de nouveau. Et il y avait tant à faire...

Elle regarda sa demeure qu'éclaira brièvement un éclair.

Au premier étage, le visage d'un gamin était pressé contre la vitre d'une fenêtre.

Mais cela ne devait pas être. Sea Oaks ne devait pas abriter de petit garçon.

Seulement elle. Elle et sa fille. Et Marguerite était enfermée dans la petite pièce au sous-sol, où elle resterait jusqu'à ce qu'elle se soit décidée à reprendre le chemin de la raison. Dire qu'elle avait osé accuser sa mère de ce qui lui était arrivé...

Mais que faisait Kevin là-haut? Elle l'avait pourtant envoyé en pension des mois auparavant, lorsqu'elle avait décidé des mesures à prendre envers Marguerite. Mais il était revenu! S'il découvrait sa sœur...

La femme prit le chemin de la maison. La boue freinait considérablement ses pas, et sa jambe droite était envahie d'une raideur douloureuse qui brûlait sa hanche. Mais pourquoi? Jamais elle n'avait souffert de la hanche!

Elle se concentra sur le visage entrevu à la fenêtre. Aucun éclair ne déchira le ciel, mais elle le voyait toujours.

Kevin continuait à la fixer d'un regard accusateur.

Mais pas pour longtemps! Il aurait dû rester éloigné de l'île Devereaux, ne pas quitter l'école militaire où elle l'avait envoyé. Il n'avait aucun droit de revenir avant très longtemps, quand les derniers événements ne seraient plus qu'un souvenir enfoui dans les mémoires.

S'il trouvait sa sœur enfermée dans la cave...

Non! Elle ne le permettrait pas! Elle l'en empêcherait. Par n'importe quel moyen.

Embrasée par la haine d'Helena, Marguerite lutta contre les

bourrasques jusqu'à la maison. Quand enfin elle y fut entrée et qu'elle s'adossa contre la porte de la cuisine, elle n'avait pas seulement vaincu la tempête.

Elle avait également triomphé des derniers vestiges de sa propre personnalité.

Le corps de Marguerite se dirigea vers l'escalier, mû par l'esprit d'Helena Devereaux.

## 23

La tempête se calma soudain. Le vent tomba jusqu'à ne plus être qu'une brise violente, tandis que les rafales de pluie se réduisaient à de banales averses. Alors, rompant le lourd silence qui avait envahi la vieille demeure, le pas inégal de Marguerite retentit lugubrement tandis qu'elle commençait à gravir les marches.

Jeff se détourna de la fenêtre et fixa sur sa sœur un regard où se lisait la peur et l'épuisement.

– Qu'est-ce qu'on va faire? murmura-t-il d'une voix angoissée. Elle arrive!

– Peut-être pas, bredouilla Julie.

Mais elle ne paraissait pas convaincue de ses propres paroles. En fait, elle était à présent aussi effrayée que son frère.

Ils entendirent Marguerite qui atteignait le palier. Un bref silence, puis les pas reprirent. Jeff et Julie retinrent leur souffle pour mieux écouter.

Les pas s'éloignaient : leur tante prenait l'autre direction. Enfin, après quelques instants qui leur semblèrent interminables, ils perçurent le bruit d'une porte qu'on ouvre et qu'on referme, à l'autre extrémité du couloir. Marguerite était retournée dans la chambre de sa mère.

– Qu'est-ce qu'on peut faire? reprit Jeff, l'air suppliant.

Julie réfléchissait à toute allure. Au-dehors, le vent s'était levé de nouveau, et la pluie recommençait à crépiter lourdement contre les vitres. Un éclair vint raviver ses craintes, ponctué d'un roulement de tonnerre aussi fort que les précédents. Elle ne savait pas quel danger choisir : rester dans la maison avec sa tante ou se risquer à l'extérieur dans la tourmente.

– Peut-être nous a-t-elle oubliés, finit-elle par dire. Elle a pu se mettre au lit.

Jeff colla son oreille contre le chêne de la porte, mais le vacarme de la tempête l'empêchait de discerner les bruits du couloir.

Brusquement des coups secs furent frappés de l'autre côté du battant, et le garçon fit un bond en arrière. Son visage avait pris une teinte cendreuse.

— Ouvrez cette porte! siffla Marguerite. Comment osez-vous la fermer à clef contre mon ordre? Ouvrez tout de suite!

Jeff et Julie remarquèrent aussitôt la transformation qui marquait la voix de leur tante. Le ton était devenu aigre, hargneux.

Ils virent la poignée de la porte tourner dans un sens puis dans l'autre, puis la porte fut secouée rageusement comme Marguerite comprenait qu'elle était fermée. Leur tante cessa subitement ses efforts, et un silence pesant tomba sur eux.

— Que fait-elle? chuchota Jeff.

Un cliquetis leur parvint du couloir, et ils surent immédiatement.

— Les clefs! gémit le garçon.

Avec un grincement métallique, la clef de la porte fut repoussée de la serrure par une autre, introduite de l'autre côté. Jeff retint son souffle une fois de plus tandis que Marguerite essayait d'ouvrir.

Mais sa clef ne crochait pas dans le mécanisme. Elle fut retirée pour être aussitôt remplacée par une autre.

— Il faut faire quelque chose! gémit le gamin, les larmes aux yeux.

Il était terrorisé et son regard allait sans cesse de la serrure à sa sœur.

Subitement Julie crut avoir trouvé la parade. Les jambes tremblantes, elle alla ramasser la clef. Dès que Marguerite retira celle qu'elle essayait, l'adolescente introduisit vivement la sienne dans la serrure et lui imprima un quart de tour.

— N'ouvre pas! supplia Jeff.

‑ La manœuvre incompréhensible avait failli le faire céder à la panique.

— Mais non! murmura la jeune fille avec un petit sourire crispé. J'ai juste tourné un peu la clef pour qu'elle ne tombe pas. Maintenant, elle ne peut plus essayer les siennes de l'autre côté. Nous ne risquons plus rien!

Comme pour prouver cette théorie, un grincement métallique retentit et la clef de la chambre tressauta plusieurs fois, sans pour autant se déloger de la serrure.

Un moment plus tard Marguerite se mit à marteler le solide battant de chêne en leur ordonnant d'ouvrir.

Les yeux agrandis par la peur, Julie saisit le bras de son frère et ils s'écartèrent à reculons de la porte.

Leur tante se mit à hurler sa colère, mais les mots étaient indistincts dans le rugissement de la tempête.

— Nous sommes en sécurité, assura Julie. Ça a marché. Elle ne pourra pas entrer!

Transis de peur, ils s'assirent sur le bord du lit et l'adolescente serra son frère dans ses bras sans quitter la porte des yeux.

Aussi subitement qu'ils avaient commencé, les coups sur le bois cessèrent. Julie se raidit, certaine que sa tante allait reprendre son martèlement furieux, mais les secondes passèrent sans autre bruit que celui des éléments déchaînés au-dehors.

– Qu'est-ce qu'elle fait? balbutia Jeff.

– Je ne sais pas.

Elle comprit une seconde trop tard.

La petite salle de bains communiquait avec la chambre voisine. Et elle ne savait pas si la porte en était fermée à clef!

Avec un petit cri de frayeur, elle se précipita vers la salle de bains. Dans son énervement, elle dut s'y reprendre à deux fois pour repousser le battant. A dix pas d'elle, de l'autre côté de la petite pièce, Julie vit la porte de communication. Elle ne comportait pas de serrure, mais un simple verrou.

Elle se précipita pour tirer le pêne. Ses doigts touchèrent le verrou... une fraction de seconde trop tard.

Le battant s'ouvrit devant elle.

Le visage étrangement éclairé par la lueur vacillante de la lampe-tempête qu'elle tenait à la main, Marguerite posait sur sa nièce un regard de démente.


Arrivé au rez-de-chaussée, Kerry entendit ses parents qui discutaient dans le salon. Il se glissa dans la cuisine, entrouvrit la porte qui donnait sur le jardin et sortit. Un vent d'est violent chassait la pluie en bourrasques subites, lui giflant le visage, et il baissa la tête pour se protéger en courant jusqu'à sa voiture. Une seconde plus tard, il se coula sur son siège et claqua la portière.

Il tourna la clef de contact. Le moteur gronda, toussa et il dut appuyer plusieurs fois sur l'accélérateur pour obtenir enfin un ronronnement satisfaisant. Il passa en marche arrière et descendit l'allée avant d'effectuer un virage serré pour rejoindre la rue. Les pneus trop lisses patinèrent un moment sur l'asphalte mouillée. Kerry freina, passa en première et accéléra un peu. La voiture finit par se stabiliser après une dernière glissade et prit de la vitesse. Il déboucha sur la route en un virage savamment calculé et accéléra légèrement.

Il approchait maintenant de l'intersection de la route avec la digue. Il freinait progressivement pour négocier le virage quand une bourrasque plus violente que les autres frappa le véhicule de biais. Avec un crissement de toile déchirée, la capote rafistolée céda. Le coup de vent en arracha la plus grande partie, ne laissant que des bandes adhésives ballottées par la tourmente.

225

A présent la pluie s'engouffrait dans l'habitacle et Kerry fut rapidement trempé de la tête aux pieds, mais il n'en avait cure. Malgré cet incident il avait adroitement engagé le véhicule sur la digue. Il se pencha en avant et plissa les yeux pour percer l'obscurité et la pluie. Les embruns balayaient sans cesse la route et il se souvint du sort d'Anne Devereaux. Il arrêta sa voiture en douceur et se dressa, sortant la tête et les épaules par la capote déchirée. A la lumière des phares, il estima ses chances de traverser raisonnables. Un éclair lui permit de dis    : la digue jusqu'à l'île. Il lui faudrait se montrer prudent, mais l'entreprise n'avait rien d'impossible. La tempête qui avait emporté le break venait du sud, et les vents parallèles à la côte avaient démesurément grossi les vagues qui avaient submergé la digue. Cette fois, en revanche, les vents venaient de l'est et battaient l'île elle-même. Le chenal se trouvait relativement épargné grâce à l'écran que formait la masse de l'île Devereaux.

Rassemblant toute sa volonté, il se rassit et repartit à une allure modérée. La décapotable tremblait à chaque bourrasque mais Kerry parvint à maintenir la direction. Lentement, la voiture progressa sur la digue.


Julie contemplait sa tante avec un ahurissement terrorisé. Marguerite paraissait avoir vieilli depuis la dernière fois que l'adolescente l'avait vue, et son visage exprimait un égarement que l'épais maquillage fraîchement appliqué ne parvenait pas à dissimuler.

Des cernes sombres entouraient ses yeux où brillait un feu insane, et son visage ressemblait à un masque de carnaval illuminé par quelque excitation sinistre.

Elle avait revêtu une des robes d'Helena, une longue jupe rouge et un chemisier de dentelle noire boutonné jusqu'au cou. Elle portait le triple collier de jais, et les pierres jetaient des feux sombres dans la lumière de la lampe-tempête.

— Comment oses-tu? grinça-t-elle en toisant sa nièce d'un regard furieux. Quand je demande quelque chose, j'exige qu'on m'obéisse!

Julie recula d'un pas, mais la main de Marguerite jaillit et enserra son poignet comme une serre.

— Je... je suis désolée, balbutia la jeune fille. Je ne vous avais pas entendue.

— « Je ne vous avais pas entendue! » parodia Marguerite du même ton aigre qu'employait si souvent sa mère. Si tu ne m'entendais pas, c'est parce que tu ne m'écoutais pas, n'est-ce pas?

Comme l'adolescente ne répondait pas immédiatement, l'étreinte sur son poignet se fit douloureuse.

– N'est-ce pas?

– Ou-oui.

Julie luttait contre la panique qui l'envahissait. Que pouvait-elle faire? Du regard, elle chercha un objet qui pourrait lui servir d'arme. Mais Marguerite la tira par le bras et la fit pivoter sans douceur avant de la pousser dans la chambre. Paralysé par la terreur que lui inspirait sa tante, Jeff était immobile, les bras serrés autour de la colonne de lit.

– Toi... fit Marguerite d'une voix lourde de menaces.

L'enfant recula contre le mur, les yeux écarquillés.

Traînant Julie derrière elle, Marguerite traversa la pièce en claudiquant lourdement. Elle posa la lampe-tempête sur la table de chevet, saisit Jeff par le bras et les tira tous deux vers la porte de la chambre.

– Ouvre! ordonna-t-elle au gamin en resserrant sa prise.

Jeff poussa un petit cri de douleur et tourna la clef dans la serrure avant d'ouvrir la porte.

Marguerite les entraîna dans le couloir chichement éclairé.

– Que vais-je faire de vous? siffla-t-elle en avançant péniblement.

– Ne nous faites pas mal, tante Marguerite, réussit à balbutier Julie d'une voix suppliante.

Lentement, Marguerite tourna la tête vers sa nièce, un étrange rictus déformant ses lèvres en une caricature de sourire.

– Pourquoi te ferais-je mal? Tu es ma petite fille chérie, et je t'aime. Ma petite fille est tout ce que j'ai et tout ce que j'aime.

Elle s'arrêta brusquement et fixa d'un regard sombre la porte close de la nursery. De nouveau sa main se resserra sur le poignet de Julie et ses doigts pareils à des serres s'enfoncèrent dans la chair de la jeune fille.

– Ouvre cette porte, murmura-t-elle d'une voix soudain troublée.

Julie obéit sans un mot. Elle prit le lourd anneau de clefs dans la poche de la robe rouge et les essaya une à une dans la serrure. Enfin, avec un déclic, le battant s'ouvrit.

Marguerite projeta brutalement Jeff dans la pièce. L'enfant perdit l'équilibre et s'écroula sur le sol avec un cri de terreur. Sans se soucier de lui, Marguerite referma la porte d'un geste rageur, la verrouilla et remit le trousseau de clefs dans sa poche.

– Pourquoi avez-vous fait ça? osa Julie. Pourquoi l'avoir enfermé?

Marguerite lança un regard dédaigneux à sa nièce.

– Et que veux-tu que je fasse de lui? Il est comme tous les petits garçons. A fourrer son nez partout et à gêner tout le monde!

Elle se remit en marche. Cette fois elle prenait appui sur la jeune fille. Sa jambe droite complètement inerte l'obligeait à avancer par à-coups. Elles arrivèrent au palier et Marguerite marqua une halte pour reprendre son souffle.

– En haut, siffla-t-elle enfin.

Sans lâcher le poignet de sa nièce, elle entreprit de gravir les marches avec une ardeur renouvelée.

Julie l'accompagnait sans opposer de résistance. La peur avait annihilé toute sa volonté. Elles pénétrèrent dans la salle de bal et Marguerite se dirigea vers le piano. Desserrant enfin son étreinte sur le poignet de sa nièce, elle alluma la bougie posée sur le piano et se tourna vers Julie.

– Prête?

– Pour... quoi faire, tante Marguerite? Pourquoi sommes-nous montées ici?

– Mais pour danser! rétorqua sèchement Marguerite. Il faut travailler, ma chérie. Tu ne veux pas faire mauvaise impression demain, n'est-ce pas?

Julie regarda sa tante sans comprendre. De quoi parlait-elle donc? Rien n'était prévu pour le lendemain.

Marguerite parut lire ses pensées car ses yeux s'étrécirent et elle ajouta :

– Tu ne te rappelles pas? Tu as un récital demain. Toutes tes amies viendront, et tu danseras pour elles!

Elle s'assit au piano et en releva le couvercle. Peu à peu Julie sortait de la torpeur qu'avait engendrée sa peur. Elle vit soudain la possibilité de fuir. Elle pouvait se précipiter hors de la salle de bal, dévaler les escaliers et sortir. Il lui serait toujours possible de se cacher sur l'île pendant la tempête, toute la nuit s'il le fallait.

Mais elle se souvint de Jeff. Si elle s'enfuyait, que lui ferait Marguerite?

Elle ne pouvait pas partir tant que Jeff serait enfermé dans la nursery.

Les premières notes de piano retentirent, et Julie se mit en première position.


Kerry avait parcouru la moitié de la digue quand une bourrasque beaucoup plus forte que les autres déporta la voiture. Les mains crispées sur le volant, il freina doucement et rectifia la trajectoire. Sa visibilité était devenue pratiquement nulle, et le faisceau des phares ne montrait qu'un rideau de pluie. Il roulait presque au pas mais n'osait pas accélérer. Enfin, après ce qui lui sembla une éternité, il passa la borne qui marquait l'extrémité de la digue et les roues soulevèrent de grandes gerbes d'eau boueuses comme il attaquait l'allée de gravier menant à Sea Oaks.

Soulagé, il pressa l'accélérateur et la voiture bondit en avant pour effectuer presque aussitôt une longue glissade sur le côté. Les pneus accrochèrent heureusement sur le gravier et il put redresser le véhicule. Mais il dut freiner brusquement. Dans le double pinceau des phares il venait d'apercevoir un pin abattu en travers de la route. La voiture s'arrêta à moins de deux mètres de l'obstacle et Kerry lâcha une bordée de jurons en ouvrant la portière. Il sortit et avança vers l'arbre, courbé pour offrir moins de prise aux rafales de vent. De colère il décocha un coup de pied au tronc qui lui barrait le chemin. Puis il se pencha et prit le tronc à deux mains. Avec un grognement, il tenta de le soulever. En vain. Après s'être libéré de quelques jurons supplémentaires, il décida de changer de tactique et suivit le tronc jusqu'à l'endroit où il s'était brisé. Saisissant l'extrémité solidement, il lui imprima un mouvement latéral pour défaire l'arbre de l'emprise de la boue qui le retenait collé au sol. Après une minute d'efforts qui paraissaient inutiles, il sentit enfin la masse bouger légèrement. Il amplifia ses mouvements et parvint bientôt à faire tourner le tronc. Il lui suffit alors de le ramener sur le côté de la route pour libérer la voie.

Son imperméable était maculé de boue et ses mains écorchées, mais il avait réussi. Il se hâta de remonter en voiture, redémarra, et conserva une allure prudente. Le véhicule tanguait un peu, mais il le guida sans encombre dans la courbe qui menait devant Sea Oaks.

La vieille demeure se découpait par intermittence sur le ciel tourmenté. Il crut discerner la lueur tremblotante de bougies à certaines fenêtres. Bien sûr, le courant avait dû être coupé par la tempête.

A cinquante mètres de la maison, il dut s'arrêter devant l'arbre qui s'était abattu en travers de la route. Cette fois, il n'essaya pas de le repousser. Il abandonna sa voiture et courut jusqu'à la véranda.


Marguerite vit le reflet fugace des phares balayer le plafond de la salle de bal et cessa brusquement de jouer du piano. Surprise par cet arrêt inattendu, Julie faillit perdre l'équilibre et se rattrapa de justesse. Elle se retourna vers sa tante et aperçut elle aussi la lueur des phares qui se reflétaient dans les vitres des portes-fenêtres. Pour la première fois depuis le début de cette soirée de cauchemar, elle ressentit quelque espoir.

Quelqu'un venait à leur secours! Elle se précipita vers les portes-fenêtres et colla son visage à la vitre en essayant de percer du regard la tempête et l'obscurité.

Les phares l'éblouirent mais elle n'en avait cure. Bientôt quelqu'un serait là et tout rentrerait dans l'ordre.

Elle sentit une main se crisper sur son épaule et fut violemment détournée de la vitre. Une fraction de seconde plus tard, Marguerite la giflait de toutes ses forces. Les yeux de Julie s'emplirent de larmes.

— Comment oses-tu? s'écria sa tante d'une voix venimeuse. Inviter un prétendant en pleine nuit! Que vont dire les gens?

Ses doigts nerveux se refermèrent sur le poignet de Julie et elle l'entraîna vers la porte. L'adolescente voulut résister, mais Marguerite pivota sur elle-même et la gifla de nouveau.

— Tu croyais que je ne m'en rendrais pas compte, n'est-ce pas? siffla-t-elle d'une voix déformée par la rage. Crois-tu que je n'ai pas remarqué ton manège avec ce voyou? Tu n'es qu'une catin obscène! Une dégénérée! Après tout ce que j'ai fait pour toi!

— Non! gémit Julie. Je n'ai rien fait!

— Menteuse! cracha Marguerite en la giflant une nouvelle fois. Mais je vais t'apprendre à ne plus me mentir!

Elle tordit le bras de Julie dans son dos et la poussa vers l'escalier. Julie dut s'agripper à la rampe de sa main libre pour ne pas tomber.

Elles s'arrêtèrent au premier étage et Marguerite la dirigea dans le couloir jusqu'à la nursery. Sans lâcher prise, elle sortit de sa poche le trousseau de Ruby et ouvrit la porte.

D'une bourrade, elle propulsa l'adolescente dans la pièce et referma la porte à clef.

Le souffle court, Marguerite se dirigea vers l'escalier. Elle savait ce qu'elle devait faire.

# 24

Dès qu'il entendit la clef tourner dans la serrure, Jeff se précipita vers sa sœur et s'agenouilla près d'elle.

— Qu'est-ce qu'elle t'a fait? murmura-t-il d'une voix tendue.

— Elle... elle voulait que je danse, répondit Julie en s'asseyant sur le sol. Elle parlait sans arrêt d'un récital qui doit avoir lieu demain. Je ne comprends pas.

Elle massa doucement son genou écorché en grimaçant. Puis elle se releva et s'approcha de la fenêtre.

— Une voiture vient d'arriver, dit-elle à son frère. Quelqu'un est venu pour nous aider!

Mais elle eut beau scruter les ténèbres dans toutes les directions, les phares avaient disparu.

— Où est-elle? Tu ne l'as pas vue, Jeff?

– Non.

– Mais elle était là! Elle remontait la route! J'ai vu le pinceau des phares par la fenêtre!

Un éclair illumina brièvement le ciel, et elle repéra l'automobile. Elle était arrêtée derrière l'arbre qui s'était abattu en travers de la route. Julie reconnut immédiatement la décapotable.

– C'est Kerry! s'écria-t-elle comme le tonnerre grondait. Il est ici, Jeff! Il va nous délivrer!

Un autre éclair lui permit d'apercevoir son ami. Courbé pour affronter la tempête, il avançait aussi vite que le lui permettait le terrain glissant. Une vague de soulagement submergea Julie, mais l'angoisse la reprit aussitôt.

– Il faut le prévenir! s'écria-t-elle en essayant d'ouvrir la fenêtre.

– Le verrou! lança Jeff. La fenêtre est verrouillée!

Julie tenta de faire tourner la mollette du verrou qui maintenait fermés les deux pans de la fenêtre. Sans résultat.

– Dans l'autre sens, Julie! Tu tournes dans le mauvais sens!

Repoussant sa sœur, le gamin tourna la mollette vers la droite. Le pêne coulissa immédiatement, déverrouillant ainsi la fenêtre. Le garçon tenta de relever la vitre mobile, mais sans succès.

– Aide-moi! cria-t-il.

Mais les efforts de sa sœur restèrent tout aussi vains. Elle comprit alors que la pluie avait gonflé le cadre en bois de la fenêtre, empêchant tout mouvement. Il était impossible de l'ouvrir.

Un nouvel éclair lui permit de constater qu'il ne lui restait plus que quelques secondes : Kerry avait presque atteint le coin de la maison, et dans un moment il serait à la porte d'entrée.

– Cassons-la! s'exclama Jeff.

Il courut jusqu'au petit rocking-chair et le tira vers la fenêtre. Julie comprit l'intention de son frère et lui prêta main-forte. Elle souleva le siège et le lança dans la fenêtre. Le cadre en bois explosa sous le choc, projetant au-dehors une pluie d'échardes et de débris de verre. Elle fit tomber les derniers fragments de vitre à petits coups rapides avant de se pencher au-dehors, oublieuse du vent et de la pluie qui fouettaient son visage.

– Kerry! Attends!

Mais elle se rendit compte de l'inutilité de ses efforts. Sa voix était broyée dans le chaos de la tempête, et elle-même s'entendait à peine crier. Quand arriva l'éclair suivant, elle dut constater que Kerry avait disparu derrière le coin de la bâtisse.

Elle avait échoué.

Le désespoir la submergea, et c'est en retenant difficilement ses larmes qu'elle se retourna vers son frère.

– Qu'allons-nous devenir? marmonna-t-elle. Tante Marguerite est folle, Jeff. Et elle va tuer Kerry, je le sens!

Son frère la considérait d'un regard désolé. Lui le savait depuis longtemps.


Kerry monta rapidement les marches et s'abrita sous la véranda. L'eau ruisselait de son imperméable, et il frissonna. A travers les portes-fenêtres de la façade, il voyait quelques bougies allumées. Pourtant il n'avait encore discerné aucun mouvement à l'intérieur de la maison.

Mais ils n'avaient pas pu ne pas remarquer ses phares alors qu'il approchait de Sea Oaks. Pourquoi Julie n'était-elle pas déjà à la porte, pour l'accueillir?

Son intuition ne l'avait pas trompé. Il se passait ici quelque chose d'anormal.

Il jugula son anxiété et fit effort pour considérer froidement la situation. Que convenait-il de faire?

Une partie de lui-même désirait retourner à sa voiture et rebrousser chemin. Mais il était trop tard pour reculer. Le vent avait tourné et venait maintenant du sud, nourrissant des vagues plus fortes qui devaient submerger la digue et la rendre impraticable.

D'autre part, en admettant qu'il puisse rejoindre le continent, il perdrait du temps à trouver de l'aide et à revenir ici. Et le drame qu'il sentait derrière ces murs serait sans doute terminé.

Rassemblant tout son courage, il s'approcha de la porte et frappa l'énorme battant de chêne du poing.


En proie à l'incertitude, Marguerite s'était immobilisée en bas de l'escalier. Elle ressentait comme une agression les coups qui résonnaient contre sa porte.

Il n'aurait pas dû venir, marmonna-t-elle pour elle-même. Il savait qu'il devait se tenir à distance de Sea Oaks. Ne l'avait-elle pas prévenu de ce qu'il risquait s'il continuait à venir ici renifler sa fille comme un chien en rut? De toute façon, il n'était que quantité négligeable, le fils d'un vulgaire métayer que le mari d'Helena avait employé. Comment osait-il croire possible un mariage avec sa fille? Avait-elle seulement l'envie de marier Marguerite à qui que ce soit?

L'intrus continuait de frapper à la porte, et elle l'entendit appeler d'une voix forte et inquiète.

Un sourire apparut peu à peu sur les lèvres de Marguerite.

Elle le laisserait entrer, oui.

Mais ce serait la dernière fois.

De sa démarche irrégulière, elle s'éloigna vers la cuisine.

Les poings de Kerry devenaient douloureux à force de marteler le chêne de la porte. Pourquoi ne venait-on pas ouvrir? On ne l'entendait donc pas? Il cria le nom de Julie, mais le vent emporta sa voix.

Il suivit alors la véranda et regarda par les portes-fenêtres du salon. Cinq bougies posées sur la table basse devant la cheminée jetaient une faible lueur dans la pièce qui paraissait déserte. Alors qu'il s'apprêtait à contourner la maison pour essayer d'entrer par la cuisine, Kerry vit un mouvement dans la salle à manger. Il reconnut immédiatement la claudication de Marguerite quand elle pénétra dans le salon. Il tambourina sur la vitre et cria une fois encore. Marguerite s'arrêta et chercha autour d'elle. Il recommença et elle le vit enfin. Pendant un moment elle se figea, puis hocha la tête dans sa direction et lui sourit à demi.

Elle lui désigna l'entrée.

Brusquement soulagé, Kerry retourna en hâte devant la porte. Il s'était trompé sur toute la ligne! Ils se trouvaient tous dans la cuisine, tout simplement! Et Julie allait très bien.

Il attendit avec impatience, en trépignant dans le vent. Enfin il perçut le bruit d'un loquet qu'on tire, et la porte s'entrouvrit sur la silhouette de Marguerite dont le visage restait dans l'ombre.

– Ainsi donc, vous êtes venu, l'entendit-il dire.

– Je me faisais du souci... commença Kerry.

Il s'arrêta net de parler. La voix de miss Marguerite était très étrange, comme habitée d'une dureté qu'il ne lui connaissait pas. En fait, cette voix ne ressemblait pas à celle de miss Marguerite. Sans doute à cause de cette intonation cassante, elle lui rappelait celle de miss Helena.

– Tout va bien, miss Marguerite? demanda-t-il.

Un éclair arracha la façade à l'obscurité, et Kerry découvrit le visage de Marguerite.

Ce n'était qu'un masque grotesque et blafard, barbouillé de maquillage et troué par les orbites soulignées de noir. Dans la lumière crue elle ressemblait à quelque créature de cauchemar, et Kerry sentit un frisson glacé monter le long de son dos.

Elle le toisait d'un regard venimeux où brillait une joie insane.

– Pourquoi tout n'irait pas bien? demanda-t-elle d'une voix doucereuse.

Kerry recula d'un pas. Il se passait ici des choses très étranges, bien plus inquiétantes qu'il ne l'avait pensé. La personne qui le couvait d'un regard brûlant n'était pas la Marguerite Devereaux qu'il avait toujours connue, ni même celle qui avait semblé le détester ces deux dernières semaines. Non, il avait en face de lui quelqu'un d'autre, quelqu'un qu'il ne connaissait pas du tout.

– Crie! dit Jeff à sa sœur. Si tu cries assez fort, il t'entendra peut-être quand elle ouvrira la porte d'entrée.

Julie hésita, peu convaincue. Kerry n'avait pas perçu les appels qu'elle avait lancés de la fenêtre. Comment pourrait-il entendre ses cris alors qu'une épaisse porte de chêne, un long couloir et un étage les séparaient?

Mais elle devait tout tenter. Sinon...

Elle revit le visage convulsé de fureur de sa tante, sous l'horrible maquillage blafard qui ruinait sa beauté.

Elle se précipita contre la porte et se mit à la frapper des deux poings en hurlant de toute sa voix. Jeff se joignit à elle.

Le roulement du tonnerre qui avait suivi l'éclair allait decrescendo, et Kerry était sur le point de prendre la fuite peu glorieusement quand il surprit un cri – très étouffé – et par pur réflexe, il fit alors un pas en avant pour mieux entendre.

La main de Marguerite, jusqu'alors cachée dans les plis de sa robe, s'éleva brusquement dans les airs, prolongée par l'acier mortel du couteau pris dans la cuisine.

Tétanisé, le jeune homme vit le couteau décrire un arc de cercle vers sa poitrine. Chaque fraction de seconde paraissait une éternité d'horreur, et les interrogations cascadèrent dans son esprit.

Que se passait-il? Voulait-elle le tuer? Mais pourquoi? Que lui avait-il fait?

La lame s'enfonça dans ses chairs et il comprit subitement. Ce n'était pas Marguerite qui était en train de l'assassiner, mais cette autre personne qu'elle avait fait surgir des tréfonds de son esprit.

Le métal glacé glissa sur une côte et atteignit ses poumons, les déchira.

Il sentit la lame ressortir de son torse d'une saccade, et il tituba. Ses jambes le trahirent comme le choc de la blessure se propageait dans tout son corps, sapant ses forces et paralysant ses mouvements.

Le couteau frappa de nouveau, et cette fois il lui perça le cœur.

Kerry bascula en avant, et un voile noir obscurcit sa vision au moment où il expirait. La dernière image qu'il eut fut la tache écarlate de la bouche de Marguerite, tordue en une parodie vicieuse d'un sourire triomphant.

Une joie sauvage envahit Marguerite en voyant la vie quitter le visage de Kerry. Les yeux de sa victime étaient encore grands ouverts, et elle y avait lu toutes les émotions du mourant. D'abord la peur quand il l'avait vraiment reconnue. Il avait bien failli lui échapper, alors; et elle n'aurait jamais pu le rattraper dans les ténèbres avec cet inexplicable brûlure dans sa hanche qui l'empêchait de marcher normalement. Mais elle avait entendu sa fille crier au premier étage et le garçon avait fait un pas en avant.

Ses yeux avaient ensuite exprimé l'étonnement, comme s'il ne savait pas ce qu'il avait fait, ni pourquoi elle devait les punir, lui et sa fille. Mais l'étonnement avait disparu quand elle avait levé le couteau, pour faire place à une fascination qui l'avait paralysé tandis qu'elle plongeait la longue lame effilée dans sa poitrine. Enfin son regard s'était éteint, et elle avait su qu'il était mort avant même qu'il s'effondre à ses pieds tandis qu'elle s'écartait légèrement. Elle sourit un peu plus en voyant la pointe du couteau ressortir dans le dos de sa victime.

Ses mains tremblant convulsivement d'un plaisir morbide frôlèrent son chemisier et elle sentit l'humidité chaude du sang de Kerry. Mais elle n'aurait aucun problème à se changer. Elle avait une penderie pleine de robes plus belles les unes que les autres; des robes qu'elle n'avait pas mises depuis une éternité... Depuis le dernier bal.

Elle enjamba le corps de Kerry et referma la porte. Au premier étage, sa fille s'époumonait toujours.

Qu'elle s'en donne à cœur joie! Après ce qu'elle avait fait, elle devrait rester enfermée pendant une longue période, comme la dernière fois, dans la petite pièce au sous-sol.

Mais avant de s'occuper de sa fille, elle avait tant de détails à régler.

Tout en fredonnant doucement, Marguerite se pencha et saisit le cadavre de Kerry sous les aisselles, puis le tira laborieusement vers la cage d'escalier.

Une large traînée de sang marquait la progression du corps, mais Marguerite ne la remarqua même pas. Elle atteignit enfin les marches et prit quelques secondes de repos pour récupérer son souffle. Puis elle alluma la machinerie.

Rien ne se produisit.

Elle fronça les sourcils, étonnée, avant de se rappeler. Mais bien sûr! L'électricité avait été coupée par la tempête. Elle émit un petit rire guttural en se souvenant de la conversation qu'elle avait eue des années auparavant avec Marguerite, quand l'âge l'avait confinée au premier étage. C'est sa fille elle-même qui avait eu l'idée du générateur, en cas de panne électrique.

— Il suffira d'un modèle de puissance moyenne, avait-elle dit. Nous pourrions certainement le mettre sous l'escalier.

Aujourd'hui, enfin, venait l'occasion de l'utiliser.

Elle alla chercher la lampe-tempête qu'elle avait posée sur la table du téléphone et s'approcha de la porte sous l'escalier. Elle ouvrit le battant. Sous les marches, coincé dans le petit espace poussiéreux, le générateur attendait d'être réveillé. Elle l'examina un moment.

Fonctionnerait-il encore? Cette incapable de Ruby avait eu la charge de le maintenir en état, ce qui n'était pas très bon signe.

Elle étudia soigneusement les instructions portées sur l'étiquette orange collée au réservoir et chercha le starter des yeux. Ensuite elle localisa le cordon de démarrage et le tira d'un coup sec. A la troisième tentative le petit moteur gronda, crachota et se mit à ronronner bruyamment dès qu'elle régla le starter. Elle appuya sur un autre commutateur et la machinerie de la chaise-ascenseur se mit en marche avec un bourdonnement sourd.

Elle sortit du réduit, retourna au pied de l'escalier et pressa le bouton. Il y eut un cliquetis familier annonçant que la chaise-ascenseur descendait du premier étage.


Julie et Jeff finirent par arrêter de crier. Leur gorge les brûlait à chaque respiration et ils n'avaient plus guère de voix. La nursery était devenue glaciale. La fenêtre détruite laissait entrer les bourrasques et la pluie, mais ils gardaient l'oreille pressée contre la porte pour essayer de comprendre ce qui se passait dans la maison.

Le vent faiblit pendant quelques secondes, et ils perçurent un grondement sourd.

— Qu'est-ce qu'elle fait? murmura Jeff en serrant la main de sa sœur dans les siennes pour se rassurer.

— Je ne sais pas. Pourtant, il n'y a pas d'électricité!

Mais Jeff se souvint du générateur que lui avait montré son père, sous l'amorce de l'escalier. Il s'empressa d'en parler à sa sœur.

— Pourquoi l'allume-t-elle? Elle déteste cette chaise et ne s'en sert jamais!

— J'en sais rien, moi! gémit le gamin que la peur rendait susceptible. Où est Kerry?

Le visage de Julie se ferma et son frère ne reposa pas la question.

Ils ne savaient pas comment, ni pourquoi, mais ils partageaient soudain tous deux la même horrible certitude.

Leur tante avait tué Kerry.

Le siège mécanique cliqueta en s'arrêtant au bas de l'escalier. Marguerite se baissa et prit le corps de Kerry sous les bras. Elle fit porter tout son poids sur sa jambe gauche et, d'un effort, elle parvint à hisser le cadavre sur le siège et se redressa, hors d'haleine.

Le corps glissa mollement sur le côté, menaçant de retomber sur le sol. Marguerite le retint au dernier moment et le repositionna. Elle réfléchit un instant avant de trouver la solution.

Saisissant le manche du couteau qui dépassait de la poitrine de Kerry, elle poussa de toutes ses forces. La pointe d'acier se ficha dans le siège, clouant le cadavre au bois.

Elle descendit ensuite à la cave, pour remonter quelques minutes plus tard avec plusieurs mètres de corde à linge. Elle ligota étroitement le corps de Kerry au dossier puis retira le couteau d'une secousse. Le cadavre s'affaissa un peu mais la corde le tenait solidement.

Marguerite appuya une nouvelle fois sur le bouton, et la chaise-ascenseur emporta son macabre fardeau vers les étages dans un grincement mécanique. Une main posée sur l'épaule de Kerry pour s'aider, Marguerite accompagnait la lente progression du siège, sans même voir le filet de sang qui coulait de la poitrine du mort jusque sur les marches.

Ils atteignirent le premier étage mais Marguerite n'arrêta pas la machinerie. En grinçant, la chaise continua son ascension.

Au deuxième étage, Marguerite se battit pendant un long moment avec les nœuds de la corde à linge poissés de sang. Ses doigts glissaient sur le lien improvisé. Après de longs efforts, elle réussit enfin à défaire le dernier nœud et le corps de Kerry tomba lourdement sur le sol. Enserrant les poignets du mort dans ses mains, elle entreprit de le tirer vers la salle de bal.


Julie et Jeff se regardaient avec horreur. Ils avaient écouté la chaise-ascenseur monter jusqu'au deuxième étage, et s'étaient presque sentis soulagés quand la machinerie s'était tue. Quelques minutes plus tard, ils avaient perçu un bruit sourd au-dessus d'eux, le bruit d'une masse s'écroulant sur le sol. Sans même se consulter, ils avaient tous deux compris ce qui avait produit ce son.

C'est Jeff qui osa parler le premier, alors que le vent recommençait à gémir au-dehors.

– Elle l'a tué, balbutia-t-il d'une voix entrecoupée de sanglots nerveux. Elle l'a tué et elle l'a fait monter là-haut. Et maintenant elle va nous tuer aussi.

Julie fut incapable de rassurer son frère, car elle sentait qu'il avait raison.

Après une attente interminable, ils entendirent la machinerie qui se remettait en marche. Le siège mécanique entamait une nouvelle descente.

# 25

La tempête sembla reprendre de la vigueur après une accalmie relative, et les éclairs déchirèrent de nouveau le ciel. La demeure ancestrale des Devereaux tremblait sur ses fondations à chaque coup de tonnerre. A moins de dix mètres de la maison, un pin d'âge vénérable se fendit jusqu'à la base dans un craquement effroyable quand la foudre le toucha. Le tonnerre éclata immédiatement et Julie hurla de terreur en plaquant ses mains sur ses oreilles.

— Faut se sauver d'ici! cria Jeff pour couvrir le rugissement de la tempête.

— Mais comment? Il n'y a aucune issue!

Sans répondre, Jeff s'approcha de la fenêtre brisée. A la lueur des éclairs, il vit un moyen de s'évader de leur prison. A environ deux mètres cinquante de la fenêtre, vers l'angle de la bâtisse, une masse épaisse de glycine couvrait le mur. Une corniche d'une quinzaine de centimètres courait tout autour de la maison, à hauteur du premier étage. En se collant contre la façade et en avançant sur cette saillie de pierre, il pourrait certainement atteindre l'entrelacs de glycine...

— J'ai trouvé! s'écria-t-il. Je peux y arriver!

Cette exclamation pleine de bravoure fit venir sa sœur près de lui. Il lui expliqua son plan avec une excitation croissante.

— Mais tu ne pourras pas le faire! protesta Julie, effrayée par les risques de l'entreprise. Tu n'as rien pour t'accrocher avant d'arriver à la glycine!

— Si! Il y a plein de fissures dans la façade. Et une fois que je serai sorti de la maison, il ne me restera plus qu'à traverser la digue.

Le souvenir de sa mère envahit l'esprit de l'adolescente.

— Tu ne pourras jamais traverser la digue dans cette tempête, Jeff!

— Kerry l'a bien fait! rétorqua le garçon d'un ton buté, la mâchoire agressive. Et s'il l'a fait, je peux le faire aussi!

Il grimpa sur le rebord et roula sur le ventre, les jambes pendant à l'extérieur, les mains accrochées à la tablette de la fenêtre. Du bout des pieds il chercha la corniche qu'il trouva presque aussitôt. Lentement, il fit passer son poids au-dehors

sans lâcher le bord de la fenêtre des doigts. Il adressa bravement un petit sourire de défi à sa sœur.

– Ah! Tu vois? lança-t-il. Fastoche!

– Non! supplia Julie. Tu vas tomber!

– Mais non! répliqua le gamin. Et si ça m'arrivait, je parie
que je ne me ferais même pas mal! Il y a plein de boue en bas,
et j'ai déjà sauté de drôlement plus haut que ça!

Il commença à glisser précautionneusement ses pieds le long
de la corniche et quitta la fenêtre en quelques secondes. Le
corps plaqué contre la façade, il progressait avec régularité
mais sans hâte. En fait, plus il s'éloignait de son point de départ
et plus il devenait prudent. La pluie qui lui cinglait le dos et le
visage l'avait déjà trempé jusqu'aux os, et les rafales de vent
menaçaient de le jeter au sol à chaque instant. Heureusement,
le mur offrait des prises suffisantes, bien que peu profondes.
Soudain son pied manqua la corniche et il faillit tomber. Il se
retint de justesse à une fissure où ses doigts restèrent crispés un
long moment. Reprenant son souffle, il écrasa un peu plus son
corps contre la paroi et attendit un instant, puis il reprit son
lent mouvement. Enfin ses doigts rencontrèrent les premières
feuilles de glycine. Il avança encore, jusqu'à pouvoir saisir des
deux mains le tronc principal de la plante grimpante. Alors il
osa abandonner la corniche et agripper la glycine.

Il sentit aussitôt les tiges se détacher du mur. Désespérément, il essaya d'attraper d'autres tiges plus haut. A moitié
grimpant et à moitié tombant, il finit par toucher rudement le
sol boueux et fut immédiatement recouvert d'une masse de glycine. Il se débattit un moment, mais les multiples ramifications
semblaient s'entortiller autour de son corps, et la panique
s'empara de lui.

Marguerite sortit de la salle de bal en chantonnant. Elle
s'arrêta quelques secondes sur le palier et tourna son regard
d'un côté puis de l'autre, à la façon de quelqu'un qui s'étonne
de ne pas voir ce à quoi il s'attend. La mélodie qu'elle fredon-
nait s'éteignit doucement sur ses lèvres, et elle dit à haute voix,
sur un ton d'excuse :

– Mes invités! Je dois m'occuper d'eux, bien sûr!

Elle s'installa sur le siège mécanique, la corde à linge soigneusement roulée sur ses genoux et la lampe-tempête tenue à
bout de bras, et appuya sur le bouton. Avec un cliquetis, la
machinerie se mit en branle.

Deux minutes plus tard, elle arrivait au rez-de-chaussée. Elle
se leva et claudiqua jusqu'à la porte de la cave. Sans hésiter
elle descendit l'escalier et traversa le sous-sol jusqu'à la petite
porte que masquait imparfaitement la chaudière. Dans sa

poche elle prit le trousseau de clefs et décadenassa le battant qu'elle repoussa d'un geste large. Elle brandit la lampe-tempête et observa d'un regard paisible les trois cadavres.

– L'heure est venue de monter dans la salle de bal, dit-elle aimablement. Le récital va commencer dans un petit moment.

Elle alla poser la lampe sur un tas de cartons à mi-chemin de l'escalier, puis revint dans la petite pièce et saisit le corps de Kevin par les chevilles. La raideur cadavérique commençait à envahir son frère, et sa hanche engourdie ne facilitait certes pas le sinistre travail que Marguerite avait décidé d'accomplir.

Pourtant il fallait que Kevin assiste au récital. C'était indispensable. Elle le traîna dans le sous-sol en ahanant. La poussière qui couvrait le sol se mêlait au sang coagulé qui couvrait sa robe, à ses cheveux, et lui piquait les yeux. Mais elle réussit à amener le cadavre de Kevin en bas des marches. Marguerite retourna dans la petite pièce et recommença la même manœuvre avec le corps de Jennifer Mayhew, puis une troisième fois avec celui de Ruby. Satisfaite, elle chancela jusqu'au corps de Kevin et se mit en devoir de le hisser au rez-de-chaussée.

C'était impossible.

Marguerite poussa un gémissement où se mêlaient colère et frustration. Elle décocha un coup de pied rageur dans le torse du cadavre, et une douleur fulgurante inonda sa jambe droite jusqu'à la hanche.

– Méchant! geignit-elle à l'adresse du mort. Méchant! Méchant!

Elle tremblait de fureur, mais une idée se formait déjà dans son esprit. Elle enjamba le corps et remonta au rez-de-chaussée pour prendre la corde à linge qu'elle avait laissée sur la chaise-ascenseur. En quelques secondes elle était revenue au sous-sol.

Elle tourna le cadavre de Kevin jusqu'à ce que ses pieds soient en face des marches, puis elle lia les chevilles avec la corde à linge. Ensuite elle gravit à nouveau l'escalier en déroulant la corde à mesure qu'elle montait. Arrivée au rez-de-chaussée elle eut un moment d'angoisse : aurait-elle assez de longueur? Elle trottina maladroitement jusqu'au siège mécanique et poussa un soupir de soulagement. Il lui restait encore près d'un mètre de corde, ce qui était largement suffisant pour la nouer autour du solide dossier, ce qu'elle fit avec une fébrilité joyeuse.

En chantonnant, elle pressa le bouton de mise en marche.

La chaise-ascenseur se mit en mouvement et la corde à linge se tendit. Avec un grincement, le mécanisme ralentit un peu sa traction puis reprit un rythme régulier. Dans la cave, il y eut un bruit sourd, puis un autre. Le siège s'éleva peu à peu, tractant le corps de Kevin.

Les pieds émergèrent d'abord de l'escalier, puis les jambes et enfin le torse. Dès que le corps eut atteint le rez-de-chaussée, il fut treuillé beaucoup plus vite car il glissait sur le sol de l'entrée. Quand le cadavre fut au pied de la cage d'escalier, Marguerite stoppa le mécanisme puis l'inversa. La chaise redescendit, et Marguerite détacha son frère. Elle récupéra toute la longueur de corde et, après avoir assis le cadavre sur le siège, elle s'en servit pour le ligoter au dossier comme elle l'avait fait de Kerry.

La main sur l'épaule de Kevin, elle accompagna la lente ascension de la chaise jusqu'au deuxième étage.

– Tu seras fier d'elle, tu verras, dit-elle sur le ton de la conversation. Je lui ai appris beaucoup depuis que tu es parti. Elle danse comme le vent dans la campagne, Kevin. As-tu déjà vu la façon dont la brise fait danser les feuilles par un beau jour d'automne? C'est absolument charmant, vraiment. Eh bien c'est ainsi qu'elle danse, maintenant. Je lui ai consacré mon existence, comme tu le sais. Toute ma vie. Mais je ne le regrette pas. Tu vas voir. Vous allez tous voir, et tu seras très fier. Oh oui, très fier... Aussi fier que je le suis.

La chaise-ascenseur atteignit le premier étage et tourna sur le palier avec quelques soubresauts avant de s'engager vers le deuxième étage. Une main sur l'épaule du mort, Marguerite continuait à parler au cadavre de son frère avec légèreté.


*Arrête de bouger!* s'intima Jeff, et, dans un effort de volonté, il réussit à ne plus agiter les membres dans tous les sens. Posément, il tenta de dégager peu à peu son bras droit du fouillis végétal qui l'enserrait. Il n'avait plus aucune notion du temps, mais il lui semblait qu'il était pris dans les tiges de glycine depuis une éternité. La pluie tombait toujours aussi dru, mais le vent soufflait avec moins de vigueur et les éclairs s'étaient faits plus rares.

Son bras droit émergea de la masse végétale, et il put dégager beaucoup plus vite son autre bras puis tout son corps. Dès qu'il eut reconquis sa liberté de mouvement, il repoussa méthodiquement l'entrelacs de glycine. Enfin il sortit du piège végétal et se redressa sur le sol boueux.

– Jeff? Jeff!

Au début, il entendit à peine la voix, puis elle se fit plus forte et il leva les yeux. Dans l'obscurité, il crut apercevoir sa sœur qui se penchait par la fenêtre de la nursery.

– Jeff? Tu n'as rien?

– Tout va bien, répondit-il. J'ai réussi!

Il s'enfonça dans les ténèbres avant que Julie ait eu le temps de dire autre chose. Il se fia autant à sa mémoire des lieux qu'à

241

sa vue pour suivre le chemin qui longeait le garage et bifurquait dans les broussailles voisines. Si sa tante découvrait sa fuite, elle chercherait d'abord sur la route et non dans la végétation sauvage qui recouvrait l'île.

Il courait aussi vite que possible, contournant les buissons trop épais et les bouquets de pins. Son cœur cognait dans sa poitrine et il haletait. Finalement, épuisé, il dut s'arrêter.

Il se laissa tomber sur le sol. Tout son corps le faisait souffrir. Il leva son visage couvert de transpiration pour l'exposer à la morsure rafraîchissante de la pluie. Il reprenait son souffle et ses forces peu à peu. Bientôt il se sentit prêt à repartir et il se releva.

Il fit un pas hésitant et s'arrêta, les yeux fouillant l'obscurité dans toutes les directions.

Où se trouvait-il?

Un éclair lointain jeta une lumière brève sur les lieux, et il chercha à s'orienter en regardant autour de lui. Mais il ne vit aucun point de repère qui pût le renseigner. Le tonnerre roula lugubrement sur l'île et Jeff comprit qu'il était perdu.

Les doigts glacés de la panique se refermèrent sur lui et il dut lutter de toute sa volonté pour les repousser. Il avait sillonné cette île dans tous les sens chaque jour, et il en connaissait les moindres recoins. Comment pouvait-il être ainsi désorienté?

A quelques mètres, dans les ténèbres, il lui sembla entendre un bruit. Le craquement d'une brindille, puis un sifflement agressif...

Il se figea, tous les sens en alerte. Il essaya de se convaincre que ce n'était que le vent. Mais le vent était subitement tombé, et la pluie verticale crépitait sur le sol.

Une nouvelle fois, il perçut le bruit.

Quoi que ce fût, la chose approchait. Il se lança dans une course éperdue droit devant lui, sans plus se soucier des sentes.

Dans son esprit dansait l'image de crotales se coulant dans la végétation, d'alligators aux épaisses paupières cornées dont la tête affleurait à peine à la surface de mares sombres, dans l'attente d'une proie qui tomberait dans l'eau fangeuse.

Il émergea brusquement des buissons et traversa un bouquet de pins à toute allure pour se retrouver sans transition sur la route. Ses pieds dérapèrent sur la boue et il partit dans une longue glissade avant de s'étaler de tout son long sur le bitume.

Il pleurait sans retenue en se relevant péniblement. Il essaya pendant un moment d'ôter la boue de ses vêtements, puis il passa un avant-bras sali sur son front. Malgré ses déboires, il savait maintenant où il se trouvait et cette constatation lui redonna espoir. Il inspira profondément et se mit à trottiner le long de la route, en direction de la digue.

Hal Sanders arrêta sa voiture devant l'hôtel de ville et bondit au-dehors. La porte d'entrée était ouverte, ce qui le surprit un peu : d'après ce qu'avait dit l'adjoint lors de sa visite, Hal s'attendait plutôt à ce que Will Hempstead ait tout bouclé et soit retourné chez lui.

Il avait quitté sa maison dès qu'il avait constaté l'absence de Kerry. Il n'avait aucun mal à deviner où son entêté de fils était allé. Mais quand il était arrivé à l'entrée de la digue que les vagues balayaient violemment, il avait eu la certitude que l'adolescent n'avait pas essayé de traverser. Aucun être humain doué d'un peu de bon sens n'aurait pris un tel risque. Il avait alors sillonné la petite ville à la recherche de la décapotable de Kerry, certain de l'apercevoir d'un moment à l'autre garée devant le drugstore ou la maison d'un ami.

Les minutes s'étaient ajoutées aux minutes, et il n'avait vu aucune trace de la voiture de son fils. Ses craintes s'étaient lentement fortifiées, avant de se transformer en une froide colère envers les policiers. Si Will et Frank avaient fait leur boulot, Kerry serait encore à la maison. Et il avait pris le parti d'aller leur dire deux mots.

Il trouva Hempstead et Weaver assis en équilibre, leurs pieds posés sur le bureau de l'officier de police, une assiette de frites froides abandonnée entre eux. Will reposa ses pieds à terre en voyant entrer Hal, son imperméable dégouttant d'eau.

— Que fais-tu dehors par un temps pareil? lança Hempstead d'un ton amical. Tu as décidé d'apprendre à nager?

— Je cherche mon gosse, répliqua sèchement Hal Sanders. Et s'il lui est arrivé quelque chose, je suppose que c'est vous que je devrai remercier!

Hempstead se leva, toute envie de plaisanter oubliée.

— Kerry? De quoi parles-tu, Hal?

— Frank est passé à la maison dans la soirée, expliqua Sanders. Il a mis mon gosse en pétard en parlant de ce qui se passait peut-être sur l'île. Je crois que Kerry a décidé d'aller jeter un coup d'œil là-bas. (Il toisa l'adjoint d'un regard noir et ajouta :) Puisque Weaver était trop couard pour faire son boulot!

— Eh! Attends une minute! s'indigna Frank.

— Calme-toi, Hal! intervint Hempstead d'une voix ferme. Et dis-moi ce qui se passe exactement. Tu penses que Kerry a essayé de se rendre sur l'île?

Sanders prit une profonde inspiration avant de se sentir capable de répondre.

— C'est la seule explication, dit-il enfin. Je suis allé jusqu'à la digue, mais il semble impossible de traverser. Alors j'ai parcouru la ville dans tous les sens en pensant que le gosse s'était rendu chez un copain, mais sa décapotable n'est nulle part.

— Es-tu retourné chez toi depuis le début de tes recherches? demanda Weaver, répétant inconsciemment la question que son chef avait posée à Alicia Mayhew quelques heures plus tôt.

— Non. Je suis venu vous dire que je suis en pétard parce que vous avez laissé un gosse de seize ans faire votre boulot, et pour vous prévenir que je retourne à la digue. Dès que le temps le permettra, je foncerai sur l'île pour la fouiller.

— Attends un peu, Hal... commença Hempstead.

Mais l'autre le coupa.

— Vous avez retrouvé Jennifer Mayhew, les gars? lança-t-il hargneusement.

Les deux policiers s'entre-regardèrent, et Sanders devina la réponse sans qu'ils aient à la formuler.

— Mais ça ne vous empêche pas de rester tranquillement assis dans votre bureau à attendre la fin de la tempête, hein? Eh bien pas moi! C'est mon gosse qui est dehors, je ne sais où! Mon fils! Alors faites comme vous voulez, vous pouvez m'aider ou non à le chercher, mais n'oublie pas une chose, Will : il y aura des élections l'année prochaine; et cette fois il se pourrait bien que quelqu'un se présente contre toi!

Hempstead imposa le silence à son adjoint d'un regard vif : il était inutile d'envenimer la situation. Il avait déjà pris sa décision, mais elle ne devait rien à la proximité des élections.

Will Hempstead était inquiet.

Deux adolescents avaient disparu, et selon toute probabilité ils étaient tous deux partis pour l'île Devereaux. Et Hal Sanders paraissait déterminé à les suivre.

— On y va, déclara-t-il en décrochant son imperméable. Mais lorsque nous serons devant la digue, Hal, c'est moi qui déciderai si nous essayons de traverser ou non. Si Kerry s'y est risqué, il a peut-être réussi ou... échoué. Mais je ne veux pas te voir disparaître dans la mer, Hal. Si j'estime que c'est trop dangereux, nous attendrons une accalmie. Tu m'as bien compris?

Hal Sanders dévisagea l'officier de police un long moment.

— Et si nous attendons que la tempête se calme, dit-il sombrement, il sera sûrement trop tard. Si ce n'est pas déjà le cas.

# 26

La nuit était déjà bien avancée et Marguerite ressentait à peine la fatigue qui saturait son corps. En fait, un bien-être grandissant l'envahissait. Enfin les choses allaient reprendre leur cours normal. Elle avait complètement oublié la tempête, car tout son être s'était investi dans les préparatifs du récital.

La chaise-ascenseur cliqueta en s'arrêtant au deuxième étage, et Marguerite libéra le corps de Ruby qui tomba lourdement sur le sol. Elle enroula soigneusement la corde à linge et la posa sur la chaise. Puis elle se baissa, prit le cadavre par les aisselles et le traîna dans la salle de bal, sans prêter attention à cette raideur irritante qui ankylosait sa hanche. Après avoir placé le corps de la domestique à côté des autres, elle se redressa et recula de quelques pas pour contempler son œuvre. Un sourire de satisfaction effleura ses lèvres.

Pourtant quelque chose manquait. Un détail, certes, mais cela détruisait l'ensemble.

Alors elle se souvint. Elle redescendit en hâte au premier étage et parcourut le long couloir jusqu'aux appartements de sa mère. Dans le petit salon, toujours posé sur la table en acajou, elle trouva ce qu'elle cherchait.

La boîte à musique.

Elle était assez grande, et une petite manivelle dépassait du bois de rose sur un des côtés. Elle caressa un moment la boîte, puis elle remonta doucement la manivelle. Enfin, avec un geste révérencieux, elle souleva le couvercle.

Le petit disque de métal se mit à tourner et une mélodie vieillotte emplit la pièce. La musique lui rappela les temps heureux où elle n'était qu'une petite fille. Alors sa mère faisait fonctionner la boîte à musique et lui apprenait les rudiments de la danse.

Elle fronça les sourcils, car un souvenir douloureux remontait à la surface de son esprit.

Sa mère l'avait forcée à danser des heures durant sur cette musique aigrelette, jusqu'à ce que ses jambes deviennent lourdes comme du plomb et qu'elle craigne de s'évanouir. Et si elle osait se plaindre, Helena se contentait de remonter une fois de plus la boîte à musique pour qu'elle danse encore... et encore...

— C'est faux, grinça la voix d'Helena qui sortait de la bouche de Marguerite. Tu étais paresseuse. Si tu avais pu choisir, jamais tu n'aurais dansé !

– Non, plaida Marguerite avec sa propre voix. Je n'étais pas paresseuse, Mère. Je voulais juste...

Le timbre de sa voix changea de nouveau, cette fois en plein milieu de la phrase.

– Comment oses-tu me contredire? siffla Helena. Après tout ce que j'ai fait pour toi! Comment oses-tu?

Ce fut Helena qui rabattit d'un geste sec le couvercle de la boîte à musique, coupant instantanément la mélodie, mais Marguerite qui murmura calmement :

– J'ai essayé, Maman. Je suis désolée.

Une douleur lancinante transperçait son crâne, et elle se prit la tête à deux mains. Son corps se contorsionna en spasmes successifs, puis la souffrance envahit son esprit...

Elle avait aimé sa mère durant toute sa vie. Et sans cet accident, la nuit où elle était tombée dans l'escalier...

Elle se mit à marmonner des bribes de phrases. Son cerveau était pris dans un maelström de souvenirs. Que s'était-il vraiment passé cette nuit-là?

– Tu veux le savoir? caqueta-t-elle avec la voix de sa mère. Je peux tout te montrer, tu sais!

– Non! souffla Marguerite, anéantie.

Et elle s'abandonna à la personnalité d'Helena Devereaux.

La douleur disparut, et elle quitta le petit salon d'un pas de somnambule. En proie à une sorte de transe, elle traversa la chambre et entra dans la penderie. Elle ouvrit un grand tiroir et en sortit une robe de bal aux couleurs défraîchies et aux ourlets élimés. Dans la lueur dorée de l'unique bougie qui éclairait la chambre, elle lui parut pourtant chatoyante. En vérité, ç'avait été une robe magnifique au satin couleur émeraude, avec un corsage brodé de perles d'un rose pâle du plus bel effet. Elle caressa le tissu d'une main légère et ne vit pas les trois perles qui se détachèrent du col pour rouler sur le plancher.

Sans cesser de regarder la robe de bal, elle se débarrassa lentement de ses vêtements souillés de sang, jusqu'à ne plus porter que son slip et son soutien-gorge.

Elle prit alors dans le tiroir le jupon qui ferait délicatement bruisser le satin à chaque mouvement et le passa. Puis, avec des gestes d'une infinie douceur, elle se vêtit de la robe de bal. Elle boutonna le corsage sans remarquer la dentelle trop fine qui se déchirait entre ses doigts, les multiples accrocs causés par ses ongles dans le satin et les perles qui tombaient au moindre de ses mouvements.

Elle sortit de la penderie et s'assit devant la coiffeuse pour se remaquiller. Elle ajouta un peu de couleur à ses joues et à ses lèvres et se pencha près du miroir pour allonger ses cils de mascara et ombrer un peu plus les paupières. Ensuite elle s'occupa de sa coiffure. Elle sépara la masse de ses cheveux en deux tresses qu'elle ramena sur son crâne et qu'elle fixa à l'aide d'une paire de peignes en argent.

Elle retourna dans la penderie pour se contempler dans la grande glace.

A travers les brumes qui noyaient son esprit, elle observa longtemps l'exact reflet d'Helena Devereaux, telle qu'elle était apparue la nuit où tous les espoirs qu'elle avait mis en sa fille avaient été irrémédiablement détruits.

Après quelques minutes elle passa dans le petit salon, prit la boîte à musique en bois de rose et se dirigea vers la cage d'escalier. Sa hanche ne la faisait plus du tout souffrir, et elle se déplaçait avec aisance. Elle gravit les marches d'un pas léger.


Le visage baigné de larmes, Julie écoutait toujours à la porte de la nursery. La peur et la fatigue nerveuse accumulées pendant toutes ces heures la faisaient trembler. Il lui avait semblé que le ronronnement sinistre de la chaise-ascenseur ne cesserait jamais. Par quatre fois, elle avait fait l'aller-retour entre le rez-de-chaussée et le deuxième étage. Puis Julie avait perçu le pas claudicant de sa tante qui descendait l'escalier et se dirigeait vers l'extrémité du couloir. Marguerite était entrée dans les appartements de sa défunte mère.

Julie avait tendu l'oreille, et pendant quelques très courts instants elle avait cru discerner une musique aigrelette, mais le vent s'était levé de nouveau et avait noyé les faibles sons. De toute façon, il ne pouvait s'agir que d'une illusion due à son imagination terrorisée, puisque l'électricité n'avait toujours pas été rétablie.

A présent elle entendait distinctement des pas qui approchaient. Mais ce n'était pas la démarche à l'irrégularité menaçante de sa tante. La personne qui parcourait le couloir se déplaçait avec assurance et légèreté. Julie eut soudain envie de hurler pour attirer l'attention de l'inconnue, mais au dernier instant une sorte d'instinct l'en empêcha.

Les pas s'éloignèrent puis résonnèrent dans l'escalier qui menait au deuxième étage.

Julie abandonna la porte et se précipita vers la fenêtre. Elle se pencha au-dehors et scruta la nuit. Elle n'aurait pu dire depuis combien de temps Jeff s'était enfui – des heures, sans doute...

La tempête paraissait perdre de son intensité. Le vent avait faibli, et même la pluie s'était transformée en une succession d'ondées peu violentes. Une lueur d'espoir rejaillit en elle. Son frère pourrait peut-être traverser la digue, maintenant.

Elle poussa une plainte de terreur en entendant la clef tourner dans la serrure. Avec un grincement sinistre, la porte de la nursery s'ouvrit.

Julie se retourna et retint à grand-peine un cri d'épouvante.

Jeff trébuchait dans l'obscurité qui baignait la route. Les éclairs s'étaient faits plus rares et plus lointains, et n'illuminaient plus que brièvement la lourde masse des nuages, suivis de plus en plus tardivement par les roulements assourdis du tonnerre.

La route n'était qu'un bourbier sans fin qui collait à ses chaussures et rendait chaque pas plus laborieux que le précédent. Sur sa gauche, les pins grinçaient sous le poids des mousses gorgées d'eau qui faisaient ployer leurs branches, tels des ogres végétaux tendant leurs bras multiples pour le saisir. Sur sa droite, il entendait le grondement des vagues qui venaient s'écraser sur la côte comme une menace continue.

Il pleurait doucement, autant de peur que d'épuisement. Il avait essayé de se repérer, mais les ténèbres noyaient tous les détails du paysage, et il avait fini par se résigner. La tête basse il suivait l'interminable route boueuse. La pluie collait ses vêtements à sa peau, et il frissonnait de froid.

Le grondement de la mer se faisait plus puissant à chaque instant, et il releva la tête pour constater à la lueur éphémère d'un éclair qu'il avait presque atteint la digue. Soudain possédé d'une énergie nouvelle, il se mit à courir.

Il avait réussi! Il ne lui restait plus qu'à traverser pour être enfin sain et sauf et trouver de l'aide!

Mais il s'arrêta brusquement.

Une énorme vague venue du sud s'écrasa avec fracas sur la digue dans des tourbillons d'écume. Puis elle se retira du passage pour être remplacée quelques secondes plus tard par une autre tout aussi monstrueuse.

Pendant un instant Jeff imagina qu'il pourrait traverser la digue entre deux vagues, mais il dut se rendre à l'évidence : la chose était impossible. Il aurait tout juste le temps d'en parcourir la moitié avant d'être emporté. Anéanti par un sentiment d'impuissance, il s'assit sur le sol boueux et se remit à sangloter.

Il ne pourrait pas rejoindre le continent avant que les vagues ne soient calmées.


– Tu n'es pas encore prête? siffla rageusement l'apparition sur le seuil de la nursery. Tes invités attendent, ma petite!

Julie se recroquevilla contre le mur. Elle savait qui était entré dans la pièce; elle reconnaissait les traits de sa tante sous l'épaisse couche de maquillage.

Et elle reconnaissait la voix. Car ce n'était pas la voix de sa tante qu'elle venait d'entendre.

C'était la voix de sa grand-mère.

Et son visage.

Elle l'avait rapidement identifié car elle se souvenait de la première vision qu'elle avait eue d'Helena, le jour de leur arrivée à Sea Oaks : ce même masque hideux, qui venait à sa rencontre sur le siège mécanique, en lui souriant.

Mais Marguerite ne souriait pas. De la main gauche elle brandissait la lampe-tempête et, dans la lumière vacillante, des ombres étranges creusaient ce visage ravagé par la folie. Une lueur malveillante dansait dans les prunelles qui fixaient l'adolescente.

Julie sentit sa gorge se contracter et la terreur la tétanisa.

Marguerite s'avança vers elle, et Julie écarquilla les yeux.

Pas la moindre trace de claudication dans la démarche de sa tante.

Il n'y avait donc personne d'autre dans la maison. Le pas qu'elle avait entendu tout à l'heure était celui de Marguerite...

*Fais ce qu'elle te dit,* lui murmura une voix étrange dans son esprit. *Fais exactement ce qu'elle ordonne.*

La main droite de Marguerite jaillit et claqua sur la joue de Julie.

— Je t'avais ordonné d'être prête à huit heures, n'est-ce pas? siffla vicieusement la voix. N'est-ce pas?

*Elle se prend pour Grand-Mère,* comprit soudain l'adolescente. *Et elle croit que je suis... elle.*

— Je... je suis désolée, Mère, balbutia Julie en imitant instinctivement l'intonation résignée qu'utilisait toujours sa tante face à Helena.

— Désolée? répéta Marguerite avec le ton sarcastique de sa mère. Viens!

Saisissant son bras, Marguerite l'entraîna vers la porte. Elle la tira dans le couloir jusqu'à la chambre qu'elle avait elle-même occupée avant de déménager dans les appartements d'Helena. Elle ouvrit la porte et poussa Julie à l'intérieur. La force terrifiante de sa tante propulsa l'adolescente contre la commode et elle se cogna rudement la hanche. Julie grimaça de douleur mais parvint à réprimer le gémissement qui montait à ses lèvres.

— Ouvre le premier tiroir! grinça Marguerite.

— Ou-oui, Mère, murmura Julie en obéissant.

Soigneusement plié dans le tiroir se trouvait un justaucorps de danse.

— Mets-le.

Les doigts tremblants, l'adolescente déboutonna son chemisier qu'elle ôta avant de retirer son jean. Puis elle passa le justaucorps.

— Les chaussons.

Julie hésita puis se dirigea vers le placard. Comme Marguerite ne disait rien, elle l'ouvrit et découvrit plusieurs étagères de chaussons de danse usagés.

Elle en prit une paire au hasard et s'assit sur le sol pour les enfiler et nouer le ruban de satin autour de ses chevilles. Immédiatement elle sentit que ses pieds étaient trop à l'étroit. Elle leva les yeux vers Marguerite. Celle-ci la toisait d'un regard venimeux.

— A la salle de bal. Tes invités s'impatientent.

Son cœur battant la chamade, elle se laissa guider par sa tante vers l'escalier.

*Quels invités?* se demandait-elle. *De qui parle-t-elle? Nous sommes seules ici.*

Mais elle savait que c'était inexact.

Quelque part dans la vieille demeure se trouvaient son père et Kerry Sanders.

Tous deux morts.

Et sa tante allait la tuer, elle aussi. Elle en était maintenant certaine, et cette certitude l'emplit d'un calme irréel qui annihila sa terreur. Marguerite la tuerait, à moins...

A moins qu'elle fasse tout ce que lui dirait sa tante, avec le plus de naturel possible.

Elle commença à gravir les marches, les yeux fixés sur les portes closes de la salle de bal.

Elle était vaguement consciente de quelque chose de poisseux sous ses pas, une substance d'un rouge sombre qui maculait le palier du deuxième étage quand elles y arrivèrent. Mais elle se refusait à baisser les yeux, certaine que ce qu'elle ne voulait pas voir la tirerait de cet étrange engourdissement qui la protégeait de la terrible réalité.

— Ouvre les portes, ordonna Marguerite avec la voix aigre d'Helena.

Julie plaça docilement une main sur chaque battant et poussa. Les lourdes portes pivotèrent sans bruit sur leurs gonds bien huilés.

La salle de bal était plongée dans l'obscurité.

— Il y a des bougies sur le piano. Va les allumer, ma petite.

Marguerite lui tendit une boîte d'allumettes. Julie la prit et s'enfonça dans les ténèbres en direction du piano. Bientôt elle buta sur l'instrument. Le dos raide et l'esprit concentré pour empêcher ses doigts de trembler, elle se mit à allumer les grandes bougies fichées sur l'énorme candélabre. Elle entendit Marguerite qui faisait le tour de la pièce pour allumer d'autres bougies. Peu à peu, une douce lumière se répandit dans l'immense pièce.

— A présent, retourne-toi et salue tes invités.

Julie rassembla toute sa volonté et fit lentement demi-tour.

Un hurlement d'épouvante totale monta de sa gorge. Il roula dans la salle de bal, interminable et déchirant.

En face d'elle, alignés contre le mur, quatre cadavres étaient grotesquement assis sur des chaises.

Son corps cloué au dossier par la lame qui l'avait transpercé, Kerry la fixait d'un regard vitreux. Sa bouche était ouverte et des filaments de sang coagulé reliaient son menton à une large tache pourpre sur sa poitrine.

A côté de lui, le corps de Ruby était tassé sur sa chaise, les bras pendants et les jambes écartées devant elle. Ses yeux étaient horriblement exorbités, et la chair de son cou avait pris une teinte violacée autour de la ceinture en soie qui l'avait étranglée.

Jennifer Mayhew occupait le troisième siège. Un énorme hématome noircissait une partie de son front, et son visage portait les traces d'autres chocs. Les coups de pied vicieux de Marguerite avaient réduit sa bouche à l'état de pulpe sanglante, mais ses yeux grands ouverts semblaient braqués sur Julie, et elle eut l'impression terrible qu'une accusation muette émanait de ce regard figé, comme si, par-delà la mort, Jennifer la tenait pour responsable du calvaire qu'elle avait subi.

Enfin Julie vit le cadavre de son père. Il était couvert de sang et affaissé sur la chaise dans une posture telle qu'on aurait presque pu le croire endormi. Pourtant du corps de Kevin émanait une telle sensation de défaite abjecte, une rigidité si horriblement évidente que Julie aurait compris que son père était mort sans même ses vêtements rougis de sang.

Le hurlement finit par se tarir, et un frisson glacé enveloppa tout son corps. Il lui sembla que son esprit se fermait à la réalité, et la voix acide de sa tante lui parut très lointaine.

– Le moment est venu de danser pour nos invités.

Elle entendit alors des notes de piano, le début d'une mélodie familière dont le titre échappait à son cerveau engourdi. Malgré son état de choc, elle sentit ses membres se mouvoir pour se mettre en première position.

Elle faisait un cauchemar. C'était la seule explication. Ils ne pouvaient être tous morts, bien sûr. Son esprit refusait ce que ses yeux attestaient. Pourtant son corps s'adaptait inconsciemment à chaque figure imposée. Elle se dressa sur les pointes pour effectuer une pirouette. Le rythme de la musique s'accéléra et elle virevolta dans la pièce.

Elle sentait leurs regards sans vie qui suivaient chacun de ses mouvements, qui l'attiraient irrésistiblement.

*Ils ne sont pas morts!* hurlait la voix dans son esprit. *Je vais m'éveiller de ce cauchemar, et ils seront là, ils me souriront.*

Elle continuait à danser, par peur d'être confrontée à la réalité si elle s'arrêtait.

Soudain, alors qu'elle évoluait près de Jennifer Mayhew, elle vit sa meilleure amie bouger.

Julie se figea, les yeux rivés sur le cadavre avec fascination.

Lentement, le corps de Jennifer se pencha en avant comme pour se lever.

Le mouvement se fit plus rapide et le cadavre bascula, face contre sol, le bras droit tendu vers Julie.

L'engourdissement qui protégeait l'adolescente cessa brusquement, et elle se mit à hurler. Les mains sur le visage, elle se dirigea en titubant vers les portes de la salle de bal.

La mélodie du piano s'arrêta aussitôt, et un silence étrange emplit la pièce. Julie sortit sur le palier et se précipita vers l'escalier. Elle allait descendre la première marche, une main sur la rampe pour ne pas tomber, quand la voix de sa tante résonna, déformée par la rage de sa grand-mère.

– Crois-tu pouvoir t'en aller ainsi? Crois-tu que je te laisserai détruire mon œuvre? Toute ma vie je t'ai fait confiance. Je t'ai formée avec amour! Je t'ai aidée à progresser, en te faisant travailler chaque jour! Je t'ai tout appris! Et pour quel résultat? Pour te voir fuir avec ce voyou obscène, comme une putain des rues! (Sa voix était devenue suraiguë.) Eh bien je ne le tolérerai pas! Je t'interdis de m'abandonner! Tu resteras avec moi pour toujours, tu m'entends?

Alors qu'elle essayait d'échapper à ce flot acariâtre de paroles, Julie sentit les mains de Marguerite la pousser violemment en avant, la forçant à lâcher la rampe.

Elle s'écroula dans l'escalier avec un cri d'horreur, mais le premier choc contre les marches lui coupa le souffle et c'est silencieusement qu'elle roula sur elle-même. Son crâne heurta plusieurs fois les barreaux de la rampe, et une douleur fulgurante éclata dans sa colonne vertébrale quand son dos roula contre le mur. Son corps démantelé atteignit enfin le palier du premier étage et elle s'immobilisa sur le dos, les membres désarticulés comme ceux d'une marionnette. Un brouillard sombre envahit rapidement son esprit. Elle eut néanmoins le temps de voir le visage de sa tante qui se penchait vers elle, sa bouche tordue en un sourire dément.

– Tu ne m'abandonneras pas, l'entendit-elle grincer. Tu m'appartiens, et jamais je ne te permettrai de me quitter.

Enfin Julie sombra dans les ténèbres accueillantes de l'inconscience.

# 27

Hal Sanders engagea sa voiture sur la digue mais il dut freiner en catastrophe quand la route devant lui fut submergée par une énorme vague.

– Bon Dieu! jura-t-il sombrement en frappant du poing son volant.

On tambourina à la vitre du côté droit et il la fit coulisser pour découvrir Will Hempstead, une grosse torche électrique à la main, qui secouait la tête avec une moue de dépit.

– On ne pourra pas traverser avant un moment, grogna le policier. Mais la tempête s'éloigne et la mer devrait se calmer bientôt.

– Bientôt, ça risque d'être trop tard! répliqua Sanders, amer.

Il plissa les yeux et tenta de percer l'obscurité à travers le pare-brise. Ses phares faisaient étinceler le rideau de pluie, mais chaque goutte dispersait leur puissance et ils n'éclairaient pas à plus de quelques mètres. Un coup de vent chassa la pluie pendant quelques secondes. Les pinceaux de lumière jaune trouèrent la nuit dans l'axe de la digue, et Hal crut apercevoir un bref mouvement à l'autre extrémité du passage. Puis la pluie redoubla et la portée des phares fut amputée de moitié dans un brouillard étincelant. Sanders bondit hors de son véhicule et s'approcha de la voiture de patrouille garée non loin, que Will venait de regagner.

– Tu as un projecteur? s'enquit-il.

– Bien sûr, répondit Hempstead.

– Alors, allume-le! J'ai vu quelque chose de l'autre côté. Ça n'a duré qu'une fraction de seconde, mais je suis sûr de ne pas m'être trompé.

A l'intérieur de la voiture de police, Frank Weaver enclencha le système d'alimentation du projecteur fixé sur le toit. L'halogène surpuissant découpa les ténèbres d'un faisceau à la blancheur éclatante. Passant un bras par la portière, l'adjoint entreprit d'en régler la direction en tournant la poignée de contrôle. Le doigt lumineux courut sur la surface tourmentée des eaux puis remonta brusquement pour révéler la cime des pins sur l'île Devereaux.

– Plus bas, bon Dieu! s'écria Sanders en scrutant la berge opposée du chenal. Si quelqu'un est en face, il ne va pas grimper en haut des arbres, Frank!

– Laisse-moi une seconde, tu veux? maugréa l'adjoint en essayant de maîtriser la manette.

Le rayon monta au ciel d'une saccade puis redescendit sur les flots. Enfin Weaver réussit à le stabiliser sur l'autre extrémité de la digue. Une silhouette d'enfant apparut dans la lumière blanche, qui faisait des grands gestes d'appel.

— C'est Jeff, dit aussitôt Hempstead. Mais qu'est-ce qu'il...

Il se tut en voyant le gamin s'engager en courant sur la digue. D'un geste rapide, l'officier de police décrocha le micro du tableau de bord et enclencha le mégaphone rivé sur le toit de la voiture, derrière le projecteur.

— Reste où tu es! hurla-t-il. N'essaie surtout pas de traverser!

Tandis qu'il lançait cet avertissement, une vague déferla sur la digue. Quand elle se retira, la petite silhouette avait disparu.

Jeff avait vu les phares des deux voitures arriver jusqu'à l'autre extrémité de la digue et s'arrêter. Il se mit à sautiller sur place en agitant frénétiquement les bras et en hurlant à pleins poumons. Mais il savait sa voix trop faible pour couvrir le grondement de la mer, et il comprit qu'on ne le distinguait certainement pas de l'autre côté. Soudain le rayon scintillant du projecteur troua les ténèbres, monta puis descendit avant de se fixer sur lui. Ébloui par la lumière autant que par l'espoir qui lui gonflait le cœur, il redoubla d'ardeur dans ses gestes et se précipita sur la digue, vers la délivrance qui l'attendait.

La vague le frappa au moment où il entendait le son étouffé d'une voix qui l'appelait par mégaphone. Il perdit l'équilibre et s'écroula sur la chaussée, pour être aussitôt balayé par la masse liquide et précipité dans le chenal. Il se débattit sauvagement dans les flots pendant quelques secondes, puis ses pieds trouvèrent un appui et il se propulsa vers la surface mouvementée. Sa tête émergea et il chercha désespérément à se repérer. Une seconde vague passa la barrière de la digue et il fut un instant englouti sous des trombes d'eau et d'écume. Puis il aperçut le reflet du projecteur sur les pins derrière la route. Il nagea de longues secondes pour se rapprocher de la grève. Les courants s'entrechoquaient et formaient des tourbillons changeants, mais il se trouvait sous le vent et relativement à l'abri des plus gros rouleaux. Il réussit enfin à atteindre la plage et pataugea hors de l'eau jusqu'à la route.

— Jeff!

Il perçut distinctement son nom et se retourna vers le chenal. Mais le rayon lumineux fouillait à présent les flots déchaînés, et il se rendit compte que ses sauveteurs ne pouvaient le voir.

— Je suis là! hurla-t-il. Sur la route! Par là!

Il fit de grands gestes mais les secondes s'égrenèrent sans que le projecteur ne délaisse le chenal. Il commençait à désespérer quand le pinceau scintillant remonta vers la côte et la balaya. Il passa juste au-dessus de l'enfant pour revenir presque aussitôt s'immobiliser sur lui.

– Reste où tu es! ordonna la voix amplifiée de Will Hempstead. N'essaye pas de traverser! Tu ne le pourrais pas! Nous allons venir te chercher! (Il y eut une longue pause, puis :) Jeff! Si tu m'entends, cesse d'agiter les bras, ne bouge pas, compte jusqu'à trois et lève un seul bras.

Jeff hésita. Il devait fournir un gros effort pour contenir sa surexcitation. Il baissa les bras.

– Un... deux... trois, cria-t-il dans la tourmente.

Il leva la main droite au-dessus de sa tête et l'agita. Puis il la baissa et s'écroula sur la route boueuse en sanglotant, vaincu par la fatigue nerveuse.

– Bon! grogna Will Hempstead en voyant la petite silhouette se tasser sur la route. Allons-y. Hal, sors-moi ta voiture du passage.

Sanders fit aussitôt démarrer son véhicule en marche arrière pour libérer l'accès à la digue. Will Hempstead se glissa derrière le volant de la voiture de patrouille et mit le moteur en marche. Il entendit la portière arrière s'ouvrir et Hal Sanders s'engouffra à l'intérieur.

– Inutile de discuter, Will! prévint-il d'un ton décidé. Mon fils se trouve quelque part sur cette île; alors je viens avec vous!

Hempstead ne fit aucun commentaire et amena la voiture de patrouille en face de la digue. Puis il stoppa.

– Balance-moi le projo vers le sud, Frank. Je veux voir ce qui nous attend.

Ils observèrent les vagues pendant plusieurs minutes avant de comprendre enfin le rythme particulier de leur déferlement.

– La cinquième est nettement plus puissante que les autres, constata l'adjoint.

Hempstead acquiesça sans desserrer les lèvres, et ils attendirent la vague la plus forte.

– Allons-y! lança Will dès qu'elle eut submergé la chaussée.

Il appuya doucement sur l'accélérateur et le véhicule s'engagea lentement sur le passage alors que l'écume s'écoulait encore de l'asphalte.

Ils avaient parcouru une vingtaine de mètres quand la première vague les atteignit. L'eau monta jusqu'aux essieux et Hempstead ralentit. La voiture vibra un peu mais resta en place. Dès que l'eau se retira, l'officier de police accéléra de nouveau. Ils avancèrent encore d'une vingtaine de mètres avant la seconde vague, et trente de plus avant la troisième. Quand la quatrième vague déferla, Hempstead sentit la voiture de patrouille glisser sur le côté. Pendant une seconde, il craignit de perdre totalement le contrôle du véhicule, mais les roues finirent pas cesser de patiner et l'automobile se stabilisa. Mais la cinquième vague arrivait déjà sur eux.

Hempstead tourna au maximum le volant vers la droite, puis freina, passa en marche arrière et braqua à gauche.

— Mais qu'est-ce que tu fous? s'écria Hal Sanders de la banquette arrière.

— La ferme et accroche-toi!

Will se mit au point mort et tira le frein à main. La voiture était à présent perpendiculaire à la digue.

Ils virent la vague grossir et s'élever face à eux en une monstrueuse masse verdâtre qu'illuminaient les phares. Puis elle s'écroula sur le capot et le pare-brise dans un grondement d'enfer. La voiture recula légèrement, tremblant sous le choc, et le moteur se tut. Des tourbillons d'eau et d'écume s'écoulèrent le long de la carrosserie.

Ils étaient toujours sur la digue, mais trente mètres les séparaient encore du rivage de l'île. Hempstead essaya de faire redémarrer le moteur à plusieurs reprises, mais en vain.

Une nouvelle vague arrivait, de faible puissance. La première d'une autre série de cinq. Elle passa sous le véhicule immobile.

— Prends le poste radio, Frank! ordonna Will. Hal, il y a une corde sous la banquette arrière. Passe-la-moi!

L'adjoint sortit un émetteur-récepteur VHF de la boîte à gants et la fourra dans une pochette en plastique, tandis que Sanders trouvait le rouleau de corde et le donnait à Hempstead.

Pendant que la deuxième et la troisième vague submergeaient la digue, Will attacha solidement une extrémité de la corde à l'axe du volant et confectionna un nœud de chaise à l'autre bout. La quatrième vague déferla.

— Je vais essayer de traverser après la prochaine, annonça l'officier de police. Je nouerai la corde à un arbre et vous pourrez vous en servir pour vous guider.

La dernière vague de la série s'écrasa sur la voiture qui recula encore d'une vingtaine de centimètres sous l'impact. Dès qu'elle eut inondé la chaussée, Hempstead bondit hors de la voiture et passa le rouleau de corde par la vitre baissée de la portière. Il serra le nœud de chaise autour de son torse et fonça tête en avant. La vague suivante faillit le déséquilibrer mais il parvint à rester debout et courut de plus belle. Quand la suivante balaya la digue, il était déjà sur l'île. Il se défit de la corde et la noua solidement autour de l'arbre le plus proche. Il se retourna et fit de grands gestes à l'intention des deux hommes.

— Maintenant, bon Dieu! hurla-t-il. La prochaine grosse vague emportera la voiture!

La portière arrière s'ouvrit et Hal Sanders sortit en hâte du véhicule. Il se mit à courir sur la digue en tenant la corde. Frank Weaver apparut la seconde suivante et l'imita.

La troisième vague culbuta Hal, mais il s'agrippa des deux mains à la corde salvatrice et parvint à se relever; crachant et toussant, il reprit sa fuite éperdue vers l'île. Frank le rattrapa comme il foulait la terre ferme et ils s'écroulèrent dans la boue. La quatrième vague déferla sur la digue. Pantelant, ils se redressèrent et regardèrent derrière eux.

La dernière vague de la série recouvrit complètement la digue dans un grondement titanesque, et la voiture de patrouille disparut sous les trombes d'eau. La corde se tendit brusquement et cassa net avec un claquement semblable à une détonation de fusil.

Quand la masse liquide se retira, la chaussée était vide. Le véhicule avait été englouti par la furie de la mer.

— Doux Jésus... marmonna Hempstead.

Avant que son adjoint ou Hal Sanders aient pu ajouter quoi que ce soit, Jeff Devereaux se précipita sur l'officier de police et s'agrippa à sa chemise.

— Elle les a tués! s'écria l'enfant. Elle a tué Papa, et Kerry, et Ruby, et tout le monde!

Will Hempstead frissonna en voyant le visage terrifié de Jeff. Il s'accroupit et saisit le gamin par les épaules.

— Allons, calme-toi. Reprends ton souffle et raconte-nous exactement ce qui s'est passé.


Julie reprit lentement conscience. Tout son corps n'était que souffrance. Une immense douleur qui semblait n'avoir aucun centre martyrisait chacun de ses muscles et de ses os. Pendant un temps indéfini, elle resta allongée sans esquisser le moindre mouvement, les paupières closes. Elle fouillait son esprit empli de ténèbres pour se rappeler ce qui lui était arrivé.

Elle s'était trouvée dans la nursery, cela elle s'en souvenait vaguement. Sa tante était venue la chercher. Mais... ce n'était plus vraiment sa tante.

Elle avait enfilé une tenue de danse, et elle était montée au deuxième étage, dans la salle de bal.

Ses amis étaient là, qui l'attendaient. Kerry, Jenny, Ruby...

Et même son père.

Ils étaient assis sur des chaises et l'avaient regardée danser. Mais...

Elle se battit avec sa mémoire réticente. Il y avait là un détail important qu'elle ne parvenait pas à faire resurgir.

Soudain elle sut.

Ils étaient tous morts.

Elle poussa un gémissement en se souvenant de l'horreur de cette scène, et son esprit chavira dans une solitude infinie.

Elle voulut rouler sur elle-même et une explosion de douleur envahit tout son corps. Elle hurla sa souffrance et ce simple cri la décupla. Alors elle étouffa son cri.

— Aidez-moi, geignit-elle doucement, ses yeux brûlés par des larmes de désespoir. Oh, mon Dieu... Aidez-moi, par pitié...

Confusément, elle prit conscience d'un mouvement au-dessus d'elle et lutta pour garder ses yeux ouverts. Elle baignait dans la douce lumière d'une bougie invisible, et une autre source lumineuse, plus vive, attira son regard vers le haut de l'escalier.

Elle haleta et recula de quelques centimètres dans un océan de douleur en reconnaissant sa tante au sommet des marches, la lampe-tempête dans sa main gauche.

Marguerite descendait lentement vers elle, se maintenant de la main droite à la rampe, sa jambe raidie par l'ancienne blessure.

— Non... supplia Julie quand sa tante arriva enfin près d'elle et se pencha sur elle. Ne me faites pas mal, je vous en supplie...

Marguerite posa sur elle un regard absent.

— Te faire mal? répéta-t-elle d'une voix curieusement dénuée de toute inflexion. Mais j'en serais incapable, ma chérie. Je t'aime, tu le sais. Mais tu viens d'avoir un terrible accident.

Julie déglutit péniblement.

— Je... Vous...

— Tu as fait une chute dans l'escalier, expliqua Marguerite avec douceur. (Un sourire triste tordit ses lèvres barbouillées de rouge.) Exactement comme moi, il y a si longtemps... C'est ce que m'a dit Mère : j'étais maladroite et je suis tombée; c'était un accident, entièrement de ma faute. Mais je ne l'ai pas crue.

Elle fronça les sourcils, fouillant ses souvenirs brumeux.

— J'ai toujours pensé qu'elle m'avait poussée. Parce qu'elle était en colère contre moi. A cause du bébé...

— Le bébé? souffla Julie en s'efforçant de ne pas sombrer dans l'inconscience.

De quoi parlait sa tante?

— Tu ne savais pas, n'est-ce pas? dit Marguerite d'une voix désincarnée en laissant errer son regard dans le vide. Bien sûr. Je n'en ai jamais parlé à personne. Mère m'avait affirmé qu'on me détesterait si je révélais ce qui m'était arrivé, et que je devais faire semblant que rien ne s'était passé. Mais je n'en étais pas capable. Je haïssais cela... (Un petit rire brisé monta de sa gorge.) C'est pourquoi elle m'a enfermée. Elle m'a emprisonnée au sous-sol jusqu'à ce que j'aie appris ma leçon. Et j'ai fini par faire semblant, comme elle le voulait. J'ai prétendu que rien ne s'était passé, que jamais je n'avais été enceinte, et que Mère ne m'avait pas poussée dans l'escalier. Et j'ai aimé Mère. Toute ma vie. J'ai toujours fait ce qu'elle m'ordonnait.

Julie tendait toute sa volonté pour repousser les ténèbres qui envahissaient peu à peu son cerveau.

– Et Mère m'a abandonnée, poursuivait Marguerite. Ils m'ont tous abandonnée. J'ai toujours fait tout ce qu'ils demandaient, mais ils ont continué à me détester, et ils m'ont abandonnée.

Une lueur étrange passa dans ses yeux et son regard revint se poser sur l'adolescente.

– Et tu es comme eux, n'est-ce pas? Toi aussi, tu veux m'abandonner.

– Non... murmura Julie en comprenant ce qui allait suivre.

Mais il était déjà trop tard. Les prunelles de Marguerite brûlaient à présent d'un feu insane.

– Comment oses-tu me mentir? cracha-t-elle. Je te l'interdis!

Elle décocha un coup de pied vicieux dans le ventre de l'adolescente. Julie se recroquevilla sous la douleur fulgurante qui explosait dans tout son corps. Un autre coup l'atteignit aux reins, et elle roula sur elle-même pour se mettre hors de portée. Elle était à présent au bord des marches menant au rez-de-chaussée.

– Tu es comme les autres! s'écria Marguerite d'une voix changée par la folie. J'ai tout fait pour toi, mais tu veux m'abandonner, n'est-ce pas? N'est-ce pas?

Elle frappa de nouveau Julie, et celle-ci se contorsionna pour lui échapper. Mais la souffrance était trop forte.

– Mais je ne le permettrai pas! ragea Marguerite d'une voix suraiguë qui ne lui appartenait plus. Je t'en empêcherai, tu m'entends? Jamais tu ne m'abandonneras! *Jamais!*

Elle décocha un violent coup de pied à sa nièce. Julie sentit son corps basculer dans le vide et rouler sur l'arête des marches. Mais la douleur qui l'enveloppa était telle que la jeune fille fut incapable de crier.

*Laissez-moi mourir,* pensa-t-elle en dévalant l'escalier comme une marionnette dont on aurait coupé les fils. *Oh, mon Dieu! Laissez-moi mourir...*

L'inconscience la submergea, et elle termina mollement sa chute au bas de l'escalier, dans la mare de sang versé par Kerry Sanders.

Sur le palier du premier étage, Marguerite la considéra un moment avant de secouer tristement la tête.

– C'est ta faute, murmura-t-elle. Tout est ta faute. Mais je ne peux plus t'aider, maintenant. Je dois m'occuper de mes invités, n'est-ce pas? (Elle resta silencieuse quelques secondes avant d'acquiescer :) Oui. Mes invités.

Tournant les talons elle se dirigea vers le deuxième étage en chantonnant doucement. Quand elle entra dans la salle de bal, elle avait complètement oublié Julie.

Will Hempstead s'arrêta brusquement.

Devant lui, la demeure ancestrale des Devereaux s'élevait majestueusement. Les fenêtres au deuxième étage laissaient voir la lumière de nombreuses bougies.

De vieux souvenirs lui revinrent à la mémoire. Il se revit bien des années auparavant, quand il n'avait que dix-huit ans, par une nuit très semblable à celle-ci.

On donnait un bal à Sea Oaks, et Marguerite l'avait invité. Mais Helena lui avait interdit l'entrée de la maison et avait précisé à sa fille qu'il ne serait jamais le bienvenu et qu'elle ferait mieux de ne plus le revoir. Aussi Will Hempstead était-il resté dehors, sous les pins aux branches moussues.

Une chaleur lourde et humide pesait sur la nuit, et les portes-fenêtres du deuxième étage avaient été largement ouvertes. Will s'était caché sous les arbres et avait contemplé l'ombre des danseurs qui virevoltaient sur la musique légère de l'orchestre. Il avait entendu les rires des hôtes d'Helena quand ils sortaient prendre l'air sur le grand balcon. Les heures s'étaient lentement écoulées, et il était reparti vers le village, persuadé que Sea Oaks – et Helena – finiraient par triompher de la seule chose qu'il avait à offrir à Marguerite : son amour pour elle.

La pluie avait cessé, et l'officier de police, perdu dans la contemplation de la demeure, se remémorait cette nuit lointaine. Il se souvenait du drame qui s'était joué alors bien après son départ. Tous les invités étaient repartis depuis longtemps quand Marguerite avait fait cette chute dans l'escalier. Plus tard, Ruby avait expliqué à Will que la jeune fille, fatiguée d'avoir tant dansé, avait malencontreusement raté une marche et était tombée.

Sa hanche s'était brisée avec tous les espoirs qu'elle portait en elle.

Ils avaient projeté de s'en aller ensemble loin, très loin de Devereaux. Pourtant, avant même cet accident, Will avait eu le pressentiment qu'ils ne réaliseraient jamais ce rêve. Helena le ferait échouer. Par quelque sombre ironie du sort, elle n'avait rien eu à faire pour les empêcher de fuir Sea Oaks, car après sa chute Marguerite avait renoncé à tous ses projets. Non seulement ceux qui concernaient la danse, mais aussi ceux qu'elle partageait avec Will Hempstead.

Et maintenant, alors que la tempête s'éloignait vers le nord et que les étoiles recommençaient à scintiller à travers les dernières traînées nuageuses, Sea Oaks lui apparaissait telle qu'il l'avait vue tant d'années auparavant.

Mais il y avait une différence avec ce soir de bal lointain : une seule ombre dansait dans la lumière des bougies. Celle de

Marguerite Devereaux, les bras levés à mi-hauteur vers un partenaire invisible. Elle évoluait sur quelque musique inaudible de l'extérieur, et ses mouvements étrangement saccadés évoquaient irrésistiblement ceux d'une marionnette.

Sans quitter des yeux la silhouette sombre dans la salle de bal, Will Hempstead s'adressa à son adjoint.

– Passe-moi la radio, Frank, dit-il calmement.

– Qu'est-ce qu'elle fait? lui murmura Jeff, toujours cramponné à son autre main.

– Tout va bien, mon garçon, assura Will au gamin terrifié. Elle ne peut plus te faire aucun mal, maintenant. Tu n'as plus rien à craindre.

Il prit la radio que lui tendait Weaver et l'alluma. Du pouce il la régla sur la fréquence continuellement écoutée par l'un ou l'autre des pompiers bénévoles de Devereaux. D'une voix grave il répéta plusieurs fois son nom et le code correspondant à une urgence.

– Je vais avoir besoin d'une ambulance, peut-être deux, ajouta-t-il après avoir précisé où il se trouvait. J'ai perdu la voiture de patrouille en traversant la digue, alors soyez prudents. N'essayez pas de passer si c'est trop risqué.

Il éteignit la radio et avança d'un pas lourd vers Sea Oaks, suivi des deux hommes et de l'enfant.

# 28

Pendant de longues secondes, Will Hempstead se tint immobile devant l'énorme porte d'entrée de Sea Oaks. Il était soudain saisi d'une grande répugnance à l'idée de passer les lourds battants de chêne. Dans la vieille demeure, il le sentait, s'était déroulé pendant la nuit un drame dont l'horreur resterait gravée à jamais dans la mémoire des habitants de Devereaux.

Enfin il posa la main sur la clenche et la tourna. La porte n'était pas fermée à clef et il la repoussa d'un geste lent, révélant le hall éclairé d'une simple bougie posée sur le noyau d'escalier. Immédiatement il vit la forme prostrée de Julie en bas des marches et il eut un serrement de cœur. Ils arrivaient trop tard.

– Julie! s'écria Jeff en courant s'agenouiller près de sa sœur. Julie...

Il releva la tête et ses yeux brillants de larmes se fixèrent sur l'officier de police.

– Elle est morte, geignit-il. Tante Marguerite l'a tuée!

Will s'accroupit à côté de l'enfant et palpa le cou de la jeune fille. Il trouva presque aussitôt le pouls.

– Non, elle est en vie, dit-il à Jeff.

Comme pour confirmer ces mots, Julie poussa un faible gémissement, et les doigts de sa main gauche se crispèrent spasmodiquement.

– Trouve-moi une couverture, Hal! ordonna Hempstead. Et un oreiller. Vite!

Sanders disparut dans le salon. Un moment plus tard il était de retour avec un coussin pris sur le fauteuil et la couverture brodée qui décorait le dossier du canapé. Avec mille précautions, Hempstead disposa le corps de la jeune fille dans une position plus confortable. Pendant une seconde il avait considéré la possibilité de l'emmener dans le salon, mais il avait renoncé en songeant que sa colonne vertébrale était peut-être touchée. La déplacer risquait d'aggraver ses lésions.

– Kerry... murmura Hal Sanders, les yeux fixés sur les hématomes violets qui marquaient le visage de l'adolescente. Mon gosse doit être dans cette maison.

Hempstead se releva pour lui faire face et quand il parla, ce fut d'un ton qui n'admettait aucune réplique :

– Je veux que tu restes ici, Hal. Prends soin de Jeff, et si Julie reprend connaissance empêche-la de bouger.

Il se tourna ensuite vers son adjoint et lui désigna les traces de sang qui allaient de l'escalier à la porte de la cave.

– Va jeter un coup d'œil en bas, dit-il. Je me charge des étages.


A la lumière de sa torche électrique, Frank Weaver découvrait avec stupéfaction l'escalier qui menait à la cave. Du sang séché maculait les marches et les murs, et l'adjoint descendit avec lenteur pour ne pas glisser sur les traînées d'un sinistre rouge sombre. Arrivé au sous-sol, il s'arrêta et le faisceau de sa lampe électrique révéla une porte béante, à moitié dissimulée par la chaudière. Il avança en fronçant les sourcils.

*On dirait une cellule,* songea-t-il.

Faisant taire ses craintes, il approcha de la petite pièce.

Elle était vide, mais quand Weaver y promena le rayon de sa torche, il sentit une vague nauséeuse monter en lui. Il semblait y avoir du sang partout. Sur le sol, sur le lit étroit et même sur la porte. Quelles horreurs avaient eu lieu ici? Et où étaient les corps qui avaient perdu tout ce sang?

Il se détourna et rejoignit en hâte le rez-de-chaussée. Hal Sanders l'arrêta d'une main tremblante. Son visage avait pris une teinte cendreuse.

– Kerry... Il est en bas?

Incapable de parler, Weaver secoua négativement la tête avant de gravir l'escalier.

Au premier étage il vit la lueur de la torche électrique que Will Hempstead promenait à l'intérieur d'une chambre, à l'extrémité du couloir. Courant à moitié, il alla jusqu'à la porte ouverte et entra dans la pièce.

— Il y a du sang partout au sous-sol, annonça-t-il à son supérieur. Mais aucun corps.

L'air sombre, Hempstead acquiesça et braqua le faisceau de sa lampe sur un tas de vêtements tachés jetés sur le sol.

— Même chose ici, grogna-t-il avant de se diriger vers la porte. La fenêtre de la nursery est brisée, comme l'avait dit Jeff. Allons voir au deuxième ce qu'elle a fait. Mais d'après ce que nous avons déjà découvert, ça risque d'être assez moche.

Ils rebroussèrent chemin jusqu'à la cage d'escalier et commencèrent à gravir les marches. Soudain Will Hempstead s'immobilisa. Du deuxième étage leur parvenait une musique aigrelette. Il avait déjà entendu cette mélodie auparavant. Bien des années auparavant.

— Tu entends ça, Will? chuchota son adjoint.

Pendant un instant il crut que son chef n'avait pas écouté sa question, puis Hempstead hocha la tête.

— *The Last Good Night*, murmura-t-il doucement. Sa chanson favorite depuis toujours.

Accablé par une grande tristesse, il monta les dernières marches.

Will Hempstead passa les lourdes portes béantes de la salle de bal. Les fenêtres étaient closes et une chaleur étouffante régnait dans la grande pièce éclairée par de nombreuses bougies. Les yeux fermés et la tête rejetée en arrière, Marguerite Devereaux dansait lentement au son de la mélodie qui s'échappait d'une boîte à musique posée sur le piano.

Pendant un long moment, Will Hempstead suivit ses évolutions d'un regard incrédule. Puis il entendit Frank Weaver jurer sourdement. Il détourna les yeux et vit alors les trois cadavres sur les chaises, et le corps de Jennifer Mayhew sur le sol.

— *Mon Dieu!* souffla-t-il.

Le mot parut prendre du volume et résonner dans toute la pièce. Marguerite ouvrit les yeux et tourna la tête vers la porte. En reconnaissant Will Hempstead, ses lèvres barbouillées de rouge s'étirèrent en un sourire de bienvenue.

— Will! s'exclama-t-elle d'un ton mondain. Comme c'est gentil à vous d'être venu! Vous m'avez beaucoup manqué, vous savez...

Elle fit une petite révérence, ferma les yeux à nouveau et se remit à danser.

— Elle est folle! murmura Weaver. Elle est devenue complètement cinglée, Will!

Il fit un pas en avant mais Will le retint par le bras d'une poigne dure.

— Non, chuchota-t-il calmement mais d'un ton autoritaire. C'est fini, maintenant, Frank. Elle ne peut plus faire de mal. Laisse-la terminer.

Weaver s'immobilisa sans quitter Marguerite des yeux.

La mélodie semblait tisser un étrange sortilège à la lumière des bougies, et la vision d'Hempstead se brouilla de larmes. La femme qui évoluait devant lui en une pitoyable caricature de danse s'effaça et il crut voir la Marguerite Devereaux dont il était amoureux si longtemps auparavant. Elle virevoltait avec une grâce aérienne, illustrant parfaitement de son corps délié la légèreté et l'harmonie de la musique. Ses yeux étincelaient de joie et son sourire réchauffait le cœur de Will.

Il attendait que sa danse l'amène à lui, qu'elle lui ouvre ses bras comme il lui avait naguère ouvert les siens.

La boîte à musique se tut brusquement.

Le silence qui succéda balaya la vision, et Will Hempstead reprit rudement contact avec la réalité. A quelques mètres devant lui, Marguerite se penchait en une révérence pleine de modestie, une main tenant sa robe et l'autre plaquée sur sa poitrine.

Elle se redressa et son regard rencontra celui d'Hempstead. Pendant un moment il eut l'impression qu'elle ne le voyait pas, car une étrange vacuité habitait ses yeux. Mais sa bouche se tordit en une parodie de ce doux sourire qu'elle avait eu dans sa jeunesse.

— J'étais bien, Will? demanda-t-elle avec une anxiété enfantine.

La gorge serrée, Hempstead s'approcha d'elle en tendant un bras.

— Vous étiez parfaite, miss Marguerite, parvint-il à dire d'une voix enrouée. Tout simplement parfaite. Mais il faut partir, maintenant.

Le sourire de Marguerite s'estompa, mais elle approuva d'un vague hochement de tête et crocha le bras que lui offrait Will. Elle s'appuya doucement contre le corps puissant de l'officier de police et se laissa guider vers le palier. Pourtant, comme ils franchissaient la double porte, elle s'arrêta et se retourna vers la rangée de chaises alignées contre le mur.

— Merci, murmura-t-elle. Je vous remercie tous d'être venus me voir danser. Mais il est tard, et je dois vous quitter. (Elle fit une nouvelle révérence à l'intention de son macabre public avant d'ajouter dans un souffle :) Bonne nuit.

Elle fit demi-tour et, Will Hempstead à son côté, sortit lentement de la salle de bal.

# 29

Les premières touches de gris marquaient l'horizon sur la mer quand les ambulances purent enfin traverser la digue en direction de Sea Oaks, suivies par un long cortège de véhicules où avaient pris place les habitants de la petite ville. Quelques heures plus tôt, un hélicoptère avait survolé à basse altitude le chenal pour venir se poser devant la vieille demeure des Devereaux. Quelques minutes plus tard, l'engin redécollait pour disparaître aussitôt vers l'intérieur du continent. Alors qu'il passait au-dessus de la foule assemblée près de la digue, la nouvelle avait couru parmi les curieux : on emmenait Julie Devereaux. Certains prétendaient qu'elle était morte, mais la plupart avaient compris qu'elle avait certainement survécu, quoi qu'il lui soit arrivé durant la nuit. La venue d'un hélicoptère ne s'expliquait pas autrement.

Mais l'engin ne revint pas, et un silence affligé avait succédé à la cacophonie des hypothèses comme chacun en déduisait que les autres enfants avaient dû périr.

Alicia Mayhew fut une des premières à atteindre Sea Oaks. Alors qu'elle arrêtait sa voiture devant la véranda, l'idée d'entrer dans la sombre bâtisse lui répugna soudain. Tant qu'elle restait au-dehors, elle pouvait encore conserver un espoir, même fragile, de retrouver sa fille en vie. Enfin, se forçant à sortir de son véhicule, elle gravit les marches de la véranda.

Devant elle la porte d'entrée était grande ouverte, comme si l'on attendait des invités. Alicia pénétra dans le hall et se figea immédiatement. Le sol souillé de sang était éclairé par un projecteur raccordé au générateur sous l'escalier.

Courant le long de la rampe, une grosse rallonge électrique orange disparaissait vers les étages, et Alicia la suivit, l'esprit ouaté par un étrange détachement.

Arrivée au deuxième étage, elle s'arrêta devant la double porte largement ouverte. Placé au centre de la salle de bal, un autre projecteur révélait l'immense pièce dans une lumière crue. Aveuglée, Alicia clignait des yeux sans bouger quand elle entendit un gémissement étouffé.

Elle fit appel à toute sa volonté et pénétra dans la pièce.

Sans se soucier des deux membres de la police d'État qui prenaient posément des clichés de la sinistre mise en scène, Edith Sanders, le visage baigné de larmes, était agenouillée près du cadavre de son fils et le serrait dans ses bras, comme pour lui insuffler sa propre chaleur vitale. Son mari, les yeux vides et le visage figé par le choc, se tenait debout à côté d'elle, une main sur son épaule.

Gênée de surprendre leur douleur, Alicia se détourna. C'est alors qu'elle découvrit sa fille. Jennifer était allongée sur le sol, ses yeux ouverts fixés sur le plafond. Alicia sentit son sang se glacer, et ses genoux se dérobèrent sous elle. Sans le bras solide de Will Hempstead qui s'était approché, elle se serait sans doute effondrée. L'officier de police la soutint jusqu'à une chaise où elle s'assit.

– Je suis désolé, souffla-t-il. J'aurais préféré que vous ne voyiez pas cela. Aucun d'entre vous n'aurait dû le voir.

– Vous êtes désolé? répéta-t-elle d'une voix morne. Si vous m'aviez écouté hier après-midi...

Elle ne put terminer sa phrase.

– Je sais, murmura Hempstead en baissant la tête. Mais je ne pouvais pas imaginer que Marguerite commettrait de telles horreurs.

Alicia détacha lentement son regard du cadavre de Jennifer et dévisagea le policier.

– Pourquoi, Will? Pourquoi a-t-elle fait ça?

– Je ne sais pas, répondit Hempstead avec un embarras visible. Et je ne suis pas sûr qu'on le découvre un jour.

Les traits d'Alicia se durcirent, et sa voix se fit âpre :

– Où est-elle?

Hempstead s'humecta nerveusement les lèvres.

– Dans sa chambre, avec Frank Weaver. Elle est restée assise là depuis que nous l'y avons amenée, sans dire un mot. Elle regarde dans le vide, et je... je ne suis pas certain qu'elle se souvienne de ce qu'elle a fait.

Toute colère brusquement envolée, Alicia contempla avec des yeux vagues le carnage dans la salle de bal.

– Comment peut-on commettre ces atrocités et les oublier? demanda-t-elle d'une voix blanche.

– Je ne peux pas vous répondre, Alicia, dit tristement Hempstead en se relevant. Je vais vous accompagner en bas. Je trouverai quelqu'un pour vous ramener chez vous.

– Non, dit-elle d'une voix calme. Je veux rester ici, avec Jennifer. Je ne peux pas la laisser ainsi, Will, vous comprenez? (Le regard qu'elle posa sur lui était implorant.) Je vous en prie, laissez-moi avec ma petite fille.

L'officier de police hésita, puis il finit par acquiescer. Un moment plus tard Alicia Mayhew, les yeux brillants, s'agenouillait sur le sol et prenait doucement la main froide de sa fille dans la sienne.

Une heure plus tard les ambulances étaient reparties, emmenant les quatre cadavres. La petite foule massée devant la maison avait fait silence tandis que les corps étaient chargés dans les véhicules, puis les murmures avaient repris. Venue d'on ne sait où, une phrase courait parmi la foule.

Marguerite Devereaux allait sortir de Sea Oaks.

Nul ne savait à quel spectacle s'attendre, et peu à peu un silence tendu s'instaura de nouveau.

Will Hempstead apparut, Marguerite Devereaux à son bras. Elle s'arrêta quelques instants, et les premiers rayons du soleil caressèrent son visage.

Sa chevelure était ramenée en arrière en une tresse élégante qui brillait dans la lumière matinale. Son visage que ne marquait aucune ride paraissait beaucoup plus jeune que ses cinquante ans. Elle était vêtue d'une longue robe de bal d'un blanc éclatant au corsage brodé de faux diamants, et ses pieds étaient chaussés de ballerines couvertes de soie blanche.

Mais le regard qu'elle laissa errer sur la foule silencieuse était totalement vide de toute expression.

– Il est temps de partir, miss Marguerite, murmura Hempstead, si doucement qu'elle fut seule à l'entendre.

D'un pas égal et gracieux, elle descendit les marches avec l'officier de police. Ils se dirigèrent lentement vers la voiture de patrouille.

Au-delà de Wither's Pond, Emmaline referma la porte de sa cabane avec soin et suivit d'un pas ferme la sente qui la mènerait à la route de Devereaux. Comme la plupart des habitants de la petite ville, elle n'avait pas dormi de la nuit. Quelques heures plus tôt, elle s'était rendue à Devereaux. Le hurlement des sirènes déchirait le calme qui avait suivi la tempête.

Elle avait tout de suite compris la gravité de la situation. En fait, depuis la visite de Jeff et de Toby, elle avait eu le pressentiment que les graines de la folie plantées par Helena Devereaux tant d'années auparavant donnaient enfin leurs sinistres fruits. Elle savait que sa sœur était morte, mais elle n'en voulait pas à Marguerite. Dans l'esprit de la vieille femme, Marguerite était autant une victime que Ruby. Et, tandis qu'elle approchait de la ville, elle ne ressentait que pitié pour la fille d'Helena.

Elle s'était mêlée à la foule qui attendait à l'entrée de la digue, sans participer aux commentaires qui fleurissaient ici et là. Quand l'aube s'était levée et que le long cortège de voitures s'était ébranlé en direction de l'île, elle était retournée dans sa cabane. Là, elle était restée assise, à réfléchir.

Elle n'avait pas tardé à prendre sa décision.

Elle avait revêtu sa plus belle robe, la noire avec les boutons en nacre, avait mis sa paire de chaussures neuves dans son grand sac à main et chaussé ses bottes en caoutchouc. Alors que la chaleur du matin effaçait la fraîcheur de la tempête, elle avait repris le chemin de la ville.

L'eau dégouttait des mousses qui pendaient des arbres, et des volutes de vapeur s'élevaient un peu partout du sol détrempé. Emmaline percevait le bruit des animaux qui se faufilaient dans les broussailles, et elle entrevit un serpent qui se coulait dans la végétation. Elle progressait d'un pas régulier, oublieuse de la fatigue qui alourdissait ses muscles et rendait son corps douloureux.

Enfin elle arriva en vue de la clinique. C'était une petite bâtisse de cinq pièces, une ancienne dépendance de la plantation. Elle s'arrêta un moment sur le trottoir pour ôter ses bottes et mettre les chaussures de cuir noir qu'elle ne portait que le dimanche, à l'église. Laissant les bottes au-dehors, elle pénétra dans la salle d'attente de la clinique.

Jeff Devereaux était assis sur un vieux canapé couvert de vinyle, les yeux fixés sur le sol. Ses vêtements étaient souillés de boue et les larmes avaient creusé des sillons dans la crasse qui couvrait son visage harassé. Emmaline l'observa pendant de longues secondes, puis elle traversa la pièce, s'assit à côté de lui et passa son bras autour des épaules de l'enfant.

Jeff releva la tête, mais aucune surprise n'habitait le regard qu'il posa sur Emmaline.

— Elle les a tués, dit-il avec une tristesse poignante. Elle a tué mon papa, et Ruby, et Kerry, et Jennifer.

— Je sais, répondit-elle d'une voix apaisante. Mais ce n'est pas elle, pas vraiment. C'est ta grand-mère qui l'a fait. Il ne faut pas détester ta tante, Jeff.

Le menton du garçon trembla sous l'émotion.

— Si, c'est tante Marguerite qui les a tués. Et elle a presque tué Julie aussi. Je la déteste ! Et j'espère qu'ils la tueront pour la punir !

— Allons, allons... murmura Emmaline doucement. Il ne faut pas dire des choses pareilles. Il faut pardonner aux gens les fautes qu'ils ont commises. Parfois, ils ne peuvent s'en empêcher. Et c'est ce qui s'est passé pour ta tante. Elle n'a pas pu s'en empêcher.

Jeff se mordit les lèvres et fondit une nouvelle fois en larmes. Il enfouit son visage dans l'ample vêtement d'Emmaline. La vieille femme le serra contre elle un moment, en lui tapotant gentiment le dos. Puis elle se redressa.

— Tu restes ici, expliqua-t-elle. Moi, je vais aller voir comment se porte ta sœur et je reviendrai te le dire. Et tu ne t'inquiètes pas, d'accord? A partir de maintenant, Emmaline prendra soin de toi.

Jeff acquiesça silencieusement et la regarda se lever et marcher jusqu'à la cloison séparant la salle d'attente du bureau. Avec autorité, elle tambourina contre la vitre. Une infirmière aux traits tirés leva les yeux de sa machine à écrire et fit coulisser le carreau.

– A moins que ce ne soit pour une urgence...

– Je veux savoir comment va Julie Devereaux, coupa Emmaline.

L'infirmière la dévisagea avec incertitude, les sourcils froncés.

– Je suis désolée, Emmaline, mais vous n'êtes pas une proche.

Les yeux de la vieille femme s'étrécirent.

– Je suis sa gouvernante, affirma-t-elle avec aplomb. Elle et le gamin n'ont plus que moi, et j'ai l'intention de savoir comment elle va.

L'infirmière hésitait. Emmaline changea de ton :

– S'il vous plaît... Vous savez qui je suis, et ce que ma sœur a fait pour miss Marguerite toute sa vie. Et elle s'est occupée de Kevin aussi, jusqu'à ce que miss Helena l'envoie en pension. Mais Ruby est morte, maintenant, et il n'y a plus personne pour prendre soin des enfants. Je vous en prie...

Vaincue par ces arguments, l'infirmière se décida enfin. Elle se leva de son bureau et ouvrit la porte à Emmaline.

– D'accord, dit-elle en menant la vieille femme dans un couloir. Elle est ici. Mais ne la fatiguez pas. Elle s'est réveillée il y a quelques minutes, mais je crois qu'elle s'est rendormie.

Elle regarda Emmaline et, pour la première fois, lui adressa un sourire de sympathie.

– Vous êtes la première personne à venir la voir, vous savez. Tous les autres habitants de la ville...

– Ils ont leurs propres problèmes, finit Emmaline. Mais ils vont en vouloir aux enfants, simplement parce qu'ils portent le nom de Devereaux, et j'ai l'intention de veiller à ce qu'on ne leur fasse plus de mal. Ils ont assez souffert. Ce n'est pas grand-chose, mais je sais que Ruby aurait voulu que j'agisse ainsi.

L'infirmière ouvrit une porte et s'effaça pour laisser Emmaline entrer dans la chambre.

– Je parlerai au docteur, ajouta-t-elle avant de partir. Je suis certaine qu'il comprendra.

Sans paraître l'entendre, la vieille femme s'était déjà penchée sur la jeune fille endormie et caressait doucement son front luisant de transpiration.

Le docteur arriva quelques minutes plus tard. Assise à côté du lit, sa vieille main déformée couvrant les doigts lisses de l'adolescente, Emmaline leva la tête et l'interrogea du regard.

— Elle va se remettre, assura le docteur. Ses deux hanches sont fracturées, mais nous arrangerons cela. Pourtant, je ne vous cache pas qu'il lui faudra beaucoup de temps avant de remarcher, et une aide constante.

— L'aide, je m'en charge, répondit Emmaline. Vous me direz ce qu'il faut faire et je...

Elle s'interrompit en sentant sous sa main les doigts tressaillir. Oubliant le docteur, elle examina le visage de Julie. Les paupières de l'adolescente battirent plusieurs fois puis elle ouvrit les yeux. Ils étaient emplis d'une terreur absolue.

— Tout va bien, murmura Emmaline à son oreille. Tout est fini, maintenant, et tu n'as plus rien à craindre. Je vais prendre soin de toi.

Julie fit un effort pour parler, et quand elle y parvint ce fut d'une voix faible, enrouée par sa gorge desséchée :

— Mais... qui êtes-vous?

— Emmaline. Ruby ne t'a jamais parlé de moi?

Julie resta immobile un moment, puis elle eut un infime mouvement négatif de la tête.

— Eh bien, ça n'a pas d'importance, dit la vieille femme. Tout ce qui compte, c'est que je sois là.

Il y eut un bruit dans le couloir, et Emmaline se tourna vers la porte. Ses yeux sombres se réduisirent à deux fentes où brillait la colère quand elle reconnut Marguerite Devereaux assise dans un fauteuil roulant que Will Hempstead poussait sur le seuil.

— Que fait-elle ici? demanda Emmaline d'une voix basse tremblante d'indignation. Pourquoi n'est-elle pas en prison, après ce qu'elle a fait?

— Elle ne se souvient pas de ce qui s'est passé, dit l'officier de police à l'adresse du docteur. Elle ne se souvient plus de rien. Il faut la garder ici en attendant que l'hôpital de Beaufort envoie une équipe pour l'emmener.

Des paroles acerbes montaient aux lèvres de la vieille femme, mais elle n'eut pas le temps de les formuler. Le regard jusqu'alors vague de Marguerite parut se concentrer, et la rage l'embrasa brusquement.

— Ruby! grinça-t-elle avec la voix d'Helena Devereaux, et elle toisa le docteur avec fureur. Qui est cet homme? Et que fait-il ici? Combien de fois vous ai-je dit que Marguerite ne devait recevoir aucune visite?

Emmaline ne répondit pas car elle avait senti la main de Julie se crisper dans la sienne. Elle se tourna vers la jeune fille. Celle-ci observait sa tante. Son visage était devenu d'une pâleur extrême, mais la terreur avait quitté ses yeux.

Son regard rencontra celui de Marguerite, et une expression singulière marqua peu à peu ses traits. Elle fronça les sourcils, et elle sembla ne pas comprendre ce qui lui arrivait. Soudain, si rapidement qu'Emmaline douta de l'avoir vraiment vue, une haine terrible passa dans ses prunelles, si totale que la chambre entière parut se glacer. Emmaline frissonna, mais, quand elle contempla de nouveau l'adolescente, celle-ci arborait une expression d'intense perplexité. Puis Julie laissa aller sa tête sur l'oreiller et fixa le plafond.

— Emmenez-la, murmura-t-elle. Je ne veux plus jamais la voir. Je vous en prie.

Ses paupières se refermèrent. Emmaline se tourna vers Marguerite. La tante de Julie paraissait en proie à la même incertitude que l'adolescente, et son visage trahissait un trouble profond, comme si sa mémoire s'éveillait à des souvenirs interdits. L'étrange vacuité avait disparu de ses yeux.

*Elle se souvient*, songea Emmaline tandis que Will Hempstead poussait le fauteuil roulant plus loin dans le couloir. *Elle se souvient de tout ce qu'elle a fait.*


Will Hempstead fit pivoter la chaise roulante devant la chambre où l'attendait une infirmière. Alors qu'elle passait la porte, Marguerite se retint d'une main au chambranle et leva vers l'officier de police un regard suppliant.

— Non, dit-elle d'une voix redevenue normale. Je... je ne peux pas rester ici, Will. Je dois retourner à Sea Oaks. Il faut que je m'occupe de ma mère et de mes élèves. Je ne peux pas les abandonner, vous comprenez? C'est impossible!

La gorge serrée, Hempstead ne put rien répondre. Mais l'infirmière s'approcha de Marguerite, un sourire professionnel aux lèvres.

— Allons, miss Devereaux, tout va s'arranger. Nous vous avons préparé une chambre très agréable, vous verrez, et nous prendrons grand soin de vous.

Otant doucement la main du chambranle, elle poussa la chaise roulante dans la pièce et aida Marguerite à se lever. Puis elle dégrafa avec des gestes précis la robe de soie blanche qui tomba sur le carrelage, avant de passer un peignoir à sa nouvelle patiente.

— Et maintenant, il faut vous reposer.

Elle installa Marguerite dans le lit, sans remarquer ses yeux luisants de larmes qui restaient fixés sur le tas informe de la robe de bal sur le sol.

— Le docteur viendra vous voir dans un instant, dit encore l'infirmière en se dirigeant vers le couloir. Tout ira bien.

Elle sortit avec Will Hempstead et referma sans bruit la porte derrière elle.

Cinq minutes plus tard, quand le docteur entra pour administrer un sédatif à Marguerite, il était trop tard.

La ceinture de soie serrée autour de son cou brisé, Marguerite Devereaux s'était pendue au tuyau d'alimentation de l'extincteur automatique qui traversait le plafond. A quelques dizaines de centimètres au-dessus du petit tas formé par sa robe de bal, ses pieds chaussés des ballerines de soie blanche oscillaient lentement.

# Épilogue

Jeff Devereaux stoppa la petite décapotable offerte par sa sœur pour ses dix-huit ans à l'entrée de la chaussée. Il contempla Sea Oaks avec un sentiment proche de l'étonnement. En effet, contrastant violemment avec la demeure ancestrale des Devereaux, une centaine de bungalows ponctuaient les abords de la plage par petits groupes, entourés de bouquets de pins qu'on avait habilement incorporés au parcours de golf. Le marais avait été réduit à quelques pièces d'eau peu profondes qui émaillaient le green à la grande joie des golfeurs amateurs de difficultés. Un ruisseau avait été creusé pour relier entre elles les mares et en diriger le trop-plein vers la côte sud de l'île où une marina était en chantier. D'où il se trouvait, Jeff pouvait entendre le ronronnement assourdi des excavatrices qui creusaient une anse dans la côte. Un embarcadère y serait bientôt construit pour abriter le petit port de plaisance des tempêtes qui balayaient régulièrement l'île sans jamais parvenir à la détruire.

Dix ans après cette nuit tragique qui avait vu l'esprit de sa tante basculer dans la folie, Jeff ne désirait plus que l'île Devereaux soit engloutie par les flots déchaînés.

Mais il n'avait pas toujours pensé ainsi.

Quand Emmaline Carr l'avait ramené à Sea Oaks, l'enfant traumatisé qu'il était alors avait refusé d'entrer, tout son corps tremblant d'une terreur sans nom. A force de patience et de persuasion, la vieille femme avait réussi à le faire pénétrer dans la maison familiale. Sans cesse de lui parler d'une voix rassurante, elle l'avait emmené dans chaque pièce pour lui montrer qu'il ne restait plus aucune trace de sa tante ou de sa grand-mère.

On avait même démonté la chaise-ascenseur.

Pour finir, Emmaline l'avait accompagné au deuxième étage.

Il ne voulait pas y aller, surtout après les histoires effrayantes qu'il avait entendues sur ce que Will Hempstead y avait découvert. Mais Emmaline avait tenu bon, et ils étaient entrés dans la salle de bal. Ce n'était plus qu'une grande pièce vide, au parquet soigneusement nettoyé. Les chaises et le piano avaient disparu, et l'endroit était inondé par les rayons du soleil.

– Ce n'est qu'une maison comme une autre, lui avait dit Emmaline ce soir-là, tandis qu'ils soupaient dans la cuisine. Il n'y a rien ici dont tu puisses avoir peur. Il n'y a pas de fantômes.

– Mais Ruby racontait... avait-il protesté, pour être aussitôt coupé par la vieille femme.

– Ruby racontait beaucoup d'histoires. Et ce n'étaient que des histoires, justement. C'est ta tante que tu as vue dans le cimetière, et maintenant elle y est enterrée, elle aussi.

Alors Emmaline avait fixé sur lui ses yeux noirs, et il y avait lu une affection qu'il avait cru disparue avec sa mère.

– A présent c'est ta maison, Jeff, et celle de Julie. Des tragédies ont eu lieu dans beaucoup de maisons, mais elles ne sont pas changées pour autant. Il faut apprendre à y vivre et à les rendre meilleures, voilà tout. Et c'est ce que nous allons faire ici. D'ici quelque temps ta sœur nous rejoindra, et en attendant nous allons préparer Sea Oaks pour elle. Quant aux mauvais souvenirs, ils appartiennent au passé.

A l'époque, Jeff n'avait pas compris toute cette déclaration. Et pendant un certain temps – plus d'un an –, il avait souffert de cauchemars effroyables dans lesquels il entendait le pas claudicant de sa tante dans le couloir et voyait ses yeux de démente briller dans l'obscurité. Mais Emmaline était toujours là quand il se réveillait en sursaut. Peu à peu les rêves s'étaient faits plus rares, puis ils avaient cessé.

Et la vieille demeure avait beaucoup changé, car Sam Waterman avait mené à bien les projets de Kevin en sa qualité de fidéicommissaire des intérêts de Jeff et Julie. A la fin de la première année, la bâtisse avait été transformée, un gérant engagé, ainsi qu'un cuisinier et différents employés d'hôtellerie.

*Devereaux Inn* avait connu un succès immédiat, et deux ans plus tard l'aménagement de l'île commençait dans des conditions financières très positives.

La quatrième année, alors qu'il avait douze ans et Julie dix-neuf, il avait été envoyé dans une école privée.

– Ça ne me dit rien qui vaille, avait maugréé Emmaline la première fois que Julie avait abordé le sujet. Il me semble qu'un garçon de son âge devrait habiter chez lui, là où quelqu'un peut vraiment s'occuper de lui. Et souviens-toi que ta grand-mère avait déjà envoyé ton père dans un pensionnat, avait-elle ajouté d'un air sombre.

– Ça n'a aucun rapport, avait protesté Julie. Papa ne voulait pas y aller, et personne ne force Jeff à partir. C'est lui qui le désire.

Emmaline avait jeté un regard soupçonneux au garçon. Jeff était déjà grand pour son âge, et on lui aurait facilement donné quinze ans. Et sa maturité n'était pas seulement physique. La nuit de la tragédie l'avait beaucoup vieilli.

– Julie a raison, avait-il dit. Quand j'aurai vingt et un ans, je devrai gérer toute l'île. Mr. Waterman ne pourra pas s'occuper éternellement de nos intérêts, et il faudra que je sache me débrouiller. Il me faut une éducation solide. J'ai déjà sauté une classe ici. Il y a une école à Charleston où je pourrais aller. Ce n'est pas très loin. Je pourrais revenir tous les week-ends, pendant les vacances d'été, et à Noël.

Emmaline avait capitulé, enfin rassurée sur le libre choix de Jeff. Elle lui avait fait jurer de revenir si le pensionnat ne lui plaisait pas. Il avait promis, mais tous trois savaient pertinemment qu'il ne le ferait jamais.

A présent, son diplôme de fin d'études en poche, il s'apprêtait à entrer à l'Université pour y étudier la gestion hôtelière. Mais pour cet été il était de retour à Sea Oaks. Il conduisit lentement sa décapotable le long de la route pavée qui bordait maintenant le golf et donna sa voiture à garer à l'un des gardiens de parking devant la maison elle-même.

Des larmes de joie dans les yeux, Julie se tenait sur le perron en compagnie d'Emmaline.

Elle ne put attendre qu'il les rejoigne et descendit les quelques marches pour aller à sa rencontre. Sa claudication était à peine perceptible. Elle se jeta dans les bras de son frère. Il mesurait une bonne vingtaine de centimètres de plus qu'elle, et si elle eut quelque difficulté à enserrer son large torse, elle le fit avec une énergie affectueuse, avant de se reculer pour le considérer malicieusement.

– Tu n'as pas conduit trop vite, n'est-ce pas? Je ne t'ai pas acheté cette voiture pour que tu te tues avec!

– Tu n'aurais pas dû me l'acheter, oui! répondit Jeff en fronçant les sourcils avec une sévérité feinte. Il y a une centaine de choses ici pour lesquelles nous devons dépenser de l'argent et...

– Et c'est ce que nous faisons! s'exclama joyeusement sa sœur. Tous les problèmes sont réglés à mesure qu'ils apparaissent, et tu le sais bien. Et si tu ne crois pas que nous puissions t'offrir une petite décapotable, les livres de compte sont à ta disposition!

– Ça va, ça va! protesta Jeff en riant.

Il savait fort bien que la transformation de l'île avait enrichi tous les habitants de Devereaux au-delà de leurs espérances.

– Quand j'aurai embrassé Emmaline, annonça-t-il, je veux

que tu me racontes tout ce qui s'est passé depuis la dernière fois!

Tous trois visitèrent la vieille demeure devenue hôtel pièce par pièce, et seule Emmaline trouva matière à critiques. Mais Jeff et Julie avaient compris depuis déjà longtemps que l'équipe d'entretien ne parviendrait jamais à la perfection qu'exigeait la vieille femme. Après un moment, pourtant, Jeff en eut assez.

— Pourquoi n'irions-nous pas tous les trois inspecter *ta* maison? suggéra-t-il à Emmaline.

Cette dernière l'avait fusillé du regard comme s'il n'avait toujours que huit ans.

— Cet hôtel n'est pas une baraque perdue dans les bois derrière Wither's Pond! rétorqua-t-elle. Et je suis encore assez forte pour te flanquer une bonne fessée!

Ils finirent par monter au deuxième étage, où l'ancienne salle de bal avait été transformée en un spacieux appartement. Ils s'installèrent sur le balcon et contemplèrent l'île en silence, chacun évaluant les changements qui avaient affecté le paysage ces dix dernières années.

Après un moment, Emmaline retourna à l'intérieur pour les laisser en tête à tête.

— Ça ne ressemble plus beaucoup à ce que c'était quand nous sommes arrivés, n'est-ce pas? dit Julie d'une voix calme.

Jeff réprima un frisson en sentant les souvenirs exécrés se réveiller dans son esprit. Il secoua la tête avec une grimace.

— Et plus elle change, plus j'apprécie cette île. (Il se tourna vers sa sœur.) Tu regrettes que nous soyons restés?

Julie ne répondit pas immédiatement. Pour elle, revenir à Sea Oaks avait été plus dur que pour Jeff. Pendant les premiers mois, elle avait été incapable de marcher, et son existence n'avait été supportable que grâce à Emmaline. La vieille femme avait ajouté un lit dans la petite pièce attenante à la cuisine pour que l'adolescente ne soit jamais seule.

Si Julie s'éveillait en pleine nuit après un cauchemar, Emmaline était toujours à son chevet. Souvent elle allait chercher Jeff et ils s'asseyaient ensemble dans la cuisine où elle leur parlait pour les distraire de leurs souvenirs. Peu à peu, les os de Julie s'étaient ressoudés et elle avait entrepris une rééducation. Emmaline avait passé d'innombrables heures à l'aider dans sa guérison. Et les plaies de son esprit s'étaient cicatrisées en même temps que celles de son corps.

— Non, dit-elle enfin. Emmaline avait raison. Si nous n'étions pas revenus ici, nous ne nous serions probablement jamais remis de ce que nous avons subi.

— Et tu t'en es remise? demanda Jeff sans cacher son intérêt.

Le regard de la jeune femme se voila un moment.

– Je... je ne sais pas, avoua-t-elle. Peut-on vraiment se remettre d'une telle chose?

Puis son visage s'éclaira.

– T'ai-je dit que j'avais repris la danse?

– Non.

– Oh, très doucement! Mais il y a une barre d'exercice dans la salle de gym du club de golf. Un jour, je n'ai pas pu résister. (Elle eut un sourire triste et ajouta :) Bien sûr, je ne ferai jamais carrière, mais j'en tire beaucoup de plaisir. (Son regard rencontra celui de son frère.) Je pense même à donner des cours de danse.

Dans l'air chaud du soir, Jeff sentit une main glacée étreindre sa nuque.


Jeff s'éveilla brusquement dans la nuit tiède. Il n'aurait pu définir ce qui l'avait tiré ainsi de son sommeil, et il resta un long moment allongé dans son lit, à l'écoute des menus bruits de la vieille bâtisse. Il devait être plus de deux heures du matin car aucune musique ne montait du salon, et aucun rire ne s'élevait des bords de la piscine que l'on avait creusée derrière la maison.

Pourtant, en tendant l'oreille, il crut percevoir un son ténu, semblable à une mélodie aigrelette.

Comme celle d'une boîte à musique.

Il se leva, enfila une robe de chambre légère et sortit sur le balcon.

La lune scintillait sur la surface lisse de la mer, et il entendait maintenant le ressac paisible sur la plage.

Et la mélodie de la boîte à musique était devenue plus distincte.

Presque contre son gré il tourna son regard vers le cimetière familial, clos maintenant par une grille en fer forgé. Pendant quelques secondes, il ne vit rien. Puis ses yeux s'accoutumèrent à l'obscurité.

Alors il repéra la silhouette pâle qu'il n'avait pas revue depuis dix ans.

Mais cette fois ce n'était pas l'apparition spectrale de sa grand-mère ou de sa tante.

Les yeux embués de larmes, il observa tristement sa sœur qui dansait avec raideur autour de la crypte où reposaient ses ancêtres.

Cet ouvrage a été réalisé
sur presse CAMERON
dans les ateliers de la S.E.P.C.
à Saint-Amand-Montrond (Cher)
pour le compte de France Loisirs
123, bd de Grenelle, Paris
en février 1991

Dépôt légal : février 1991.
N° d'édition : 19922. — N° d'impression : 481.

Imprimé en France